D1029894

EN TOUTE CONFIANCE

Ann Rule

EN TOUTE CONFIANCE

Traduit de l'anglais (États-Unis)
par Catherine Makarius

Titre original
Possession

© Ann Rule, 1983

© Éditions Michel Lafon, 2011, pour la traduction française.
7-13, boulevard Paul-Émile-Victor – Ile de la Jatte
92521 Neuilly-sur-Seine Cedex
www.michel-lafon.com

Pour Laura, Leslie, Andy, Mike,
Bruce, Rebecca et Matthew.
Qu'ils n'oublient jamais que l'amour
est le seul bien qui compte.

PROLOGUE

La mère

23 mai 1957

Loreen Demich aurait été étonnée de savoir qu'elle avait ressenti les premières contractions à moins d'un kilomètre de l'endroit où l'enfant avait été conçu. Qui était le père ? Elle n'aurait pu le dire avec exactitude. Elle en avait vu défiler tellement l'année passée ! Tantôt elle les laissait faire parce qu'elle se sentait seule, tantôt pour l'argent, à l'occasion par désœuvrement. Mais pas une seule fois par amour.

Elle avait pris la route avec les forains qui venaient de plier bagage et acheminaient leurs caravanes vers la prochaine étape. Les hommes se confondaient dans son esprit avec les villes du circuit : Cincinnati, Moline, Ann Arbor. Elle se rappelait pourtant un grand échalas aux cheveux roux que ses copains éméchés avaient poussé un soir dans sa roulotte. Un gamin qui avait bégayé en lui tendant son billet de dix dollars. Seize ans à peine et déjà en fac, fallait-il qu'il soit malin ! Elle avait vu qu'il se faisait charrier par ses camarades, qui lui en voulaient d'être intelligent. Il avait les mots et les réflexions de quelqu'un d'instruit, et Loreen les avait entendus rire dès qu'il ouvrait la bouche.

Elle avait empoché son argent et lui avait dit de se dépêcher parce que les autres tambourinaient dehors. Et, pour faire vite, il avait fait vite. Il avait à peine eu le temps d'entrer en elle. Elle aussi avait ri et s'était levée pour se laver.

La fête foraine se trouvait à mille kilomètres de là quand elle commença à vomir.

Durant sa courte vie, Loreen s'était laissé porter par les événements, sans faire de projets, nourrissant d'impossibles rêves. Elle croyait au miracle et espérait que les tireurs de cartes lui promettraient une vie meilleure. Mais elle avait peu de cordes à son arc, hormis le talent d'attirer les hommes qui, leur besogne finie, la laissaient chaque fois un peu plus seule.

Elle n'avait pas encore dix-huit ans quand les premières douleurs s'étaient manifestées. Terrifiée, elle s'était recroquevillée dans un coin, le dos appuyé contre le métal froid de la caravane Nashua, déchirée par la douleur. Elle était restée là toute la journée et une bonne partie de la nuit en compagnie de la vieille gitane, qui ne lui témoignait ni intérêt ni compassion. Personne pour la réconforter, personne pour calmer sa frayeur. Les forains lui avaient dit que la bohémienne saurait quoi faire et s'étaient dépêchés de les laisser seules, comme si un malheur s'était abattu sur la caravane.

Loreen était convaincue qu'elle allait mourir : elle ne voyait pas comment elle aurait pu expulser le bébé autrement. Elle tourna la tête et eut un haut-le-cœur quand la gitane voulut lui faire boire une rasade de bourbon. Puis elle entendit un râle monter du fond de sa gorge. Ses gémissements, pareils à ceux d'un animal, la surprirent. La vieille grognait avec elle, l'incitait à s'engager dans ce sombre tunnel de souffrance que Loreen n'avait aucune envie de connaître. Elle pria pour que le bébé soit mort, elle n'en avait jamais voulu.

La gitane se tourna vers elle, bloquant la fenêtre de toute sa masse. Loreen ferma les yeux, poussa encore et sentit une secousse ébranler tout son corps. Elle eut l'impression qu'on l'écartelait, et quelque chose de visqueux et de mouillé surgit entre ses jambes.

Pendant un moment, tout fut très calme. Elle regarda la gitane envelopper négligemment la chose rouge et blanc dans une vieille serviette. La chose était morte. Tant mieux. Mais soudain elle vit la bouche de l'enfant s'ouvrir et entendit son cri rebondir contre les minces parois de la roulotte.

La vieille femme poussa un grognement de satisfaction et lui tendit le paquet hurlant. L'affreuse chose vivait.

Loreen se retourna, le visage contre le matelas, et s'endormit.

*
* *

Dorothy Demich n'avait pas fait de vieux os à Coatesville, ce trou perdu de Pennsylvanie. Elle avait quitté mari et belle-mère et n'avait laissé à sa fille qu'une photographie d'elle. Loreen, qui à l'époque s'appelait encore Louise, avait vu que sa mère était belle (tout comme elle), jeune, très jeune, et qu'elle arborait une poitrine à peine croyable (comme celle qu'elle aurait un jour). Dorothy n'aurait pas pu rester dans cette moitié de maison où l'enfant vivait avec son père, Pete Demich, et sa grand-mère, Lena. Louise en était persuadée. Elle en eut la certitude quelques années plus tard, quand elle se mit à attendre avec impatience le moment où elle pourrait à son tour prendre le large. Sous sa couche de peinture fraîche, la maison sentait la crasse et la vieille femme.

Louise rêvait d'avoir des tapis, au moins un, pour couvrir le linoléum si éraflé qu'on ne pouvait plus en discerner le motif d'origine. Elle avait bien essayé un jour de laver les rideaux de dentelle grise, mais la vieille lessiveuse du sous-sol ne lui avait rendu que des chiffons. Elle avait fini par admettre que cette maison mitoyenne ne serait jamais autre chose que ce qu'elle était. Les voisins avec lesquels la famille partageait le mur de façade repeignaient

13

leur côté tous les cinq ans, Pete ne s'en était jamais donné la peine.

Les rares fois où Louise avait amené des amies chez elle, Pete, qui travaillait toute la nuit à l'aciérie Lukens et se levait tard dans l'après-midi, déambulait dans la maison en maillot de corps et caleçon et se grattait l'entre-jambe, indifférent à la présence des filles. Il faisait honte à Louise et effrayait ses camarades de classe. Quand Pete travaillait la journée, Lena s'installait sur sa chaise fati-guée dans un coin du salon et les observait, tandis que ses doigts crochus s'occupaient à fabriquer des mètres et des mètres de macramé. Louise ne sut jamais à quoi cela pouvait bien servir. Lena refusait de parler anglais devant les amies de sa petite-fille et ne s'adressait à Louise qu'en aboyant des remarques en polonais. Les gamines avaient alors vite fait de rassembler leurs poupées et allaient jouer là où les mères leur préparaient des cookies et les serraient dans leurs bras.

Lena Demich n'avait jamais pris Louise dans ses bras, ne l'avait jamais embrassée, n'avait même jamais passé sa vieille main rude sur ses cheveux en signe d'affection. La nuit, la vieille femme ronflait, pétait, et son poids de pachyderme ramenait sans cesse la fillette vers le milieu du lit escamotable. Louise apprit à dormir en se retenant au montant.

Sa grand-mère était une présence, rien de plus. Elle semblait avoir noué quelques liens avec des femmes de son âge qui habitaient sur le coteau, au-dessus de la rue principale. Louise écoutait leurs conversations dans l'espoir de trouver un moyen d'entrer en contact avec sa grand-mère, mais jamais elle ne trouva la clef. Au dîner, Lena et Pete échangeaient trois mots autour de la table de la cuisine. Ils avaient l'air de se comprendre, l'enfant, elle, ne comprenait rien.

Louise n'était pas très vive. Ses maîtres remarquaient à peine son petit visage pâle perdu au milieu d'un océan d'élèves. Elle n'excellait en rien, ne chahutait pas, n'avait rien de remarquable. Au cours de sa scolarité, quelques professeurs avaient bien essayé de la faire sortir de sa coquille, mais le temps manquait toujours et Louise acceptait de mauvaise grâce cette sollicitude qui attirait l'attention sur elle. Elle craignait qu'ils ne découvrent qu'elle ne savait pas lire. Idem pour le calcul. Pourquoi ses camarades pouvaient-elles apprendre et pas elle ?

L'enfant passait tant bien que mal de classe en classe. Elle avait conscience d'avoir accumulé du retard et, pour se protéger, se réfugiait dans son monde de chimères. Elle était persuadée que Dorothy reviendrait, qu'elle verrait combien son enfant lui ressemblait, qu'elle avait laissé derrière elle une part d'elle-même. Louise se figurait que sa mère était une actrice à succès qui vivait quelque part dans une grande et belle maison. Un jour elles seraient à nouveau réunies, ce n'était qu'une question de temps. À l'école, Louise racontait à propos de sa mère des fables que personne ne croyait, et elle essuyait les moqueries des favorites de la classe qui se pavanaient dans leurs tricots de cachemire et leurs jupes assorties. Il lui suffisait de froncer les sourcils pour les éloigner.

Pete et Lena savaient que Dorothy ne reviendrait jamais réclamer cette enfant maigrichonne qu'elle leur avait refilée. Ils savaient que Dorothy était morte depuis trois ans, que l'homme dont les mains s'étaient resserrées autour de son cou jusqu'à laisser dix empreintes de doigts bleu pâle dans sa chair tendre avait jeté son corps dans une ruelle de Chicago. Ils avaient accueilli la nouvelle de son meurtre avec stoïcisme. Pour eux, Dorothy avait cessé d'exister le jour où elle avait quitté la maison, et sa mort ne surprit ni ne révolta personne. Ils n'avaient pas réclamé justice, et le crime était resté impuni. Son départ avait même soulagé Pete et Lena qui regrettaient seulement qu'elle n'ait pas emmené l'enfant avec elle. Sa mort les conforta dans leur conviction que le Dieu inflexible auquel ils obéissaient châtiait les méchants.

Ils n'avaient pas jugé utile d'informer Louise du décès de sa mère. Les enfants ne tiennent jamais leur langue. Quand les affaires de Dorothy étaient arrivées dans un sac de papier brun, Lena avait soulevé avec dégoût les vêtements, les papiers et les bijoux de pacotille. Elle avait toujours pensé que Dorothy était une traînée, indigne d'un travailleur acharné comme Pete, et ses chandails moulants comme ses sous-vêtements légers confirmaient son sentiment. Elle se traîna jusqu'au poêle à charbon et y brûla tout, épargnant la verroterie. Avait-elle ou non remarqué la lettre adressée à Louise ? Peu importe. Ceux qui périssent dans le déshonneur n'ont pas le droit d'envoyer des lettres aux vivants.

Lena suspectait l'enfant de porter en elle de mauvaises graines et en guettait attentivement les premiers germes.

À quatorze ans, Louise décida de son propre chef, et sans en informer quiconque, de s'appeler Loreen. Elle n'avait de toute façon personne à qui l'annoncer. Elle se choisit un prénom, son *vrai* prénom, qu'elle avait entendu au cinéma un samedi après-midi – quelque chose avec Joan Crawford ou Shelley Winters. Louise ne s'identifiait jamais aux vedettes : elle préférait jeter son dévolu sur un second rôle, une gentille et jolie jeune fille toujours heureuse au dénouement du film. Les choses finiraient aussi par s'arranger pour elle quand sa mère reviendrait ou quand elle aurait enfin l'âge de quitter la maison. Car rien n'adviendrait jamais sous ce toit où nul ne pouvait être heureux.

Louise-Loreen resta aussi plate qu'une enfant jusqu'à ses quinze ans, et Lena remerciait Dieu chaque jour qu'il en fût ainsi. Mais l'été qui précéda sa deuxième année de lycée, dans ses vêtements légers imposés par une chaleur quasi tropicale, Louise n'avait plus l'air d'une enfant. Il fallait se rendre à l'évidence, elle était devenue une femme. Une semaine après la rentrée, l'adjointe du principal la convoqua dans son bureau.

– Tu dois porter un soutien-gorge, lui expliqua la femme. Ou ce n'est pas la peine de remettre les pieds à l'école.

Louise ne savait plus où se mettre. Les larmes lui montèrent aux yeux, et elle se sentit devenir toute rouge comme quand elle faisait une bourde au volley-ball et que tous les regards se tournaient vers elle.

– N'oublie pas qu'il y a des classes de garçons de l'autre côté du gymnase. On s'est plaint.

Louise regarda la femme, gênée. Qui s'était plaint ? Les garçons ? Les autres filles ? Le professeur ? Son corps, dont elle n'avait jamais vraiment eu conscience, était devenu soudain aussi lourd qu'une pierre.

– Aie un peu de pudeur, Louise. Tu dois te respecter et respecter les autres.

Cette femme n'avait pas de poitrine. Comment pouvait-elle comprendre ? Si seulement elle avait ressemblé à une Greer Garson ou à une Maureen O'Hara, elle aurait su que Louise n'avait pas pensé à mal.

– Excusez-moi. Je ne m'en étais pas rendu compte. C'est parce que j'ai… si vite… grandi.

– Une femme doit être attentive à son corps.

– Je vous demande pardon.

– Ce n'est pas à moi de te pardonner, Louise. Tâche de faire plus attention.

Louise garda toute la journée son manteau sur le dos, sentant son visage s'enflammer dès qu'on la regardait. Elle aurait bien voulu savoir qui avait pu parler d'elle et regretta de ne pas avoir une amie à qui se confier.

Rentrée chez elle, Louise évita le regard de sa grand-mère, qui se demandait pourquoi elle portait un manteau par cette chaude journée de septembre. La jeune fille se précipita dans la salle de bains et ferma la porte. Le seul miroir de la maison était accroché au-dessus du lavabo ébréché, et elle dut grimper sur le bord de la baignoire pour voir son buste. Elle se tint d'une main à l'appui de la fenêtre et de l'autre releva son chemisier.

C'était vrai : ses seins avaient poussé. Ils ressemblaient à des oreillers de chair blanche gonflés. Les deux aréoles couleur saumon lui semblèrent plus larges que dans son souvenir. Ça lui faisait drôle, elle qui était si frêle, et eux si gros. On aurait dit qu'ils étaient étrangers à son corps. Elle les regarda sous toutes les coutures, afin de s'y habituer. Elle les trouva beaux. Les stars de cinéma ont de grosses poitrines et personne n'y trouve à redire. Toujours chancelante sur le bord de la baignoire, elle ôta son chemisier, qu'elle noua autour de son torse à la façon d'un bustier.

Ils étaient vraiment beaux. Ils ressemblaient à ceux de sa mère sur la photo qu'elle gardait sur elle. Louise serra davantage le tissu pour les faire pigeonner. Elle était stupéfaite qu'ils aient grossi si vite, comme à son insu. Elle se sourit dans le miroir. Pas étonnant que les garçons du gymnase la regardent. Elle éprouva une légère impression de pouvoir, quelque chose qu'elle n'avait encore jamais ressenti.

La porte de la salle de bains s'était ouverte si doucement qu'elle n'avait pas entendu sa grand-mère entrer. Celle-ci lui cracha un mot en polonais qu'elle ne comprit pas, mais la véhémence de son ton ne lui échappa pas. Ses pieds perdirent leur appui précaire, Louise tomba et son visage vint cogner le siège des toilettes. Le sol sentait fortement l'urine. Elle releva la tête. Sa bouche saignait.

– Lève-toi et couvre-toi. Qu'est-ce que tu fais là ?

Louise se releva lentement et passa la main sur sa bouche pour essuyer le sang.

– Ils ont dit, à l'école, que je devais mettre un soutien-gorge.

– Qui a dit ça ? Qui s'est permis de se mêler de nos affaires ?

– Une femme dans le bureau du principal. Elle a dit que c'était pas bien.

De ses doigts osseux, Lena lui tâta les seins.

– Ah ! elle a raison. Tu es grosse comme une vache.
Viens par là.

Louise suivit sa grand-mère dans le salon, où la vieille
femme sortit de la commode en cèdre une espèce de cami-
sole couleur chair. Elle y enferma la poitrine de Louise,
tirant, laçant, serrant jusqu'à ce qu'elle puisse à peine
respirer. Elle jeta un œil sur ses seins et se félicita de les
voir aplatis, leur volume repoussé vers la cage thoracique
et sous les bras de la jeune fille. Louise essaya d'inspirer
profondément et n'y parvint pas.

– Je ne peux pas mettre ça, protesta-t-elle. J'ai l'air
d'un monstre et ça m'empêche de respirer.

– Tu mets ça. J'irai chez Sears t'acheter des soutiens-
gorge. Pour l'instant, tu le portes bien serré, au moins, tu
n'auras pas les seins qui débordent comme ceux d'une
putain. Tu es bien comme ta mère. Des gros seins. Elle
ne t'a même pas allaitée, elle avait trop peur qu'ils devien-
nent plus petits.

Louise ferma les yeux et se retourna. Elle détestait
quand Lena parlait de Dorothy, elle détestait l'air fixe et
fermé qui passait sur le visage de sa grand-mère quand
on prononçait le nom de sa mère. Un jour, elle avait vu
Lena nue et avait été horrifiée par ses seins flasques et
vides qui pendaient sur son ventre pareil à de la tôle
ondulée. Impossible d'imaginer que cette femme avait un
jour été jeune. Lena évitait d'évoquer tout ce qui touchait
au corps, peut-être à cause de sa laideur, se disait Louise.

Pour Lena, avoir des seins était toutefois moins dégoû-
tant que les menstruations. Personne n'avait préparé Louise
à ce soudain flot de sang chaud qui avait coulé entre ses
cuisses six mois plus tôt. Le pire jour de sa vie. L'angoisse.
Elle était entrée dans la cuisine, ses chaussures pleines de
sang, et avait regardé Lena, implorant son secours.

La grand-mère s'était mise en colère, avait poussé
Louise dans la salle de bains et lui avait fait couler un bain.

– Lave-toi. Ce n'est pas du sang propre. C'est du
mauvais sang, nettoie-moi ça.

19

Qu'avait-elle fait pour mériter une telle malédiction ? Lena avait souvent parlé de mauvais esprits, de choses qui se passaient là-bas, dans son vieux pays ; mais Louise avait beau réfléchir, elle ne voyait pas quel péché elle avait bien pu commettre. Lena n'avait pas donné d'explication. Elle s'était dirigée vers le placard à serviettes et en avait sorti un morceau de molleton qu'elle avait déchiré en carrés puis plié en étroits rectangles. Louise s'était dit que la vieille femme avait perdu la tête pour de bon.

– Maintenant, lève-toi, lui avait-elle crié. Tu vois ? Regarde. C'est comme ça qu'il faut faire.

Lena avait soulevé sa jupe noire et trifouillé entre ses jambes.

– C'est pour absorber le mauvais sang. Personne ne doit savoir. Quand la bande est trempée, tu la laves et tu la fais sécher en bas, derrière le poêle. Débrouille-toi pour que ton père ne voie jamais ça et que les garçons ne reniflent jamais cette odeur de poisson. Sinon, ils sauront que tu es une mauvaise fille. Ils essaieront de t'avoir, de faire avec toi la vilaine chose. C'est mal et ça fait mal, la vilaine chose. Ne les laisse pas t'approcher.

Louise n'avait aucune idée de ce qu'était la vilaine chose, en plus, les garçons ne s'étaient jamais intéressés à elle ; mais, docile, elle avait placé la bande de tissu entre ses jambes. Elle avait eu peur de demander à Lena davantage d'éclaircissements et avait passé les quatre jours suivants à prendre des bains et à laver les bandelettes souillées au point d'avoir la peau des mains pelée.

Puis les saignements avaient cessé, et l'une des filles de l'école lui avait parlé des protections hygiéniques du commerce. Elle avait tout de suite jeté au feu les serviettes en tissu. Le mois suivant, les saignements étaient revenus et elle avait compris qu'ils reviendraient toujours, que cela arrivait à toutes les femmes, pas seulement à elle. Les garçons s'étaient mis à lui tourner autour, tels des chiens flairant une odeur. Leur intérêt soudain la dérangeait et l'émoustillait en même temps.

Louise n'avait jamais connu ce genre d'émoi. Elle avait toujours désiré que quelqu'un la serre dans ses bras, mais, là, c'était différent. Cette sensation nouvelle était à la fois agréable et désagréable, et elle se demandait ce qu'elle devait faire pour trouver une issue. Un peu comme si elle était en train d'écouter sa chanson préférée et que celle-ci s'arrêtait avant la fin. Louise ressentait un manque, un besoin farouche d'être remplie. Elle savait que cela avait à voir avec ce qu'elle avait entre les jambes. C'était la même chose lorsqu'elle se collait à la machine à laver. La sensation gagnait son ventre, et parfois les vibrations de l'appareil lui faisaient penser qu'elle connaîtrait bientôt la fin de la chanson.

Elle n'avait pas la moindre idée de ce qu'était l'acte sexuel. Si elle avait su lire, elle aurait pu s'informer. Les films ne lui apprenaient rien ; les personnages s'embrassaient et se caressaient, mais, la suite étant toujours éludée, elle restait sur sa faim.

Louise avait seize ans quand, par un jour glacial de janvier, en rentrant de l'école, elle avait trouvé Lena dans son fauteuil, immobile comme une pierre, les mains crispées sur son ouvrage. Elle était morte. Morte depuis un certain temps déjà puisque la jeune fille ne réussit pas à séparer ses doigts raidis des nœuds du macramé. Elle cria pour appeler la vieille voisine, et quelqu'un se chargea de prévenir Pete à l'aciérie.

Son père était tombé à genoux devant sa mère en sanglotant. Louise fut stupéfaite à la vue de Pete se balançant d'avant en arrière, tandis que ses larmes creusaient des rigoles sur son visage couvert de poussière. Il n'avait jamais manifesté aucune émotion, de l'agacement tout au plus, et voilà qu'agenouillé devant Lena il pleurait comme un bébé. Les chaussures noires à lacets de Lena gisaient dans une flaque d'urine.

Elle avait éclaté de rire. Elle n'avait jamais vu un homme pleurer. Dans cette maison vide de sentiments, elle ne savait comment prendre ce déferlement d'émotion et n'était pas parvenue à maîtriser son fou rire. Son père s'était retourné et, des yeux, lui avait signifié de cesser, mais elle avait continué à rire. Toujours agenouillé, Pete avait levé la main pour la gifler. Puis il s'était écroulé sur le lino et avait sangloté de plus belle.

Louise s'était enfuie pour échapper aux bras levés qui voulaient la retenir, pour échapper à l'ordre inepte de son père, et avait franchi d'un seul bond les marches ver-glacées de la véranda. C'est seulement une fois sur le trottoir, après avoir pris une bouffée d'air frais, qu'elle avait compris combien l'odeur de la maison était nauséa-bonde.

Vieille folle. La vieille folle était morte.

L'adolescente n'éprouva aucune peine, car elle n'avait pas le sentiment d'avoir perdu quelqu'un. Elle ne savait pas très bien ce qu'elle ressentait, peut-être l'espoir ravivé que sa mère reviendrait enfin, maintenant qu'il n'y avait plus de femme à la maison pour s'occuper d'elle. Peut-être était-ce Lena qui avait éloigné Dorothy durant toutes ces années.

Louise les avait encore dans la tête, ces cris de deuil et d'outrage. Elle entendait encore les gémissements de son père, semblables à la plainte d'un animal au fond d'une forêt. Elle dévala la colline vers la Lincoln High-way, sans savoir au juste où elle allait, juste pour s'éloi-gner le plus possible de ce bruit, de cette odeur. Elle rentrerait à un moment ou à un autre, mais pas de sitôt.

Elle dépassa le drugstore en courant, à peine consciente des sifflets et des quolibets des lycéens attroupés devant la vitrine de matériel médical, des gamins boutonneux aux cheveux gominés, cigarette au bec. L'air froid lui brûlait la gorge et les poumons. Un point de côté l'obligea à ralentir sa course.

Sa vessie était déjà sur le point d'éclater quand elle était rentrée chez elle et avait trouvé Lena morte. Main-tenant, elle ne pouvait plus attendre. Elle passa devant la devanture embuée du Day-Old-Bread et s'engouffra dans la boulangerie, heurta une pile de vieux sandwichs, dispersant dans l'allée leurs emballages de papier rouge, jaune et bleu.

– Hé ! toi ! cria l'Italien.

– Les toilettes, cria-t-elle. Vous avez des toilettes ?

Il était si près d'elle qu'elle pouvait voir les pores de son nez, les poils noirs et drus de son menton. Il hocha la tête et lui montra le fond du magasin. Elle se précipita vers les toilettes et claqua la porte. Elles étaient sales, mais elle était trop pressée pour s'en soucier.

Quand elle en sortit, l'Italien la regarda avec curiosité. Il avait entre-temps descendu les stores des vitrines qui donnaient aux pains rassis une coloration verdâtre. Sur leurs tables de métal blanc, ils ressemblaient à des corps recroquevillés.

– Ça va, jeune fille ?

Louise se pencha pour ramasser les pains éparpillés à ses pieds. Elle avait les doigts engourdis et les pains lui glissaient des mains. Elle leva les yeux vers l'Italien et lui trouva un drôle d'air. Mais tout semblait différent, le monde entier avait changé.

– Laisse-les où ils sont. Ils sont d'hier, de toute façon. Je les donnerai à l'éleveur de porcs quand il passera.

– Vous fermez si tôt ? Il n'est que 16 h 30.

– Ça se bouscule pas, aujourd'hui.

Elle aima sa voix douce et fut étonnée que quelqu'un s'intéresse à elle. Elle s'approcha du comptoir.

– Vous êtes ouvert tous les jours de 9 heures à 17 heures, sauf le dimanche. Vous voyez, j'ai bonne mémoire.

– C'est pas grave. Ils ne viendront plus, maintenant. Quelle différence ça fait, quelques pains de plus ou de moins ?

À trente-huit ans, Vito Ferrano était célibataire, non par choix mais par la faute des circonstances, et faisait vivre chichement un père sénile et une sœur dont la moustache décourageait les prétendants sérieux. Il y avait un certain temps déjà que les filles ne s'intéressaient plus à lui, lui préférant les gars de vingt ans qui avaient toujours leurs cheveux et pas encore sa bedaine. Vito s'essuya les mains sur le tablier blanc qui couvrait son ventre ; cette fille lui faisait toujours le même effet. Quel âge avait-elle ? Dix-huit ans ? Peut-être dix-neuf. Pas vraiment jolie, mais pas mal non plus. Elle se comportait différemment des autres gamines qui venaient au magasin et lui faisaient du charme pour obtenir un paquet de beignets gratuit. Louise rentra les épaules pour dissimuler sa poitrine, ou peut-être pour se soulager de son poids.

Il se pencha vers elle au-dessus du comptoir. Cette fille avait quelque chose de spécial qu'il n'aurait su expliquer.

— Tu a des ennuis ? Quelqu'un te court après ?

— Je ne sais pas. Peut-être. Elle est morte…

— Qui est mort ?

— Ma grand-mère. Vous la connaissez. Elle vient le mardi et le vendredi.

— Ah oui. (Il ne voyait pas du tout. Pour lui, toutes les vieilles femmes se ressemblaient.) Quel malheur ! Tu dois être bien triste.

Elle se mordit la lèvre et baissa les yeux tout en enfonçant son doigt dans le paquet souple de plastique blanc empli de petits pains. Elle n'éprouvait aucune tristesse mais pensait qu'elle aurait dû. Le silence régnait dans la boulangerie obscure, et elle entendait la respiration de l'homme.

— Je revenais juste de l'école quand je l'ai vue. Assise là, morte. Je ne pensais pas qu'on pouvait mourir assis.

Il l'observa et vit le chemisier blanc qui couvrait sa poitrine se soulever et s'abaisser, les os de son poignet qui transparaissaient sous sa peau fine. Il sortit une main grassouillette de derrière le comptoir et tapota celle de Louise. Sa peau était aussi fraîche que l'eau, et la sienne si chaude qu'il craignit de la brûler en l'effleurant.

— C'est beau de partir ainsi. Ils vieillissent et un beau jour tout s'arrête, sans qu'ils s'en aperçoivent. Comme quand on appuie sur l'interrupteur pour éteindre la lumière, tu vois ? Un clic, et puis plus rien.

Elle fit mine d'approuver. L'Italien attribua son mutisme à du chagrin. Il passa de l'autre côté du comptoir, et Louise vint poser sa tête contre son épaule. Il eut un mouvement de recul. Il ne voulait pas qu'elle sente son excitation. Quel genre d'homme peut penser à ça quand il est censé consoler une pauvre fille ?

Elle sentit son odeur, une odeur de levure mêlée à de la lotion après rasage. Il sentait bon. Vito posa maladroitement ses mains sur les hanches de Louise dont les os pointaient sous sa jupe de laine bleue, essayant de la garder à distance de son bas-ventre, mais elle se collait à lui. Elle lui faisait penser à un lapin tout maigre et sans défense, mais ses seins qui frôlaient sa poitrine lui envoyaient de telles décharges qu'il en tremblait.

– Ne pleure pas, murmura-t-il, bien qu'elle ne pleurât pas du tout. Comment t'appelles-tu ?

– Lou… Loreen.

– C'est joli. Tu es jolie, une jolie jeune fille. (Il lui passa la main dans les cheveux.) Ça va mieux ?

Elle fit oui de la tête et se rapprocha de lui. Elle sentit quelque chose de dur contre son ventre et se demanda ce que c'était, et pourtant, sans savoir, elle aima cette sensation. Elle se rapprocha encore de lui, éprouvant cet étrange émoi qu'elle aurait été incapable d'expliquer. Ses jambes flageolèrent et elle se cramponna à lui. Il la souleva pour l'asseoir sur le comptoir et se planta devant ses genoux.

– Appelle-moi Vito, lui murmura-t-il. Ça te plaît d'être là avec Vito ? Ici, tu oublies tout le reste. Tu oublies que tu es triste.

Il lui caressa les cheveux, le visage, et laissa ses doigts hérissés de poils noirs et soyeux courir sur sa nuque. Puis il cajola ses seins comme s'ils étaient des petits êtres indépendants. Elle ferma les yeux. De toute sa vie, elle n'avait rien connu d'aussi délicieux. Elle ne se souvenait même pas qu'on l'ait un jour touchée, et maintenant quelqu'un la touchait d'une façon qu'elle n'aurait jamais imaginée. C'était beaucoup mieux que quand elle se collait à la machine à laver.

— Petit lapin, murmura-t-il, pauvre petit lapin.

Il défit les boutons de son chemisier, et elle n'essaya pas de l'en empêcher. Elle eut l'impression que ses seins avaient gonflé, qu'ils allaient éclater dans son chemisier. Elle garda les yeux fermés et haleta quand elle sentit ses lèvres. Elle sentit une chaleur entre ses jambes, une chaleur qui envahissait ses hanches et son ventre.

Soudain, il recula, et elle ouvrit les yeux en signe de protestation. Fascinée, elle le regarda ôter son long tablier et se poster devant elle en maillot de corps blanc et pantalon sombre.

Il la fit avancer sur le comptoir et elle ouvrit les jambes. Vito avait cessé d'être doux, il était pressé et lui ôta vivement sa culotte.

Elle comprit que ce devait être ça, la vilaine chose dont parlait Lena, mais elle ne craignait pas d'avoir mal. Grognant et haletant, il s'avança vers elle. Elle accrocha ses jambes autour de la poitrine de l'homme.

Elle eut mal, pourtant, mais seulement pendant un court instant, et elle sentit que l'espace vide était enfin rempli. Elle s'agrippa à lui tandis qu'il tournoyait dans la pièce en une danse pataude. Puis il poussa un cri et ses bras desserrèrent leur étreinte. Il la reposa sur le comptoir et s'affala à côté d'elle, la tête dans ses bras. Il respirait si fort qu'elle le crut malade.

— Vito ? (Elle le regarda avec inquiétude.) Je t'ai fait mal ?

— Quoi ? (Il leva la tête et se mit à rire.) Bon Dieu, non, petit lapin, tu ne m'as pas fait mal. C'est juste que tu m'as épuisé.

Soulagée, elle descendit de son perchoir pour chercher sa culotte. Elle la retrouva sous une table et l'enfila. Elle le regarda et vit qu'il avait changé. Il avait été près d'elle, l'avait touchée, caressée, enveloppée, et maintenant il paraissait distant. Il se tourna, referma sa braguette et rattacha son tablier.

– Vito ? dit-elle doucement. Tu m'aimes toujours bien ?

Il releva la tête, et son visage avait repris son expression habituelle. Il avait l'air de ne pas la connaître. Il attrapa un chiffon et essuya le comptoir.

– Mais oui, je t'aime bien.

– Tu es différent, tu n'es pas comme tout à l'heure.

– C'est toujours différent, après, tu sais…

– Non.

– Bon sang !

– C'était la première fois. Mais j'ai bien aimé.

– Loreen… Tu as quel âge ?

– Seize ans.

Il frappa le comptoir du poing et lui jeta un regard presque haineux, puis il s'effondra et dit doucement :

– Loreen, je suis désolé. Je pensais que tu étais plus âgée. Je ne l'aurais jamais fait si j'avais su.

– Mais ça m'a plu.

– Tu n'en parleras à personne ?

– Non… Je n'ai personne à qui en parler, répondit-elle après un instant de réflexion. Est-ce que je peux revenir ?

– Bien sûr. Tu viens quand tu veux. Je te garderai une de ces tartes aux noix de pécan qu'on m'envoie de Philadelphie.

Il l'accompagna jusqu'à la porte, posant une main ferme sur son dos pour la presser de sortir.

– Non, ce que je veux dire, c'est… Est-ce que je peux revenir… comme aujourd'hui ?

Il releva le store vert de la porte, regarda la rue, rassuré de n'y voir aucune circulation, puis referma la porte.

– Bien sûr. Enfin… on verra. Tu es une fille épatante… un peu jeune, seulement.

Elle se retourna pour toucher le bras qu'il avait posé sur son dos, espérant retrouver la sensation agréable : elle s'était évanouie.

– Est-ce que je n'ai pas fait comme il fallait ?

– Petite, tu as été parfaite. On se verra un de ces jours, d'accord ?

Loreen avait franchi la porte et se retrouvait sur le trottoir. Sous ses pieds, la couche de glace avait l'air propre en surface, mais elle aperçut de la saleté et des débris emprisonnés à l'intérieur. Elle se dirigea lentement vers le coin de la rue où se trouvait le drugstore. Il faisait si froid. Même les lycéens s'étaient réfugiés dans le magasin. Elle ne voulait pas rentrer chez elle mais n'avait nulle part où aller.

– Eh ! toi !

Loreen se retourna et le vit, debout devant sa boutique. Elle se sentait abandonnée et allait éprouver ce sentiment sa vie durant. Comment se pouvait-il qu'ils aient été si proches quelques minutes auparavant et soient si distants maintenant ? Elle avait aimé la « vilaine chose », en dépit de la mise en garde de Lena, elle y avait pris du plaisir. Mais, après, il ne restait plus rien. Elle fit un pas dans sa direction, mais le ton de l'homme ne l'invitait pas à rebrousser chemin.

– Je regrette pour ta grand-mère. Fais attention à toi, maintenant, d'accord ?

Il ne voulait pas qu'elle revienne. Elle s'éloigna, désorientée. Les hommes étaient avides de se frotter à elle, ils étaient capables de combler son manque, mais après il ne fallait pas compter sur eux. Pourquoi ? C'était incompréhensible.

Elle s'attendait à ce que son père lui hurle dessus à son retour, mais Pete se contenta de lui lancer un regard triste. Elle allait enfin avoir le lit pour elle toute seule, elle pourrait s'y lover à son aise, et dans le silence.

*
* *

Le départ de Lena changea si peu de choses pour Loreen qu'elle eut l'impression que sa grand-mère n'avait jamais existé. Pete vaquait à ses occupations et elle le voyait rarement. Elle le croisait parfois en ville en compagnie d'une femme ; elle n'aurait su dire si c'était toujours la même ou si elles étaient plusieurs tant elles se ressemblaient. Il lui donnait de l'argent de temps en temps et rapportait parfois de quoi manger à la maison. Elle se nourrissait de Coca, de sandwichs aux œufs durs et de spaghettis en boîte, et utilisait l'argent qui restait pour aller au cinéma. Un après-midi, elle découvrit dans le salon un poste de télévision que Pete avait gagné à la tombola. Elle s'imagina que c'était pour elle, puisque son père n'était jamais là pour la regarder.

La télévision changea sa vie.

Ne sachant pas lire, Loreen s'instruisait en regardant les films et les images des livres. Et, comme elle ne pouvait s'offrir souvent le cinéma, elle passait des heures devant la télévision. Les images en noir et blanc pourvurent à son éducation. Surtout les feuilletons, dont elle tirait encore plus d'informations que du cinéma. Chaque épisode d'*Ainsi va le monde* apportait son lot de petits drames du quotidien. Elle découvrit à quoi ressemblait une vraie famille et trouva des réponses à ses questions. Elle comprit que, si Dorothy n'était pas revenue, c'est parce qu'elle devait souffrir d'amnésie. À la télévision, les gens qui avaient tout oublié finissaient toujours par rentrer chez eux. Il en serait de même pour sa mère.

La télévision prit le pas sur l'école, qu'elle fréquentait de moins en moins. Elle savait imiter la signature de Pete au bas des mots d'excuse, et personne ne lui posait de questions. Le seul cours qu'elle comprenait était celui de l'enseignement ménager. Les choses qui lui importaient vraiment, Loreen les glanait à la télé, devant laquelle elle pouvait passer la journée entière et la moitié de la nuit, pelotonnée sur le vieux siège de Lena, stores baissés. Souvent, elle mourait d'envie d'entrer dans le poste et de se mêler à la vie des personnages. Elle perdait toute notion du temps et était toujours surprise quand arrivaient la bannière étoilée et la prière du soir.

I Love Lucy, Reine d'un jour et les autres effacèrent tout souvenir de Vito Ferrano. Elle oublia même à quoi il ressemblait. De cet après-midi où Lena était morte ne restait que ce frémissement qu'elle avait senti dans son ventre. Cette sensation n'était pas assez pressante pour qu'elle eût envie que le petit gros la touche encore. Si Vito avait pu lui procurer ce frémissement, n'importe quel autre homme en serait capable.

Un homme la faisait rêver, un homme qui l'accompagnait nuit et jour : Elvis. Quand elle l'avait découvert dans l'émission d'Ed Sullivan, elle avait été frappée par sa beauté. Cet homme droit et pur avait cependant une façon de bouger très particulière que Loreen n'avait vue chez aucun autre homme. Le public entrait en transe quand il remuait ainsi les hanches, mais malheureusement les caméras basculaient alors sur son seul visage. Ce que Loreen ressentait pour Elvis dépassait pourtant la simple fascination des spectateurs. Il semblait si triste. Elle lisait sa tristesse dans ses yeux, la percevait dans le rythme de ses chansons. Elle aurait voulu le prendre dans ses bras et lui dire qu'elle le comprenait.

Loreen savait qu'elle rencontrerait un jour Elvis. Elle ne savait ni quand ni comment, mais cela arriverait : il y a des choses qui ne s'expliquent pas. Elle savait qu'Elvis était quelqu'un de bien. Les émissions de variétés disaient qu'il était chrétien, qu'il aimait sa mère et avait été très pauvre. Il ne se moquerait pas d'une pauvre fille comme elle, mal-aimée, solitaire et illettrée. Et, surtout, il comprendrait les raisons qui la poussaient à vouloir retrouver sa mère.

Loreen n'alla pas à l'école le dernier vendredi d'avril ; elle manquait toujours le vendredi, car c'était le jour où il se passait quelque chose d'important dans les feuilletons qu'elle avait attendu toute la semaine. Elle restait devant le poste jusqu'à 16 h 30 dans le salon confiné, sans air ni lumière.

Il ne restait rien à manger, et Pete rentrait toujours tard le vendredi, jour où il recevait sa paye qu'il allait dépenser au bar. Il n'y avait pas d'argent à la maison, mais Loreen se souvint que Lena mettait de la monnaie dans un pot du placard de l'entrée.

Le placard était sombre et l'étagère couverte de poussière. Le pot avait disparu. Elle ne s'en étonna pas. Sa main frôla la boîte à bonbons où Lena rangeait son fil et ses boutons. Curieuse, Loreen attrapa la vieille boîte octogonale si crasseuse qu'on ne distinguait plus les marguerites et les roses du couvercle. Elle emporta la boîte dans la cuisine et alluma le plafonnier. Lena avait peut-être laissé quelques pièces sous les boutons.

La boîte était remplie de bijoux fantaisie qui semblaient dater d'une autre époque. Loreen reconnut ceux de Dorothy : petite, elle avait joué avec si souvent. Il y avait une double boucle en perles en forme de roses et un bracelet à breloques avec un drapeau américain, le V de la victoire et le E de l'aciérie – de ceux qu'on distribuait pendant la guerre, la guerre où le père de Dorothy était resté longtemps –, une petite cloche fêlée et un amusant petit bonhomme au gros nez. Elle repéra une fleur en pierres de couleur fixée à un ruban de métal terni et une collection de boucles d'oreilles. Dorothy en portait toujours : des pommes et des bananes minuscules, des carrés rouges et blancs, des paillettes d'un violet éteint, des demi-lunes en argent où souriaient des dames en chapeau haut de forme.

Elle sortit une montre, la secoua et entendit un vague tic-tac. Elle la remonta, mais le mouvement s'arrêta et une aiguille tomba sous le cadran rayé.

Elle découvrit aussi l'alliance de sa mère, un fin anneau d'or où se trouvaient jadis trois petits diamants. Seules les griffes se dressaient encore. Loreen examina l'intérieur de l'anneau et vit qu'il y avait quelque chose de gravé.

Elle déchiffra avec difficulté : *P.D. à D.D., 11-12-39, L.o.v.e.*

Amour ? Ça ne ressemblait pas à son père. Peut-être écrivait-on toujours ça sur les alliances ?

Elle connaissait chaque bijou. Dorothy la laissait jouer avec pour la tenir tranquille. Dorothy aimait les bijoux. Pourquoi donc ne les avait-elle pas emportés ? Surtout sa montre et son alliance...

Loreen poussa un petit cri en se piquant avec la broche préférée de Dorothy, une grande fleur en bois de cornouiller émaillé percée en son centre d'une pierre rose. Elle aspira la goutte de sang et s'installa devant le miroir de la salle de bains pour fixer la broche au col de son chemisier. Elle se rappelait exactement comment sa mère la portait et, après l'avoir accrochée, elle eut l'impression que Dorothy la regardait dans le miroir.

Perplexe, Loreen replaça la boîte à bonbons sur l'étagère. Elle n'avait pas revu les bijoux depuis le départ de sa mère, et pourtant Lena emportait souvent ses affaires de couture au salon. C'est donc que les broches et les colliers ne devaient pas y être avant. Si Dorothy était revenue, elle aurait sûrement attendu de voir Loreen. Elle ne serait pas repartie sans voir sa fille. Qu'est-ce que tout cela signifiait ? Dorothy était peut-être partie sans ses bijoux, et Lena les avait cachés à l'enfant pendant tout ce temps, et puis les vieilles les avaient jetés dans la boîte à couture après sa mort.

Raisonner rendait Loreen nerveuse. Elle ne pouvait réfléchir que jusqu'à un certain point, ensuite, ses pensées s'évaporaient et elle devait tout reprendre de zéro. Elle ne réussit même pas à fixer son attention sur la télévision. Elle chercha quelque chose à manger dans le réfrigérateur, bien qu'elle n'eût plus faim. Elle ne trouva qu'un vieux reste de fromage couvert de moisissure et un bol de quelque chose qu'elle n'identifia pas. Elle avait envie de sucré, d'une barre chocolatée du drugstore, par exemple, mais il ne restait que de la glace, du lait et du sirop de chocolat.

Elle chercha entre les coussins du canapé et y trouva une pièce de vingt-cinq cents et trois autres cents. Ça suffisait. Il y en avait sans doute d'autres, mais elle avait besoin de sortir tout de suite. Parfois, marcher l'aidait à mieux penser. Loreen chemina lentement dans l'Old Lincoln Highway – la rue principale –, sans s'apercevoir qu'elle avait dépassé le drugstore.

Elle n'avait pas vu défiler les pâtés de maisons. Le jour déclinait. Elle avait parcouru plus de trois kilomètres lorsqu'elle entendit la rumeur de la fête foraine. Elle leva les yeux et vit que le champ qui servait d'habitude de parking avait laissé la place aux tentes et aux manèges. Une grande roue jetait ses feux sur la rue principale. Prise dans la foule, Loreen passa devant les baraques et les estrades où s'exhibaient les monstres. Les lumières étaient si fortes qu'elle en avait mal aux yeux, et ses oreilles bourdonnaient à cause de la musique. Son monde était réduit depuis si longtemps à un écran de trente centimètres que tout cela lui donnait le vertige.

Chaque stand diffusait sa musique, et sitôt qu'elle en dépassait un elle en entendait une nouvelle. L'air nocturne sentait l'oignon frit, le hamburger et la soupe de maïs au poulet (celle du stand de la Légion américaine), les sandwichs, la fumée et la bière. L'haleine des hommes, qui la bousculaient, exhalait un relent âcre de whisky. Elle reconnut des visages, des camarades d'école dont certains lui faisaient un signe de tête. Mais personne ne s'arrêtait pour lui parler. Elle n'était la meilleure amie de personne, ni l'amie tout court. Ça n'avait plus d'importance. C'en avait eu pendant si longtemps.

En passant devant les stands de jeux, des voix masculines l'interpellèrent, l'invitant à s'approcher et à parier dix cents. Elle leur sourit et fut emportée vers le prochain bonimenteur.

Elle s'attarda devant les monstres, se demandant ce qu'ils pouvaient bien ressentir, ainsi exposés sur cette estrade branlante. Il y avait une femme à barbe aux seins velus. Un nain, affublé d'une tête énorme, piétinait étrangement sur ses deux jambes minuscules. Une grosse femme reposait sur une sorte de trône. Elle portait des cheveux courts et bouclés et ses yeux disparaissaient presque dans ce visage dont les joues rouges se confondaient avec son cou, et son cou avec ses seins, sa robe de fillette à pois et à volants incapable de contenir cette masse de chair dégoulinante. Ses jambes monstrueuses, pareilles à des tonneaux, dépassaient sous la robe, tandis que ses grosses chevilles débordaient de ses petites chaussures d'enfant à nœuds rouges.

La vision de cet amas de chair donna la nausée à Loreen, qui se toucha la taille pour s'assurer d'y sentir encore ses côtes. La grosse femme leva lentement une main aux ongles rouge vif et sembla faire signe à Loreen, qui s'éloigna pour se réfugier dans la foule.

Elle reconnut un morceau d'Elvis, dont la voix l'attira jusqu'à une petite scène à l'autre bout de la fête foraine. Sur la chanson *Heartbreak Hotel*, quatre femmes ondoyaient lentement devant un attroupement d'hommes. Loreen s'arrêta, transportée par leur danse. Elles semblaient superbes sous le projecteur bleu, mais en s'approchant elle remarqua leurs visages couverts d'une épaisse couche de maquillage.

– Ce que vous voyez ici, messieurs, n'est qu'un petit aperçu de ce que ces demoiselles vous montreront à l'intérieur. Chacune d'elles a été choisie pour sa façon très spéciale de danser. Le spectacle n'est pas destiné aux familles, alors je vous conseille de laisser votre petite femme dehors. Et je n'exagère pas quand je vous promets que vous ne regretterez pas le prix du billet. C'est bientôt plein, alors dépêchez-vous d'acheter votre place pour un spectacle comme vous n'en avez encore jamais vu.

Loreen observa le racoleur, un homme brun et mince qui portait des favoris comme Elvis. Elle le trouva assez beau. Il se déplaçait avec aisance et semblait déborder d'énergie, d'une énergie magnétique. Sa chemise blanche au col ouvert était humide de sueur sous les aisselles. Elle aima sa voix, elle aima la façon dont il adressait des clins d'œil à la foule. Elle se dit que ce devait être excitant de travailler dans une fête foraine.

Les danseuses portaient toutes un soutien-gorge en satin, une petite jupe à ourlet frangé et des bas en résille noire à paillettes qui scintillaient quand le projecteur était dirigé sur elles.

– Et maintenant, messieurs, Lila va vous faire une petite démonstration de ce dont je vous parlais. Lila, montre-leur ce que je veux dire.

Le rabatteur sourit à la femme en bout de rangée. Elle était plus âgée que les autres, et Loreen vit qu'elle avait un bourrelet de graisse souligné d'un trait rouge là où la jupe à franges serrait sa taille. Elle s'avança sur le devant de la scène et se mit à bouger son ventre de sorte qu'on pouvait voir les muscles sous sa peau onduler de haut en bas. Loreen trouva que la chanson d'Elvis était mal choisie pour ce genre de danse, mais elle admit que la femme était douée, bien qu'elle ne sourît jamais et mâchât son chewing-gum pendant son numéro. Ça n'avait pas l'air de gêner les hommes, dont les regards ne s'attardaient pas sur son visage.

Loreen grimaça quand la voix d'Elvis s'arrêta et qu'elle entendit les premières notes de *The Steel Guitar Rag*, poussées à plein volume. Lila avait placé ses mains derrière sa tête et, les coudes fléchis, faisait basculer sauvagement vers l'avant son bassin au son de la musique nasillarde. La chair de sa taille tremblait à chaque « boum… boum ». L'excitation montait chez les mâles qui regardaient la danseuse. Loreen recula et croisa les bras sur sa poitrine. Elle avait vu un jour des chiens encercler un arbre où un chat s'était réfugié, et les hommes lui rappelaient le grondement et la nervosité des bêtes.

La musique cessa au milieu du refrain, et Lila laissa retomber ses bras pour reprendre sa place avec les autres.

La danse l'avait laissée exsangue. Elle se retourna et disparut derrière la scène sans regarder la foule.

– Ça balance, ça se tortille et ça se trémousse, messieurs. Et plus encore. Mais c'est tout pour l'instant. Par ici, messieurs, pour les billets. Cinquante cents. La moitié d'un dollar pour un spectacle complet. Ne le dites pas à votre femme, ne le dites pas à votre petite amie. Le spectacle commence dans deux minutes, préparez la monnaie.

Quelques-uns eurent un sourire gêné et s'éloignèrent, appelés par d'autres attractions, mais la majorité des hommes vidaient déjà leurs poches et s'approchaient du guichet. Loreen regarda disparaître les dernières danseuses derrière le rideau et remarqua que les bas des filles avaient été raccommodés avec du gros fil noir.

Loreen hésita, ne sachant pas où elle allait aller ensuite. Elle aurait aimé avoir les cinquante cents pour assister au spectacle et voir ce que Lila n'avait pas encore montré. Elle se demandait ce que la danseuse pouvait bien ressentir devant tant d'yeux qui la scrutaient et l'admiraient. Et comment faisait-elle pour bouger ainsi son ventre ?

– Hé ! toi ! Hé, la môme !

Loreen sursauta. Le vendeur de billets à la chemise blanche l'appelait. Il souriait, et Loreen aperçut des ridules blanches sur son visage bronzé et sa peau tendue sur ses pommettes. Ses yeux étaient si bleus qu'ils paraissaient presque blancs. Il était plus âgé qu'elle ne l'avait cru, peut-être une trentaine d'années. Mais, de sa vie, elle n'avait vu d'homme si beau.

– C'est à moi que vous parlez ?

– Oui, ma mignonne. À toi.

Il descendit de l'estrade en sautant par-dessus les lumières de la rampe, sans effort, aussi naturellement qu'une feuille soulevée par le vent. Il était petit, à peine plus grand qu'elle, et cela la surprit. Il était si près d'elle qu'elle voulut reculer.

– Tu en es ?

– Comment ?

– Tu en es ?

– Je ne comprends pas, murmura-t-elle, prisonnière de la clarté de ses yeux.

– Je te demande si tu veux faire partie du spectacle.

– Oh non, non. Je les regardais juste danser. Il faut sûrement travailler beaucoup pour en arriver là.

– Ouais. Pour ça, beaucoup. (Il rit, d'un rire grinçant et aigu.) Tu sais danser ?

– Pas comme ça. Un peu, à l'école, et…

– Quel âge as-tu ?

– Seize ans.

– Sans blague, répondit-il d'un air incrédule. Tu te fiches de moi. Tu en as au moins dix-huit. Tu n'as pas l'air d'une fille de seize ans.

– Si, c'est vrai, j'ai seize ans.

– Je dirai que tu en as dix-huit.

Elle ne pouvait détacher les yeux de son regard et frissonna.

– Pour moi tu as dix-huit ans et tu danses comme une déesse.

Elle ne répondit pas.

– On a une place pour une autre fille. Belle et bien roulée comme tu es, tu seras le clou du spectacle. Formation sur le tas, repas et costumes offerts, trente-cinq dollars par semaine et tu verras du pays. Quitte cette ville. Certaines de nos filles passent aujourd'hui à la télévision, de vraies vedettes.

– Je ne peux pas danser comme ça, murmura-t-elle.

– Bien sûr que tu peux.

– C'est vrai que vous sillonnez tout le pays ?

– Pardi ! Demain Harrisburg. Puis Pittsburgh, Detroit, Cleveland.

– Memphis ? Vous allez à Memphis ?

– Pourquoi pas ?

Elle recula de quelques pas, trébucha sur un câble électrique, et l'homme avança son bras tatoué pour l'empêcher de tomber.

– Il faut que je rentre, bredouilla-t-elle.

Ses yeux la tenaient toujours captive, il continuait de sourire. Il lui montra une caravane argentée garée à l'ombre de la tente.

– Tu changes d'avis et tu reviens, entendu ? Tu n'auras qu'à frapper à cette porte, tu vois ? Reviens avant 3 heures du matin, j'attendrai. Tu prends juste une petite valise et tu frappes.

Elle ne trouva rien à dire. Il la regarda s'éloigner lentement et se chercher une place dans le flot humain. Elle en trouva une et s'y faufila.

– Hé, fillette !

Elle se retourna et vit qu'il était remonté sur la petite estrade. Il mit ses mains en porte-voix et cria, pour couvrir le vacarme :

– Memphis ! New York ! Miami !

Loreen fit tout le trajet jusqu'à chez elle en courant, encore sous l'emprise de son regard. Elle pensa qu'il n'était pas sérieux. Elle se demanda si les bas résille et la jupette à franges lui iraient bien. Mais ce n'étaient que des paroles en l'air. Personne ne lui donnerait un boulot aussi extraordinaire, à moins que… Essoufflée, elle s'arrêta devant le drugstore Piscoglio. Les vitrines étaient sombres. Ce fut beaucoup plus tard qu'elle comprit. À moins que ce ne soit la même chose qu'avec Vito Ferrano, parce qu'elle avait ce petit pouvoir sur les hommes… Et, si c'était ça, elle n'était plus très sûre d'avoir envie du boulot. En plus, elle ne verrait pas la suite d'*Ainsi va le monde*, car il y avait peu de chances qu'il y eût la télévision dans les caravanes.

La véranda était éteinte, mais la lampe du salon était allumée. Elle monta doucement les marches du perron pour ne pas être entendue de Pete. Il se fichait de l'heure à laquelle elle rentrait, mais elle n'aimait pas lui parler quand il avait bu, et à cette heure-ci il était certainement saoul.

– Mais bon Dieu, où étais-tu fourrée ?

Sa voix l'arrêta. Elle cligna des yeux en entrant dans le salon. La pièce paraissait différente, mais Loreen n'aurait su dire ce qui avait changé.

Elle tourna ensuite la tête vers le poste de télé. Il n'y était plus. Ses yeux balayèrent la pièce : il avait disparu. Elle regarda Pete, stupéfaite.

– Alors ? Qu'est-ce qu'il y a ? lui dit-il.

Il était ivre, si ivre que son visage paraissait tout froissé et les rares mèches de cheveux qu'il peignait en général au-dessus de son crâne lui tombaient sur les yeux.

– Où est ma télé ?

– Ce n'est pas ta télé.

– Où est-ce que tu l'as mise ? (Loreen fut prise de panique.) Tu l'as mise dans la cuisine ?

– Elle n'est pas dans la cuisine.

– Arrête. Dis-moi où elle est. Je veux voir mon émission.

– Je l'ai donnée à Myrna. La sienne déconne et je lui ai dit qu'elle pouvait la prendre. Je ne la regarde jamais, cette satanée télévision.

– Moi, je la regarde ! hurla-t-elle. J'ai mes émissions, je la regarde tout le temps.

– Eh bien, tu ne la regarderas plus parce que je l'ai donnée à Myrna.

Loreen s'effondra sur la chaise près de l'entrée. C'était vrai. Il n'allait pas la rapporter. Elle fondit en larmes et s'essuya le nez du revers de la main.

Soudain, elle vit Pete debout devant elle, chancelant mais debout. Il lorgna la broche accrochée à son chemisier et la lui arracha, déchirant le fin tissu.

– Qu'est-ce que tu fabriques avec ça ?

– Je l'ai trouvée dans les affaires de grand-mère. Maintenant elle est à moi. C'est ma mère qui l'a laissée.

– Ta mère n'a rien laissé du tout, pauvre idiote. Elle a tout pris quand elle s'est barrée.

– C'est la sienne ! Tu vois bien qu'elle l'a laissée. Je me rappelle quand elle la mettait.

Il tenait la broche à bout de bras pour empêcher Loreen de la lui reprendre.

— Elle est partie avec ! hurla-t-il. Elle a tout embarqué, sauf l'argenterie.

— C'était dans les affaires de grand-mère, dit doucement Loreen. Il y avait tous les bijoux de maman, je les ai vus dans le placard. Rends-la-moi !

— Ils nous l'ont renvoyée.

Pete s'arrêta, retourna à sa chaise et vida sa canette de bière.

— Quoi ?

Loreen était folle de rage. C'était sa faute. Si elle n'était pas partie, il ne lui aurait pas volé sa télé. Si elle n'avait pas regardé dans le placard, elle n'aurait pas trouvé les bijoux.

— Qui nous l'a renvoyée ?

— Personne.

Pete regardait le sol entre ses pieds nus.

— Qui l'a renvoyée ? Je retrouverai ma mère et je lui demanderai.

— Tu ne la retrouveras pas parce qu'elle est morte. Morte. Morte. Morte.

— Non ! (Loreen criait pour couvrir les paroles de Pete.) Elle a perdu la mémoire. Elle ne se rappelle pas comment revenir à la maison.

— Elle ne peut pas s'en souvenir puisqu'elle est morte, imbécile. Ça fait des lustres que la morgue de Chicago a renvoyé toute cette merde. Elle m'a quitté, t'a abandonnée et ne valait pas mieux qu'une putain. Merde ! Pourquoi tu m'as obligé à te le dire ? Est-ce que je ne me suis pas occupé de toi pendant tout ce temps ? Dis-toi qu'elle est morte et oublie-la, c'est la meilleure chose à faire.

Loreen le regarda, abasourdie, choquée. Elle se jeta sur lui comme une furie, planta ses ongles dans son visage et l'attaqua à coups de genou. Pete se protégeait le visage de ses bras tandis qu'elle continuait de le frapper en hurlant « Menteur ! Menteur ! ».

Puis ce fut à son tour de la cogner. Il la fit tomber. Étendue au milieu du salon, Loreen regardait son père, effarée de voir son visage couvert de sang. Il leva de nouveau le bras mais arrêta son geste. Il aurait pu la tuer. Elle l'aurait tué si elle en avait eu la force. Elle s'était cognée au chambranle de la porte et sa tête lui faisait mal.

Loreen vit son père porter la main à son visage et constater qu'il saignait. Il se dirigea en titubant vers la salle de bains.

Avant qu'il en sorte, elle était partie. Elle avait jeté dans un sac à provisions tout ce qu'elle possédait, couru jusqu'à la fête foraine. Elle n'avait nulle part où aller, nul autre endroit où se réfugier.

Elle vit de la lumière à l'intérieur de la petite caravane argentée, frappa à la porte, et l'homme apparut dans l'embrasure. Il était torse nu, et Loreen remarqua le serpent violet tatoué sur son ventre qui s'enroulait jusqu'à son épaule. Il sourit en la voyant et recula pour la laisser entrer.

Il regarda le sac qu'elle tenait à la main et lui demanda :

– Tu as dit que tu avais quel âge ?

– Dix-huit ans. J'ai dix-huit ans, vous l'avez dit, répondit-elle en le regardant droit dans les yeux.

Après quelque temps, Loreen trouva que le bébé n'était pas si laid. Sa tête avait pris une jolie forme ronde. Tout le monde accourait pour l'admirer et, de l'avis de tous, c'était un beau poupon. Dolly Dimples, la grosse femme, prenait soin de Loreen, lui apportait à manger. Le convoi des forains faisait route vers le sud. Les seins de la jeune femme s'emplirent de lait et elle fut soulagée d'allaiter l'enfant. Il était aussi mignon qu'une poupée et ne pleurait pas beaucoup. Quand cela arrivait, Loreen le calmait avec une cuillerée de whisky. Elle ne l'avait pas désiré mais ne le détestait plus.

Elle décida de lui donner un beau nom, un nom original. Duane, ça sonnait bien avec Demich. Et Elvis comme second prénom, parce qu'il lui arrivait encore de penser au chanteur, même si leur itinéraire ne les avait jamais amenés à Memphis ou à Nashville.

Quand elle devait monter sur scène, Loreen confiait le petit à Dolly ou lui donnait un peu plus de whisky. L'enfant dormait dans une boîte en carton derrière la scène.

C'était vraiment un petit garçon malin. À deux ans, les manœuvres lui avaient déjà appris à jurer, et cela faisait rire tout le monde. Elle se demandait ce qu'elle allait bien pouvoir faire de lui quand il serait en âge d'aller à l'école. Mais l'enfant était là, il fallait faire avec.

Loreen avait parfois pensé à le confier à l'adoption, mais elle n'avait pas poussé plus loin sa réflexion, et assez vite l'enfant avait appris à s'occuper tout seul. Elle l'aimait quand il était sage ; quand il ne l'était pas, il y avait en général quelqu'un qui s'en occupait. Elle pensait qu'elle n'était pas faite pour être mère.

Loreen pleurait beaucoup. Un rien lui faisait venir les larmes aux yeux, et ses pleurs étaient intarissables. Depuis sa dernière nuit à Coatesville, elle s'efforçait de ne jamais penser à Dorothy, mais ça lui revenait parfois d'un seul coup. Elle rêvait encore de sa mère et se réveillait le visage baigné de larmes. La moindre chose l'affectait : elle ne supportait pas la vue des chats ou des chiens écrasés sur la route et abandonnés là parce que tout le monde s'en moquait. Elle pleurait à certaines choses que lui disaient et lui faisaient les hommes. Mais cela ne durait pas, car les hommes changeaient aussi souvent que les villes.

L'enfant détestait la voir pleurer. Il lui tapotait le visage et lui susurrait « Pauvre Reenie ». Alors elle le prenait et le berçait jusqu'à ce que ses larmes aient séché. Il était drôle, ce gamin ; quand il la regardait de ses grands yeux, il semblait tout comprendre. On aurait dit que c'était lui l'adulte et elle l'enfant. Les bohémiennes affirmaient qu'il était « né vieux », elles n'avaient pas tout à fait tort. Loreen resta bouche bée quand elle découvrit que Duane avait appris à lire tout seul alors qu'il n'avait que quatre ans et quelques.

Elle se rappelait toutes les difficultés qu'elle avait rencontrées avec l'alphabet et le calcul et s'émerveillait que son propre enfant sût lire, et mieux qu'elle. Les gitanes disaient que c'était parce qu'il était sous le signe du scorpion, mais Loreen n'y croyait pas : elle avait entendu sortir de leurs bouches aux dents en or trop de boniments, elle les avait vues berner trop de dupes. Et puis Duane n'était pas si intelligent que ça. Comme tous les enfants, il se perdait dans la foire, appelant et pleurant sa mère de toute la force de ses poumons jusqu'à ce que de la morve lui dégouline sur le visage.

PREMIÈRE PARTIE

Duane

1er septembre 1981

1

Il était aussi invisible qu'un animal qui s'aventure hors de son habitat naturel. Un camouflage de protection. Grand et tout en os, il s'était ramassé dans une position qui aurait mis au supplice un homme même plus petit que lui. Il s'était exercé à rester immobile pendant des heures comme le lui avait enseigné le yogi qui médusait les badauds chaque fois qu'il s'allongeait sur sa planche à clous. Personne ne pouvait le voir derrière son mur d'arbres et de végétation ; quant aux hôtes des bois, ils évoluaient sans crainte, insoucieux de sa présence parmi eux.

L'énorme rocher qu'il avait choisi pour sa position dominante gisait là depuis un milliard d'années. Sa surface usée, chauffée par le soleil de cette fin d'après-midi de septembre, lui brûlait la plante des pieds. L'air embaumait les aiguilles de pin grillées. Mais l'homme n'avait pas conscience de la sueur qui suintait de ses pores et lui coulait sur le corps ni de sa gorge sèche. Il avait caché une gourde sous son perchoir mais ne se souciait pas d'étancher sa soif. Il ne sentait pas la douleur des muscles de ses mollets et de ses cuisses, contractés à force de rester accroupi, les coudes posés sur ses genoux cagneux, sa longue colonne vertébrale courbée en avant.

De ses cinq sens, seule sa vue était en éveil. Les jumelles collées à ses yeux le faisaient ressembler à une grosse grenouille brune guettant sa proie. Sa vue était meilleure que celle de la plupart de ses congénères sans lunettes, mais il devait s'assurer que, cette fois-ci, elle serait parfaite. Dans le passé, il avait pensé avoir trouvé des spécimens sans défaut pour s'apercevoir ensuite qu'ils n'étaient que de pâles et trompeuses imitations.

Ces femmes lui avaient fait perdre son temps et son énergie et avaient déchaîné sa colère. Leurré par leurs mensonges et leurs ruses, il s'était montré à elles et avait été obligé d'en finir. Seigneur, combien il détestait ça ! Mais chacune le méritait et elles ne lui avaient pas laissé le choix. Il mettait chaque fois plusieurs jours avant de retrouver ses esprits.

Il ne pouvait pas se permettre ça maintenant. Sa tête était l'une de ses armes. Il savait que, malgré son ignorance, il était diablement intelligent et ne commettait jamais deux fois la même erreur. Simplement, les catins sont habiles à présenter plusieurs visages.

Son intelligence lui avait sauvé la vie. Elle lui avait permis de tout supporter, sans l'aide de personne. Jamais.

Son corps avait suivi le développement de son esprit. Un mètre quatre-vingt-dix-huit, quatre-vingt-huit kilos, d'interminables fémurs et humérus soutenus par des muscles tendus et efficaces qui lui donnaient la force que certains hommes entretiennent et affûtent dans les gymnases ou sur les stades. Il avait le sport en horreur, car il risquait de mettre en péril les seules choses auxquelles il se fiait : son corps et sa tête. Il avait vu trop de vieux boxeurs au visage cabossé, le cerveau en bouillie, qui se souvenaient de jours glorieux qu'ils n'avaient jamais connus ; même le footballeur Broadway Joe, avec ses genoux trois fois plus usés que lui, marchait comme un vieillard. Une idiotie.

Il n'avait qu'un défaut insignifiant : une légère faiblesse des tibias, conséquence du rachitisme dû à un régime pauvre en lait et à une consommation excessive de frites, de sodas et de glaces. Dès qu'il fut assez grand pour voler ou mendier sa nourriture, il s'alimenta mieux et, à douze ans, était devenu plus fort que la plupart des hommes. Il entendait mal de l'oreille gauche : l'une des partenaires de Loreen l'avait balancé contre la roulotte après qu'il lui avait mordu le mollet. Mais ça en avait largement valu la peine, surtout quand il avait vu cette grosse dinde hurler et s'éloigner en sautillant sur une jambe.

Il pensait rarement à la cicatrice qui lui traversait le dos de part en part à la hauteur des épaules, ce bourrelet bleuâtre et lisse qui rappelait le tracé d'un éclair. À cet endroit, la peau était insensible, comme si la cicatrice était gorgée d'anesthésique. Il ne se souvenait pas d'avoir renversé le pot de café mais se rappelait la douleur cuisante du liquide chaud dégoulinant sur son dos, les hurlements qu'il avait poussés pour appeler Loreen, qui n'était pas venue. Il n'en voulait pas à sa mère. Il ne la tenait jamais pour responsable des mauvaises choses, elle faisait de son mieux. Les femmes aimaient passer le doigt sur le renflement de sa cicatrice, et, quand elles le questionnaient, il leur répondait toujours qu'il avait été frappé par la foudre. Des garces qui le dorlotaient mais le laissaient toujours tomber.

Il avait eu une mère. Une seule.

Loreen.

Son nom, qui résonnait doucement dans les synapses de son cerveau, le bouleversait. Elle lui manquait tant qu'il en avait mal ; elle lui avait toujours manqué. Elle était la seule femme et le resterait éternellement. Étourdie, indécise, craintive, trop craintive pour être là quand il avait besoin d'elle.

Parfois, en se remémorant le visage de sa mère, il voyait des barres verticales se superposer à l'image. Il en fut longtemps troublé et, après avoir éliminé toutes les possibilités, il comprit qu'il la voyait à travers les barreaux de son lit d'enfant. Personne n'a de souvenirs aussi anciens. Il est vrai qu'il ne ressemblait à personne.

Il ne se rappelait pas le visage des hommes. Il les avait vus mais ne gardait le souvenir que de gigantesques silhouettes penchées sur son berceau ou, pis, de moitiés de corps nus qui s'agitaient à quelques mètres de lui dans ce qui lui semblait une lutte cruelle et douloureuse pour Loreen.

Il avait remarqué que certains de ces étrangers ne lui montraient aucune hostilité, mais que d'autres étaient furieux d'avoir à faire ce qu'ils faisaient à sa mère en présence de cet enfant qui les regardait en silence, ses petites mains inutiles serrées autour des barreaux du lit. Il se rappelait sa rage, son désir de les tuer.

Un jour, l'un d'eux l'avait enmenée et elle n'était jamais revenue. Il avait ensuite entendu le mot « morte » et des paroles qui lui avaient donné le sentiment d'être mort, lui aussi.

Il ferma les yeux et interrompit le cours de ses souvenirs.

La contracture aux bras s'intensifiait. Il posa ses jumelles et s'étira, faisant s'échapper une famille de cailles. Il se rappela la gourde, l'attrapa et la vida de son eau chaude au goût d'étain. Il fallait qu'il pense à acheter des pilules de sel, il faisait plus chaud que prévu. Il avait toujours entendu dire que le temps dans l'État de Washington était frais et pluvieux, mais cela devait concerner la région de Seattle. Toute cette transpiration lui faisait perdre du potassium, les pastilles y remédieraient.

Il s'allongea sur le rocher plat pour soulager sa longue colonne vertébrale. De minuscules particules de sable et de mica collaient à sa peau humide. Il sentait la différence entre la peau intacte et la cicatrice. Il devrait penser à mettre une chemise, une cicatrice est un signe distinctif que les autorités n'oublient pas.

Apprendre. Tout s'apprend, le légal comme l'illégal, et comprendre les méthodes de la police était l'une de ses priorités. Les morts ne racontent pas, mais il reste les autres. Si son intelligence lui donnait une bonne longueur d'avance sur tous ses adversaires, il améliorerait encore ses chances en s'informant. Au début, il se fiait uniquement à ses réflexions ; mais les flics, même incompétents, avaient l'avantage du nombre. La plupart étaient des crétins qui suivaient les instructions à la lettre sans jamais voir plus loin que le bout de leur nez, mais une poignée d'entre eux prenaient le temps de réfléchir et lui mettaient des bâtons dans les roues.

Il était tombé pour une petite affaire, pas longtemps, et pourtant suffisamment pour savoir qu'il n'irait jamais derrière les barreaux. Un foyer pour délinquants, une plaisanterie. Il avait passé un mois ou deux dans leur « maison de redressement », mais ils ne l'avaient pas mis au trou, et cela ne risquait pas d'arriver. Il aurait presque remercié les plus malins d'entre eux qui, sans le savoir, lui avaient beaucoup appris. Il avait tiré d'eux bien plus qu'ils n'avaient tiré de lui.

Il savait comment modifier son signalement. En se voûtant, il pouvait réduire sa taille de quelques centimètres. La vieille schnoque de Denver à qui il avait soutiré ses économies avait affirmé qu'il mesurait moins d'un mètre quatre-vingts et avait plus de trente ans. Au tapissage, elle ne l'avait pas reconnu, désignant le flic en civil debout à côté de lui. Furieux, l'enquêteur de service avait dû classer le dossier de la plaignante. Et Duane avait quitté Denver par le premier avion. Denver et son brouillard l'avaient de toute façon déçu. Il s'était imaginé une ville sur les hauteurs, un ciel clair, mais n'avait trouvé qu'une ville plate et brumeuse, pleine de faux cow-boys et d'ennuyeuses maisons de brique.

L'État de Washington ressemblait aux images du calendrier des postes. Seattle était bordée de montagnes qu'il traversa pour découvrir un paysage plus beau encore à l'est. Il aima les vergers et les collines brunes qui lui faisaient penser à des géants endormis dans la fournaise de l'après-midi. Gulliver pouvait se réveiller d'un instant

à l'autre, se retourner et créer une ligne d'horizon entièrement nouvelle.

Surtout, il aima la forêt. Il leva les yeux vers les arbres
au-dessus de lui. Les sapins et les pins, aux branches
pareilles à de la dentelle noire, semblaient grandir sous
son regard. Ici, tout semblait pérenne. Les arbres donnaient l'impression d'être là depuis toujours et qu'ils y
resteraient. L'impression de paix souveraine qui l'envahit
lui confirma la justesse de son choix.

Le soleil l'obligea à fermer les yeux, des yeux vert pâle
tachetés d'éclats noisette. L'image de Loreen apparut
alors sur la surface ténébreuse de ses paupières. Il vit son
petit visage aux traits réguliers, ses yeux immenses et
apeurés, le léger saupoudrage de taches de rousseur qui,
l'été, couvraient son nez et ses joues. Elle avait une masse
de cheveux noirs et flottants, si fins qu'ils semblaient
auréoler de fumée son crâne délicat. Elle détestait ses
cheveux et s'efforçait de les discipliner par de constants
brossages qui ne réussissaient qu'à les rendre électriques.
Cette minuscule femme-enfant, chez qui tout était éva-
nescent, avait été aussi éphémère qu'une libellule.

Il soupira. À vingt-quatre ans, il avait déjà vécu deux
ans de plus qu'elle. Pourtant, elle était toujours avec lui,
l'attendait au-delà des limites de sa vision périphérique.
Il sentait parfois que, s'il tournait assez vite la tête, il
pourrait l'attraper et la ramener avec lui.

Il savait que Loreen ne reviendrait pas. Mais il savait
aussi qu'elle n'était pas en paix, qu'elle continuait d'errer
de par le monde, terrifiée, au-delà de la cime des arbres,
au-delà des montagnes.

La seule chose qu'elle avait été capable de lui donner,
et qui resterait, était son nom : Duane Elvis Demich. À la
maison de redressement, un de ses camarades de cellule
lui avait demandé pourquoi il portait un nom aussi effé-
miné.

Il avait cogné le type contre le fer du lit superposé et
l'avait soulevé à bout de bras au-dessus du sol jusqu'à ce

qu'il en perde son froc. Plus jamais quelqu'un ne prononcerait son nom.

C'est elle qui lui avait choisi ce prénom, un prénom différent des autres. Les seuls objets qu'il avait voulu garder étaient les 45 tours voilés qu'elle chérissait tant : les disques d'Elvis. Quand il avait appris la mort du chanteur, c'était comme si elle était morte une seconde fois. Il aimait penser qu'Elvis se trouvait quelque part avec elle, qu'il lui rendait la vie plus douce, le temps qu'il vienne la libérer.

Il se demandait parfois pourquoi il ne lui ressemblait pas et frissonnait quand il l'imaginait le mettant au monde. Comment une fille si menue pouvait-elle avoir donné naissance à un géant comme lui ? Lui avait-elle pardonné la douleur de cette nuit de mai dans le Michigan ? Il avait retrouvé son certificat de naissance taché et froissé où figurait son poids de naissance : quatre kilos six. Rien que d'y penser, il en était malade.

Né le 23 mai 1957 à Coatesville, Pennsylvannie. Mère : Loreen Dorothy Demich. Père : inconnu.

Il avait des cheveux clairs et cuivrés, épais et ondulés, des yeux verts, ou gris selon son humeur. Ses traits taillés au burin étaient aussi puissants que ceux de sa mère étaient délicats. Son profil de médaille le faisait ressembler à un jeune dieu grec, comme Elvis dans sa jeunesse. De face, cependant, une légère asymétrie conférait à son visage quelque chose d'inharmonieux. Ce décalage n'était pas assez prononcé pour l'enlaidir, mais, même si la plupart des gens n'y prêtaient pas attention, il s'en inquiétait parfois. Quand il était fatigué, son œil droit clignait légèrement, entraînant sa joue d'un même mouvement. Parfois, devant le miroir, il masquait une moitié de son visage et observait l'autre. Le côté gauche semblait angélique et paisible, le droit diabolique.

Tant pis pour l'ange. Il n'avait fait que ce qu'il devait faire. La loi de la jungle impose de survivre et les plus forts ne regrettent jamais les actes qu'ils commettent pour rester en vie. Il avait décidé que la morale était affaire de chacun, que chacun avait son idée du bien et du mal, et que, de toute façon, ce que l'on disait et faisait coïncidait rarement. Les forains qu'il avait connus dans sa première vie s'entraidaient, mais ils arnaquaient dans l'impunité quiconque n'appartenait pas à leur monde. Même les filous ont certaines règles de conduite. Mais dans le monde respectueux des lois, hors l'enceinte de la foire, loin des baraques et des tentes, tout leur était permis.

L'arbre au-dessus de sa tête absorbait le soleil. Le vent était moins chaud, la journée touchait à sa fin. Sous lui, le rocher massif était déjà froid et humide. Il s'assit pour regarder la route à deux voies qui longeait la rivière. Pas le moindre signe d'activité. Pour l'instant ne passaient ni voitures ni coureurs.

Il sentait au plus profond de lui qu'il trouverait ce qu'il cherchait. Il avait toujours éprouvé ce frémissement annonciateur, mais cette fois, lorsqu'il avait traversé la chaîne des Cascades et admiré la vue qui s'étendait devant lui, la force de son pressentiment l'avait surpris. Ce qu'il cherchait l'attendait là, et il avait hâte de le découvrir.

Guetteur invisible, il avait un pouvoir immense sur ceux qu'il observait : aucun n'avait jamais soupçonné sa présence. Parfois, il rôdait dans les allées où se cachaient les amoureux, avançait à pas feutrés derrière les voitures garées pour voir ce que dissimulaient les vitres embuées : une femme soupirant dans les bras de quelque salaud en rut derrière le volant, une chair dénudée, des bras et des jambes enchevêtrés. Insoucieux du danger, il les observait de si près qu'il entendait leurs gémissements.

Il avait beau ne pas être un voyeur, il ne pouvait retenir une certaine excitation à la vue de ces parodies d'amour. Ces abrutis ignoraient ce qu'étaient la vraie passion ou le véritable engagement. Ils mimaient l'acte sexuel, et son corps réagissait instinctivement. Cette excitation inopportune le contrariait, car elle l'obligeait à trouver un coin pour se soulager. L'idée ne lui était jamais venue de posséder la femme qu'il matait, pas plus que de coucher avec les allumeuses du Trail's End Bar de Natchitat qui lui faisaient des avances peu subtiles. Il détestait leur rire embarrassé, leur pose soumise quand, appuyées contre le juke-box, elles faisaient semblant de choisir un morceau. Les femmes se comportaient toujours comme ça avec lui. Elles aimaient sa stature, le regard voilé qu'il leur jetait derrière son verre de bière. Mais leurs visages composés se défaisaient et leurs gloussements cessaient dès qu'il leur tournait le dos pour regagner sa chambre au motel.

Il n'avait plus de temps à perdre avec de pareils enfantillages et s'irritait de la trahison de son corps, de cette réaction virile à la chair douce et fraîche des femmes ou à tout ce qui en tenait lieu sous l'éclairage du bar.

Le Big Apple Motel n'avait rien d'idéal mais lui servait de base d'opération. L'établissement n'était pas cher et un tout petit peu mieux que les meublés miteux pour les travailleurs migrants qui affluaient à Natchitat au moment des récoltes. Le gérant l'avait pris pour l'un d'eux, certes un peu mieux habillé et un peu plus futé, mais peu disposé à débourser plus de douze dollars la nuit pour un lit simple en fer, des W.-C., un lavabo et une plaque chauffante.

Il était descendu au Hyatt Regency à San Francisco, au Brown Palace à Denver et au Fairmont à Dallas où son petit déjeuner commandé au service d'étage lui avait coûté plus cher que deux nuits au Big Apple. Le Big Apple puait la sueur, la bière, le sexe et le produit ménager. L'odeur semblait incrustée dans les dalles de vinyle et les cloisons en contreplaqué. Pour échapper à ces miasmes, il restait dehors à fumer de la tombée du jour à minuit. Mais, pour l'instant, le motel faisait l'affaire. Il convenait à sa bourse moyennement fournie et lui assurait l'anonymat dont il avait besoin à Natchitat.

Il avait dans les deux cents dollars en poche, le minimum qu'il s'était fixé. Il s'était débrouillé pour monter un petit trafic qui ne lui prenait ni trop de temps ni trop d'énergie. Il lui avait suffi d'une journée pour repérer la denrée la plus convoitée à Natchitat. Les cabanes des migrants se trouvaient à quelques kilomètres de la ville, et peu d'alcooliques disposaient d'un véhicule pour s'y rendre. Ils se seraient entretués pour une bouteille à moitié vide de tokay mais n'auraient pas fait l'effort d'aller à pied jusqu'au Safeway de Natchitat pour se l'acheter à un dollar dix-neuf. Le gallon de piquette coûtait trois dollars vingt-neuf, et il en achetait dix par jour. La mise en bouteilles ne lui revenait pas cher : il donnait un dollar à l'un des poivrots pour récupérer des bouteilles vides qu'il remplissait de ce qu'il avait acheté au Safeway. Chaque soir, il faisait la tournée des camps avec son side-car Harley rempli de son tokay reconditionné et le refourguait pour deux dollars vingt-cinq la bouteille de soixante-quinze centilitres. Son profit quotidien se montait à soixante-quinze dollars soixante, moins le dollar refilé au collecteur de vieilles bouteilles.

« Notre sauveur », lui avait dit l'un de ses clients. Il se faisait deux mille dollars par mois sur leur dos, et en plus ces crétins l'appelaient leur sauveur. Sa dernière arnaque lui avait rapporté dix ou vingt fois plus, mais elle lui avait pris des journées entières, et son temps était désormais plus précieux que l'argent.

Il se leva enfin et secoua ses longs bras pour soulager la tension ; il avait passé tout le jour à observer. Il remit son sweat-shirt marqué Ohio State, remplaça ses jumelles par des lunettes de soleil miroir, et sauta du rocher.

Il détestait par-dessus tout ce moment de la journée. Il fallait manger, livrer ses clients, aller dormir et se lever le matin pour recommencer. Il détestait cette nécessité de manger et de dormir autant que ses pulsions sexuelles qui se réveillaient si souvent. Les fonctions vitales retardaient ses projets, mais il avait une faim de loup et ne rêvait que d'un bon steak et d'une bière fraîche.

La moto était en sécurité, cachée par le sapin déraciné et les buissons de myrtilles. Même un avion n'aurait pu la repérer. Si d'aventure il devait l'abandonner, il la jetterait tout bonnement dans la rivière. Il passa instinctivement la main sur les sacoches et fut rassuré de sentir le contour de ses armes ; les deux y étaient : le pistolet et le fusil démonté.

Il poussait l'engin pour rejoindre la chaussée quand il la vit. L'horizon orange du soleil couchant le fit cligner des yeux. Quand il les rouvrit complètement, il vit qu'elle était toujours là. Sa perfection lui coupa le souffle.

Elle courait seule. Depuis son abri derrière les arbres lui parvenait le bruit de sa respiration. Ses pieds battaient l'asphalte avec la régularité d'un métronome, mais elle courait comme toutes les femmes en balançant les bras trop loin de ses flancs et en faisant ballotter ses seins. Elle avait retenu ses cheveux avec un bandeau rouge qui lui dégageait le front. Des cheveux fins et légers, noirs et vaguement bouclés.

Il dut faire du bruit sans s'en rendre compte, car elle tourna la tête un bref moment vers la forêt, et il put voir son visage de face. Ses grands yeux semblaient… non pas effrayés, mais prudents… Puis elle le dépassa, accélérant son allure.

Il réfréna son envie de l'appeler : elle ne l'aurait de toute façon pas reconnu, c'était trop tôt. Il devait se préparer à ce que cela prenne du temps, pourtant, il éprouva une joie ineffable qui le submergea. Ses genoux tremblèrent quand il la vit s'éloigner. Mais il savait que ce n'était que partie remise, que plus jamais elle ne s'éloignerait de lui.

Quelque chose était écrit au dos de son tee-shirt. Il prit ses jumelles et lut :

Bureau du shérif du comté de Natchitat
Ligue féminine de bowling

Et dessous, en plus petit, un nom en écriture cursive :

Joanne

2

Danny Lindstrom regardait clignoter les lumières rouges et jaunes du central téléphonique qui se brouillèrent tout d'un coup. Il secoua la tête, comme si un mouvement brusque pouvait l'aider à dissiper son engourdissement.

Il était 4 h 12 du matin. Officiellement, il n'était plus en service, mais il avait toujours du mal à décrocher. Il avait opté pour la tranche horaire 20 heures-4 heures parce qu'il pouvait passer ses journées avec Joanne et aussi parce qu'il savait que c'était la nuit que tout arrivait, que son atmosphère, ses bruits et ses odeurs procuraient à son cerveau l'adrénaline qui lui était nécessaire.

Par les chaudes nuits de pleine lune, comme ce soir, chaque appel radio ou presque promettait danger et excitation. Il les attendait autant qu'il les redoutait. Et, bon Dieu, il avait le don pour les dénicher. Il était fatigué de la routine policière ; pourtant, malgré ses huit années passées dans la police, il aimait toujours autant déclencher les lumières bleues du gyrophare et appuyer du pouce sur le bouton de la sirène. Mais il était épuisé physiquement et psychiquement, et il éprouvait toujours une légère anxiété au moment de quitter son service pour rentrer au bercail.

Difficile de lâcher.

Il se rappelait maintenant sa querelle avec Joanne. Il détestait se disputer avec elle avant de prendre son service, mais malgré ses nombreuses mises en garde elle avait décidé d'aller courir toute seule. Être l'épouse d'un policier ne protège pas du viol, lui avait-il lancé. Et il n'avait réussi qu'à l'énerver davantage. Ces derniers temps, elle partait au quart de tour à tout propos. Il savait ce que c'était : ces éternelles discussions à propos de l'enfant ou, plutôt, de l'absence d'enfant. Elle pleurait chaque fois qu'elle avait ses règles.

– Les bébés ne sortent pas comme ça d'un chapeau, lui avait-il dit.

– Non, Danny. Au moins, ça, c'est sûr. Si tu pouvais juste mettre de côté ton précieux ego et faire les examens, on saurait peut-être ce qui cloche, avec notre chapeau.

– Tu veux dire avec mon chapeau, avait-il répliqué.

Il avait claqué la porte et l'avait immédiatement regretté. Après tout, elle ne lui demandait pas grand-chose, mais il ne pouvait se résoudre à verser son sperme dans un flacon.

Il se frotta les yeux et essaya d'effacer l'image de Joanne, mâchoires crispées, le regard furieux. Il n'avait même pas pensé à elle de la nuit. Depuis 19 h 45, Sam et lui n'avaient pas eu le temps de penser à quoi que ce soit, ni de s'arrêter pour boire un café ou manger un morceau. Une manière comme une autre d'oublier ses problèmes conjugaux.

Cela avait commencé par une bagarre entre Indiennes au Bald Eagle. Deux furies, toutes griffes dehors, s'étaient battues pour le mec le plus minable qu'ils eussent croisé depuis longtemps. Les filles calmées, il y avait eu du sang partout et assez de bière renversée pour inonder la grande rue jusqu'au fleuve Columbia. La plus âgée avait une entaille sur la poitrine qui partait de la clavicule jusqu'au sein droit ; l'autre les avait frappés et mordus tandis qu'ils tentaient de la faire monter dans la voiture de patrouille. Leur véhicule avait une vitre arrière brisée, et

Sam consolait ses bijoux de famille qui avaient pris un méchant coup. L'objet de la jalousie de ces dames picolait tranquillement au bar et n'avait même pas pris la peine de lever la tête pendant la mêlée. Il s'était sacrément bien débrouillé : lui, au moins, n'avait pas pris de coups mal placés.

Danny regarda Sam s'asseoir avec précaution sur le bord du bureau. Il devait rédiger le rapport sur le pick-up qu'ils avaient arrêté juste après minuit, un vieux tas de ferraille rempli de voyous barbus qui leur avaient donné une adresse à Seattle et avaient fait toute une histoire d'avoir dû se ranger sur le bas-côté. Le véhicule leur avait paru louche, mais, les passagers ne figurant pas sur le fichier national, ils avaient été contraints de les laisser filer. Les deux coéquipiers étaient persuadés qu'ils planquaient de la cocaïne dans leur carrosse, cela dit, sans motif valable, ils n'avaient pas pu fouiller le véhicule : les droits inviolables du citoyen américain. On pouvait parier qu'ils recevraient un coup de téléphone de la côte dans une semaine ou deux, mais le tas de ferraille aurait alors disparu.

Danny soupira. Il se demandait parfois pourquoi ils se démenaient. Chaque fois qu'ils intervenaient, ils risquaient de se retrouver nez à nez avec un calibre 45.

L'hiver passé, un flic avait arrêté un véhicule au même endroit. Sam et lui avaient retrouvé le pauvre gars dans la neige, carnet à la main, son arme toujours dans le holster. Le corps de Richards, allongé là à plat ventre, les avait presque moins bouleversés que l'empreinte qu'il avait laissée sur la terre gelée après que le corbillard eut emporté sa dépouille. Un ange dans la neige. Le contour précis des bras, des jambes et de la tête, et la grande flaque rouge qui, sous son cœur, avait fait fondre la neige.

Il avait eu droit à un enterrement en grande pompe : des flics de Spokane, de Seattle, de Wenatchee, de Yakima, d'Ellensburg, et même de Puyallup ; un petit nombre de gars du FBI, d'agents du Bureau des tabacs, alcools et armes à feux, quelques tuniques rouges de la police montée, plus toute la police de l'État de Washington. Ça, ils s'y connaissaient en enterrements : celui de Richards était le troisième de l'année pour la seule partie orientale de l'État.

Il reconnut l'angoisse familière et prit une profonde inspiration. Il se voyait parfois étendu quelque part au bord d'une route, mort. Il se demandait si Sam avait ce même pressentiment, s'il se disait que ses jours étaient comptés. Danny ne lui avait pas posé la question. Chez les flics, parler de la peur est tabou. Tant que tu ne dis rien, il ne se passe rien.

Si quelqu'un sentait que son temps était compté, c'était bien Sam. À quarante-huit ans, il avait vingt-sept années de boutique passées dans deux départements ; il avait survécu à deux mariages et forçait tellement sur l'alcool que son foie aurait dû devenir pierre depuis des années. Il s'était fait virer du service des homicides de la police de Seattle à cause de la bibine. Danny se demandait comment Sam supportait de se retrouver maintenant en uniforme dans un véhicule du comté.

Mais de ça non plus ils n'avaient jamais parlé.

Il observa Sam penché sur son rapport, une main à plat sur le bureau, ses longues jambes maigres se balançant à côté du crachoir, qui n'avait pas bougé depuis quarante ans. On aurait dit que Sam Clinton était né et avait grandi dans le comté de Natchitat. Il avait la peau aussi tannée et sillonnée de rides que celle d'un cultivateur de pommes. Ses bottes fatiguées, mais cirées, ressemblaient à celles de tous les inspecteurs. Danny avait du mal à l'imaginer en costume et chemise blanche, avec la cravate à rayures qu'il devait porter quand il travaillait à Seattle.

Il s'étira et dit doucement à Sam :

– Elles vont mieux ? Tu devrais rentrer et les mettre dans de la glace.

Sam se leva douloureusement et lui sourit, découvrant l'espace entre ses dents de devant.

– Elles se portent mieux que les tiennes dans tes périodes fastes, petit.

Fletcher, installé devant le central téléphonique, le regarda et rigola.

– Il a raison, Clinton. Tu ferais mieux de retourner chez toi et de les foutre dans la glace. À ton âge, si on veut les garder, faut s'en occuper.

– Il y a certaines choses qui fonctionnent toujours, messieurs, répondit Sam. Je pourrais m'arrêter en chemin chez Mary Jean et lui montrer ce que c'est qu'un véritable étalon pendant que vous restez scotchés ici à faire joujou avec la radio.

Fletcher rit.

– Mary Jean travaille, ce soir, mon vieux. Il va falloir que tu passes à la maternité pour lui demander si elle veut bien te suivre dans le placard à balais, mais ne compte pas trop là-dessus. Je viens juste de lui parler : les filles sont débordées, les accouchements pleuvent.

– Pleine lune, conclut Sam. Je lui ferai sa fête la semaine prochaine, tu peux compter là-dessus.

– Tu as toutes tes chances, reprit Fletcher. La petite bonne femme a pris du poids. Je crois qu'elle pèse plus lourd que moi.

Mary Jean Sayers pesait facilement quatre kilos de plus que Fletch, mais Danny et Sam eurent le tact de ne pas tomber d'accord avec l'opérateur radio. En réalité, Sam enviait Fletch et redoutait de retrouver la solitude de son mobile home, où le seul être vivant était son matou.

Il n'avait pas envie de quitter le bureau du shérif où il se sentait mieux que partout ailleurs, comme dans tous les bureaux dans lesquels il avait travaillé. Il était chez lui ici, il pouvait déconner avec Fletch et Danny. Il aimait l'odeur de cigare, des dossiers poussiéreux, du cuir, de l'huile pour les armes, et même les relents de cuisine de la prison aménagée derrière la salle d'attente. Le service de nuit lui permettait de prolonger son temps de travail jusqu'à ce que le soleil commence à poindre de l'autre côté des collines et qu'il ait fini de remplir la paperasse.

Tous les autres avaient quelque part où aller après le service, quelqu'un à rejoindre. Sam avait épuisé toutes celles qui l'avaient attendu et préférait ne pas penser à celles qui en avaient eu assez de lui. De lui, avec la boisson, de ses trop nombreuses heures supplémentaires, des coups de fil nocturnes et de ses aventures avec d'autres.

Sam s'était engagé à vingt ans dans la marine, qui lui avait fourni une réserve quasi inépuisable de filles. Mais, bizarrement, il n'avait pas pu les garder ou elles n'avaient pas pu le garder. Jusqu'à ses quarante ans, jusqu'à Nina, il avait réussi à éviter la vraie dépression. Après Nina, il aimait toujours les femmes mais doutait de pouvoir à nouveau aimer. Et il n'en blâmait que lui-même. Même assis là, dans le bureau, occupé à soigner ses ecchymoses, il n'éprouvait aucune animosité envers la femme indienne qui avait porté le coup. Le cow-boy du bar, cet avorton qui l'avait vraiment ou prétendument repoussée, l'avait rendue hystérique. Elle ne voulait pas passer la nuit en cellule, et Sam ne pouvait pas lui en vouloir pour ça. Il avait visité quantité de prisons et, tout en sachant que ce n'était pas lui qui était enfermé, il avait toujours constaté que sa gorge se serrait, qu'il ne pouvait pas respirer à fond derrière les portes en fer.

Sam avait constaté que les Indiennes s'épanouissaient très tôt et se fanaient rapidement, comme les belles-de-jour qui grimpaient sur le treillage de sa caravane. Leur visage s'empâtait, leur teint cuivré prenait une coloration mastic, et leur corps fin et souple comme un roseau disparaissait vite sous une gangue de chair. Les Indiens se pervertissaient aussi au contact de l'homme blanc, mais Sam s'apitoyait moins sur leur sort.

Wanda Moses n'avait rien contre lui personnellement. Il appartenait au camp ennemi, c'est tout. Demain, elle se réveillerait dans sa cellule avec un affreux mal de crâne, l'envie de gerber, et elle aurait oublié pourquoi elle se trouvait là.

La voix de Danny interrompit sa rêverie.

– Prêt pour le départ, camarade ?

Sam glissa l'original de son rapport dans la boîte marquée « shérif adjoint » et les copies carbone dans le dossier puis fit semblant de boiter vers Danny, simulant une douleur atroce. Danny rigola et Sam souhaita pour la millième fois que quelque chose vienne retarder le moment où ils devraient monter dans le 4 × 4 de Danny, qu'il aimait comme il avait aimé tous ses partenaires, tous les hommes qui s'étaient interposés entre lui et le mal, tous ceux dont, à son tour, il se sentait responsable.

Aucune de ses épouses n'avait compris la force et la nécessité de ce lien entre mâles. Un jour, Penny s'était mise en rogne.

– Tu te soucies plus de ce satané Al Schmuller que de moi ! Il te fait plus bander que moi !

C'était vrai, en un sens.

Sam était parti en pensant que ce serait temporaire, mais Penny ne l'autorisa jamais à revenir. Trois jours après le divorce, elle épousait un civil.

Il avait imaginé que ce serait différent avec Gloria parce qu'elle bossait au service des procès-verbaux et qu'elle était la veuve d'un flic. Tout se passa bien tant qu'ils eurent les mêmes horaires. Avait-il aimé Gloria ? Il n'en était plus très sûr. Il avait aimé son enfant et aurait sans doute quitté sa mère plus tôt si le petit n'avait pas été là. Mais le mariage avait commencé à s'effriter quand il avait signé pour la deuxième garde.

Après la séparation, le garçon lui avait manqué plus que Gloria.

Et, à cette époque, il allait bien. Il était capable de se concentrer et d'apprendre, et s'inscrivait à chaque séminaire : scènes de crime, stupéfiants, déminage. Il avait même suivi celui d'Englert, le spécialiste de l'Oregon qui leur avait expliqué comment interpréter les taches de sang et leur avait apporté de vrais échantillons (Dieu sait où il avait pu se les procurer !).

Sam se rendit compte qu'il pouvait limiter sa consommation d'alcool à une ou deux bières par jour. Dès son entrée au service des homicides, il s'était jeté dans le travail pour compenser son abstinence. Il travaillait tout le temps, et personne ne s'inquiétait plus de savoir s'il était rentré chez lui à l'aube ou à midi. Il avait le chic pour percer les secrets d'une mort violente, un don qui lui paraissait tout naturel. Il y prenait plaisir et acceptait avec détachement les félicitations de ses supérieurs et le respect de ses pairs.

Les femmes étaient revenues dans sa vie, des femmes désirant le Sam Clinton de trente-cinq ans qui avait retrouvé sa forme après une longue et mauvaise passe. Il les appelait toutes « Mon cœur » et ne s'engageait jamais, même s'il s'efforçait de rester assez longtemps pour qu'elles ne gardent pas le souvenir d'une aventure d'une nuit, pas assez longtemps, toutefois, pour qu'elles puissent souffrir de son départ. Il était aussi incapable de vivre sans femme que de se passer de nourriture, mais une trop grande proximité lui fichait la trouille. Il pensait qu'il aurait pu continuer comme ça, à savourer les bons moments et à prendre le large quand il sentait le moment venu. Chaque séparation brisait quelque chose en lui, mais de manière si subtile qu'il n'avait jamais ressenti la blessure.

Jake Sorensen était son partenaire aux homicides – ce vieux Jake qui, à cinquante-six ans, avait dépassé depuis belle lurette l'âge de la retraite volontaire. Il s'accrochait. Sam lui donna l'assurance nécessaire pour réussir les six mois d'évaluation. Sam lui apprit à s'habiller. Ensemble, ils formaient une équipe de choc. Clinton-et-Sorensen : jamais ils n'étaient évoqués séparément et ils voulaient qu'il en soit ainsi. Ils élucidaient les affaires les plus difficiles, et avec facilité. Jake regrettait seulement les moqueries sur ses costards froissés et troués par la cendre de cigare, son ventre débordant de sa ceinture et ses lunettes à verres épais qui lui grossissaient les yeux. Il tergiversait, perdait du temps et de l'énergie, mais s'améliorait au contact de Sam. Chacun comblait les défauts de la cuirasse de l'autre.

Nina attira Sam dans ses filets avant qu'il ait pu sentir le danger. Les autres avaient été trop jeunes pour représenter une quelconque menace. Quand il fit sa connaissance, Nina était mal en point. Mal en point depuis un bon bout de temps, et pourtant sa force de caractère l'avait attiré.

Les gars des homicides se tenaient à l'écart de Nina Armitage. Ils se méfiaient d'elle et enviaient un peu cette femme brillante qui occupait une fonction censée revenir légitimement à un homme. Ils n'entraient dans le bureau du procureur que parce qu'ils y étaient contraints. Nina s'était élevée à cette fonction non grâce à ses charmes, mais parce qu'elle était une juriste hors pair. Elle travaillait trois fois plus dur qu'un homme, menant son corps gracile au-delà de son seuil d'endurance, et continuait d'avancer.

Elle considérait tous les policiers comme des idiots, son supérieur y compris, même au tribunal, même s'ils étaient de son côté, et les interrogeait avec condescendance. Dans son dos, ils la surnommaient la « merveille sans nichons », et pis encore.

Sam était cependant séduit par son charisme. Devant la cour, elle ne cédait jamais le terrain et ne comptait jamais sur sa féminité pour s'attirer les faveurs du juge ou du jury. Elle était aussi caustique que la soude et avait la voix si rauque qu'elle semblait lutter consciemment pour lui ôter toute modulation féminine. Ses longs cheveux couleur paille tombaient sur son visage quand elle se penchait sur son bloc de feuilles jaunes qu'elle couvrait de ses gribouillis puis repoussait avec l'impatience qui la caractérisait. Sa peau était claire et constellée de taches de rousseur. C'était vrai, elle paraissait ne pas avoir de seins, mais ses longues jambes fascinaient Sam.

Quand ils venaient lui exposer leurs affaires solidement étayées, soigneusement émaillées de « causes probables » et de solides preuves matérielles, elle leur délivrait leurs mandats d'arrêt et de perquisition mais ne semblait jamais distinguer un flic d'un autre. Pour elle, tous étaient des policiers, jamais des enquêteurs, et aucun ne paraissait avoir de nom.

Jake ne pouvait pas la sentir. Un après-midi, après deux heures passées dans son petit bureau du tribunal, il avait dit à Sam :

– Tu sais que pour nous, Philippins, les Noirs et les Japs sont tous pareils ? Eh bien, pour cette salope d'ano-rexique, tous les flics se ressemblent. Tu organises un tapissage avec toi, moi, Petit John et Grand John, et je t'assure qu'elle ne saura pas qui est qui.

Sam rigola mais tomba à moitié d'accord. Il ne l'avait jamais vue sourire, et elle ne levait même pas la tête quand il essayait de badiner.

– Elle ne sort jamais de son bureau, dit Jake. À croire qu'elle passe la nuit dans son tiroir à dossiers. Tu vas voir qu'elle va bientôt redevenir poussière.

Un soir, à minuit, Sam était tombé sur elle au Golden Gavel. Il avait été aussi surpris que s'il avait rencontré le maire en personne, assis devant quatre scotchs.

– Clinton ! Prenez donc un siège. Je vais même me déplacer pour que vous puissiez vous asseoir en face de la porte. Vous êtes tous paranos avec ça, vous n'aimez pas tourner le dos à la porte, n'est-ce pas ? Vous avez vu trop de films sur Luciano et Capone.

Il s'était assis et l'avait regardée. Elle était ivre, mais l'alcool lui donnait un air plus doux, malgré ses propos incisifs.

– Je ne pensais pas que vous connaissiez mon nom, lui dit-il en s'emparant d'un de ses verres de whisky.

– Maintenant il faut que j'en commande un autre.

D'un geste las, elle fit signe au barman qui apparut avec un autre scotch – sec.

– Je connais votre nom. Je connais vos noms à tous. La merveille sans nichons n'oublie jamais rien.

Embarrassé, Sam baissa les yeux vers les dessous de verre posés sur la table.

– Vous pensiez que j'ignorais le surnom que me donnent les gars ? Je peux vous en sortir d'autres, si vous voulez.

– Non, merci. Pour votre information, je ne vous ai jamais appelée par aucun de ces noms.

– Un vrai gentleman. Mais vous ne m'appréciez pas plus que les autres. Vous avez tous des épouses et des petites amies, et vous pensez tous que les femmes doivent faire la cuisine, baiser et rester idiotes, non ?

Il la regarda droit dans les yeux, de grands yeux brun foncé, provocants et lourds de fatigue. Elle lui adressa un sourire plein d'ironie, mais un sourire tout de même.

– Je n'ai ni épouse... ni petite amie, dit-il lentement. Je sais faire la cuisine, je lave mes chaussettes et mes sous-vêtements. Et je pense que vous êtes la meilleure avocate que j'aie jamais rencontrée. Alors, à propos de quoi va-t-on se disputer ?

– À propos de rien. Ce soir, je fête ma victoire. Joseph Kekelahni. Il aurait pu en prendre pour des années, vous savez. Troisième condamnation criminelle en dix ans. Viol, attaque à main armée... et, ah oui, vol avec effraction. Après en avoir fini avec ses victimes, il leur prenait leurs sacs à main. Et vous savez ce qu'il a eu ?

– Laissez-moi deviner. Pervers sexuel ?

– Vous avez deviné. Ils lui ont gentiment tapoté la main et l'ont envoyé à l'hôpital de Western State pour qu'il fasse son introspection. Il se tiendra à carreau pendant six mois, puis ils lui donneront la clef et une permission de sortie de vingt-quatre heures pour aller où bon lui semble – et il recommencera aussitôt. Si quelqu'un a besoin d'une thérapie de groupe, c'est bien le juge. (Elle baissa la tête.) Oh, et puis merde !

Il s'apprêtait à répondre, ébaucha un geste pour lui toucher l'épaule, mais elle redressa vivement la tête et lui sourit à nouveau.

– Vous voulez danser ?

Elle se leva, et Sam l'entraîna vers la minuscule piste de danse. Ils étaient les seuls clients, et le barman qui astiquait le long bar de bois les ignorait. Sam n'y croyait pas : Nina Armitage appuyait la tête contre son épaule.

Elle était presque aussi grande que lui et semblait peser moitié moins. Elle dansait bien et, malgré son ivresse, le touchait sans le toucher, lui effleurant à peine les cuisses. Il constata avec amusement qu'elle avait bien des seins, et éprouva la gêne d'un lycéen en sentant que le corps de Nina lui faisait de l'effet. Elle ne montra rien qui puisse laisser deviner qu'elle s'en était aperçue.

Ils dansèrent pendant deux heures au son du juke-box, sans se parler, ne s'interrompant que pour vider les verres que le barman continuait de remplir. Sam comprit qu'elle était une habituée du lieu.

Elle l'autorisa à la reconduire chez elle. S'il avait dû imaginer l'endroit où elle vivait, jamais il n'aurait pensé à cette péniche rikiki amarrée au bout de la promenade délabrée du lac Union. Elle ne l'invita pas à entrer, mais, par la porte ouverte, il entrevit un amoncellement de livres, de plantes, d'assiettes sales et de vêtements éparpillés. Il sentit une odeur de litière et, au même moment, un chat gris lui passa entre les jambes et disparut sur le ponton.

Sam était là, ne sachant s'il voulait entrer ou non. Elle posa une main légère sur sa poitrine et le poussa sous la pluie.

– Je ne vous propose pas d'entrer ce soir. Mais merci pour la valse… et de m'avoir raccompagnée.

La porte se referma avant qu'il ait pu répondre. Alors seulement il réalisa qu'elle avait payé toutes les boissons.

Une première. Il sourit et monta quatre à quatre les marches jusqu'à la route.

Il s'était dit qu'il raconterait ça à Jake le lendemain matin, mais il s'abstint. Il s'était dit qu'il ne retournerait pas à la péniche, et il y retourna.

Il n'avait jamais rencontré de femme vraiment intelligente, n'avait jamais approché une femme qui semblait se moquer éperdument de savoir s'il viendrait ou non. Et pourtant Sam se retrouvait chaque nuit devant sa porte, la tête baissée pour affronter la brume glacée du lac ; il sentait les planches craquer sous ses pieds et bouger sous l'effet de l'eau qui berçait la maison flottante. La péniche, en très mauvais état, donnait de la bande à bâbord, et l'avant-toit de planches pourries déversait l'eau de pluie sur son dos.

Elle était toujours chez elle et mettait du temps à lui ouvrir. Elle le faisait entrer avec un haussement d'épaules et le laissait se faufiler au milieu du désordre puis pousser les affaires pour se faire une place sur le vieux canapé en veloutine. Elle semblait attendre sa venue mais ne manifestait ni plaisir ni déplaisir à son arrivée. Elle ne lui donnait jamais à manger ; d'ordinaire, ses conquêtes essayaient de le dorloter en lui préparant des petits plats. Sam se demandait même parfois si Nina savait faire la cuisine. Il s'inquiétait pour elle et lui rapportait des pizzas et du poulet graisseux. Elle picorait et donnait presque tout à Pistol, son chat gris, mais ne lâchait jamais son verre de whisky coupé d'une goutte d'eau du robinet.

Progressivement, Sam cessa de fréquenter d'autres femmes, satisfait de passer ses soirées et ses nuits avec cette forte personnalité qui s'asseyait par terre en tailleur et lui parlait, l'écoutait. La loi et ses subtilités n'avaient pas de secrets pour elle. Sam n'avait jamais pensé qu'une femme puisse en savoir plus que lui. Et, de fait, elle lui apprit beaucoup de choses en lui racontant ses longues journées au tribunal. Il comprit pour la première fois ce qu'était la mécanique d'un procès.

Un soir, il lui demanda à brûle-pourpoint :

– Pourquoi tu veux bien de moi chez toi ?

– Qui a dit que je le voulais ?

– Tu me laisses entrer. Tu as déverrouillé tes portes.

– Certaines…

– Est-ce que tu m'aimes ?

Sam appréhendait sa réponse.

Elle le regarda avec solennité puis lui toucha la joue.

– Bien sûr que je t'aime. Tu es le plus intelligent de tous dans ce commissariat de flics immatures. Tu réfléchis. Tu réfléchis même de façon abstraite quand je t'y pousse. J'aime ton visage, il ne dissimule rien. J'aime l'espace vide entre tes dents et tes fossettes.

Elle posa un doigt sur le sillon près de sa bouche. Sam recula et se frotta le visage.

– C'est une ride.

Elle fit non de la tête.

– Celles-ci sont des rides, celle-là est une fossette, inspecteur.

– Est-ce que je te manque quand je ne suis pas là ?

– Tu es tout le temps là.

Elle se leva pour aller remplir son verre, se ménageant un passage dans la pièce encombrée. Sam la suivit et, tout en l'empêchant de sortir de la kitchenette, la força à le regarder.

– J'ai besoin de savoir si tu en as quelque chose à faire que je sois là ou pas. J'ai besoin… de quelque chose. Merde, t'es ma gonzesse ou pas ?

Elle rit.

– Ta gonzesse ? Qu'entends-tu par là ? Tu veux m'emmener au bal de la police ? Ah, c'est ça, tu veux que je t'accompagne au bal de la police ! Tu es furieux parce que je ne couche pas avec toi ?

Il la laissa passer. C'était vrai, elle ne couchait pas avec lui, même quand elle avait trop bu et tenait mal sur ses jambes. Et Sam n'avait envie de coucher avec personne d'autre. Il lui suffisait d'effleurer le poignet de Nina pour

71

sentir monter son désir, comme s'il avait une femme entièrement nue à ses côtés, mais elle se refusait à lui comme un pur-sang aurait repoussé un cheval de trait. Elle le laissait parfois la serrer dans ses bras, mais il ne sentait que sa frêle ossature et les battements de son cœur.

Il en devenait fou.

– Tu veux tout contrôler, c'est ça ? s'emporta-t-il. Tu refuses notre relation parce que tu as besoin de tout contrôler.

– Sam, je ne contrôle rien, ou si peu. Et tu voudrais m'enlever ça ?

Il partit en claquant la porte et sauta si lourdement sur l'appontement qu'il inonda le pont du bateau.

Elle ne fut pas surprise de le voir revenir – il revenait toujours. Le printemps arriva enfin, le printemps vert et arrosé de Seattle où le soleil ne perce le couvert qu'en fin d'après-midi. Ils étaient assis sur le pont et jetaient du pain aux canards. Sam avait apporté des géraniums pour remplacer les plantes mortes des jardinières en bordure du lac. Elle le remercia chaleureusement. Il repeignit aussi les planches de parement et remplit son pick-up d'un tas de vieilleries qu'il emporta à la décharge.

Il voulait s'installer avec elle, mais elle s'y opposait.

– J'ai besoin de temps mort. Je ne supporterais pas d'avoir quelqu'un ici en permanence, pas même toi.

À sa grande surprise et pour son bonheur, elle se donna enfin à lui. Sam eut l'impression d'avoir atteint le point de non-retour. Au lit, Nina était aussi farouchement expansive qu'elle était distante dans la vie. Elle sanglotait, criait, lui susurrait des obscénités et répondait à ses caresses avec une ardeur qu'il n'avait pas rencontrée en plus de vingt ans de vie sexuelle.

Et, pourtant, il n'était jamais certain de l'avoir satisfaite. Quand c'était fini, elle se tournait et restait aussi muette qu'une morte. Appuyé sur un coude, il vérifiait si les poumons de Nina fonctionnaient encore dans son étroite cage thoracique. Il ne comprenait pas comment leurs deux corps avaient pu vibrer à l'unisson jusqu'à l'orgasme et, un instant plus tard, être à ce point coupés l'un de l'autre.

Un samedi après-midi, alors qu'il chargeait une nouvelle cargaison de vieilles affaires, il tomba sur la photo d'un nouveau-né au visage rouge coiffé d'épais cheveux noirs. Une photo d'hôpital, puisque, sous le bébé emmailloté, était écrit : « Enfant de sexe féminin, Armitage, 1-2-69 ».

Nina entra dans la pièce et le surprit avec la photographie. Elle la lui prit des mains et la rangea dans un tiroir de la cuisine sans prononcer un mot. Sa peau laiteuse était devenue si livide que les taches de rousseur semblaient noires par contraste.

– À qui est ce bébé ? demanda-t-il.

– À moi, c'était ma petite fille.

– Où est-elle ?

– Elle est morte, morte il y a des années.

– Je suis désolé.

– Ne le sois pas. C'était il y a si longtemps. M. Armitage était désolé, lui aussi, du moins au début. Et puis, une fois ses larmes taries, il a décidé que c'était ma faute. Il était persuadé que je l'avais trop couverte, ou pas assez, que j'avais failli à ma tâche de mère. Je n'avais pas l'instinct maternel, me disait-il toujours. Il ne m'a jamais pardonné. Il est parti et a épousé une femme très maternelle, une vraie poule pondeuse à qui il a fait trois autres enfants pour compenser… compenser Sari.

– Mais tu savais que ce n'était pas ta faute.

– Le savais-je ? Non, je ne crois pas. Au fond, je n'en sais rien.

Elle remonta les manches de son sweat-shirt et lui montra ses poignets, sillonnés de fines cicatrices. Il y posa un baiser.

– Je ne veux pas de ta pitié, lui dit-elle doucement. Si tu me prends un jour en pitié, je disparaîtrai avant que tu aies le temps de t'en apercevoir.

– C'est pour ça que tu bois ?

Elle le regarda de ses yeux sombres et vides et fit non de la tête.

– Non. Je buvais avant. J'ai toujours bu. Je suis douée pour ça. Tu penses que ça va me tuer, n'est-ce pas ?

– C'est ce que tu souhaites ?

Elle souleva le gros chat gris et enfouit son visage dans la fourrure de l'animal. Puis elle croisa de nouveau son regard.

– Bien sûr que non. Ne sois pas ridicule.

– On pourrait avoir un enfant. Ça te dirait de réessayer avec moi ?

– Merci. C'est une proposition très aimable. Mais je suis trop vieille, tu es trop vieux, et je ne crois plus aux bébés.

Il aurait tout fait pour la sauver et s'en sentait capable, il n'avait jamais rien désiré autant. Jamais il n'avait aimé une femme comme il aimait Nina. Il était convaincu que s'il l'aimait assez elle l'aimerait en retour et serait heureuse.

Il commença à boire avec elle. Les verres, ils les descendaient l'un après l'autre durant les longues nuits passées sur la péniche. Son intelligence – cette intelligence qui l'avait pris au piège – continuait de le fasciner et lui faisait penser que tout n'était pas perdu. Il détestait ce que l'alcool faisait à cette intelligence et redoutait le moment où arrivaient les mots inarticulés, les phrases inachevées et les longs silences. Mais quand il buvait avec elle il s'en fichait. Ils étaient ensemble.

Il ne pouvait pas la sauver parce qu'elle ne l'aimait pas.

– Est-ce moi ? lui demanda-t-il un jour. As-tu honte de moi ? En ville, tu fais comme si tu ne me connaissais pas, comme si j'étais un flic anonyme. On pourrait déjeuner ensemble. On pourrait voir d'autres gens ensemble.

– Non, répondit-elle. C'est moi. Tout ce que je touche se transforme en merde, Sammy. (Elle caressa la tête de Sam posée sur ses cuisses.) Tu verras. Si tu continues à rester ici, tu verras.

– Tu veux que je parte ?

Il resta les yeux fermés et tenta de s'empêcher d'entendre.

– Non. J'en sais rien. Mais tu vas le faire.

– Je ne vais pas m'en aller.

– Si, tu vas t'en aller, dit-elle en soupirant.

Et bien sûr il était parti. Nina tenait bien l'alcool et pouvait faire la distinction entre les jours et les nuits. Elle pouvait enfiler ses tailleurs et aller au tribunal l'œil vif et les idées claires, toujours convaincante. Pas lui. Le changement était si subtil au début qu'il fut le seul à remarquer que des détails lui échappaient dans ce métier qui exige une attention absolue aux détails.

Et un après-midi, tandis qu'ils travaillaient sur la mort d'un avocat qui, très probablement, s'était suicidé dans son étude, il surprit le regard stupéfait de Jake.

– Nom de Dieu, Sam, qu'est-ce qui t'a pris d'écraser ta clope dans son cendrier ?

– Mais non.

– Si. Tu as bousillé la scène.

– Désolé.

Il ôta le mégot indigne et le glissa dans sa poche.

– C'est cette femme ?

– Quelle femme ?

– Elle. Armitage.

– De quoi tu parles ?

– Je suis un vieil enquêteur, mais un enquêteur tout de même. Tu as laissé trop souvent le même numéro quand on était de service. J'ai vérifié dans l'annuaire inversé.

– Ce n'est pas un secret.

– On dirait que si. Tu as l'air de penser que ça devrait en être un.

– C'est privé.

– Avant, tes aventures n'étaient pas privées. Comment ça se fait ? Elle est trop bien pour que tu en parles à Jake ?

– Non, ce n'est pas ça.

– Alors, pour l'amour du ciel, prends du bon temps avec elle, mais ne laisse pas cette histoire te détruire. Ne la laisse pas me détruire. Je sais que tu me soutiens. Et tout le monde le sait. Moi, je ne peux pas te soutenir. Tu es mon dernier coéquipier… Si tu merdes, on dévisse tous les deux.

Il n'avait pas voulu mettre Jake dans le pétrin. Il avait essayé de moins picoler, mais il ne pouvait pas être avec Nina et cesser de boire. Pour la première fois de sa vie, le boulot avait moins d'importance que cette femme, et les deux lui échappaient. Une nuit, à 4 heures du matin, il était arrivé ivre sur une scène d'homicide, et tout ce que Jake avait pu faire, ç'avait été de pousser Sam dans la pénombre en prétendant qu'il était occupé à récolter des échantillons de terre. Sam avait le visage si ravagé et titubait tant qu'il ne pouvait avancer qu'à quatre pattes.

Quand Sam demanda à Nina de l'épouser, elle rit et tourna les talons. Il ne savait pas s'il ne la détestait pas plus qu'il ne l'aimait, mais son emprise sur lui était plus forte que jamais. Elle le tuait.

C'est pourtant Jake qui mourut.

Par un jour glacial de janvier, on les avait appelés à 6 heures du matin sur une scène de crime qui aurait pu attendre : la victime était morte depuis une semaine, quelques heures de plus n'auraient pas fait grande différence. Le froid avait remis en place les idées de Sam pour la première fois depuis des semaines : ce matin-là, il se sentait bien avec Jake, comme au bon vieux temps. Il y avait si longtemps qu'il n'avait pas remis les pieds sur une scène qu'il était inquiet et avait mobilisé tout son flair et toute son expérience pour comprendre ce qui s'était passé. Jake l'avait senti, et ils avaient déconné comme si de rien n'était, comme avant Nina.

À leur arrivée, le flic qui avait répondu au premier appel radio vomissait dans la neige, et Jake avait silencieusement tendu un cigare à Sam. Ils allaient trouver une odeur épouvantable, une odeur que seul un corps en décomposition dans une pièce chauffée pouvait dégager. Ils seraient obligés de brûler leurs vêtements après avoir terminé, mais les cigares forts et bon marché leur permettraient de travailler sans avoir de haut-le-cœur.

Ils grimpèrent trois étages, croisèrent sur le palier un policier livide qui leur sourit d'un air gêné, puis le gérant du vieil hôtel qui semblait plus ennuyé qu'affecté. Sam avait entendu Jake souffler derrière lui, mais Jake soufflait et grognait toujours dès qu'il devait monter plus d'un étage.

La chambre était un bourbier de journaux empilés, de cartons, de vêtements sales et, curieusement, de postes de télévision. Il leur fallut du temps avant de voir le corps étendu au milieu du foutoir. Ils virent alors le grand ballon noir et boursouflé qui avait été un être humain. Sa peau était si tendue par les gaz de la décomposition qu'elle avait craqué par endroits, tandis que les plaies de coups de couteau sur ses seins desséchés béaient de façon obscène. Une vieille prostituée qui s'était sans doute couchée pour un pack de bière. Elle portait une culotte en dentelle déchirée et des bottes de cuir à hauts talons qui avaient conservé leur étiquette sous la semelle. Tandis qu'ils tiraient résolument sur leurs cigares, un rat sauta d'une pile de boîtes et passa devant eux.

– Oh, merde ! dit Jake. Rien ne nous aura été épargné.

Ils avaient pourtant fait du bon boulot ce matin-là : ils avaient été attentifs l'un à l'autre, avaient mesuré, noté, pris des clichés qui feraient blêmir le jury (si toutefois l'affaire passait devant un jury) et enfermé dans des sachets plus de preuves qu'il n'en fallait.

Ils n'avaient pas échangé une parole. Pour ça, il aurait fallu qu'ils cessent de tirer sur leurs cigares. Plus tard, bien des années plus tard, Sam regretterait qu'ils ne se soient pas parlé. Il s'était senti bien pour la première fois depuis longtemps, même si aucun homme sain d'esprit ne peut se sentir bien devant un corps mort une semaine auparavant, gisant au milieu d'immondices. Il avait bien travaillé en ne pensant qu'à la solution du problème qui se présentait à eux.

Jake poussa un soupir si léger que Sam ne prit pas la peine de relever la tête. Puis, sentant le mètre ruban se détendre dans sa main, il s'était tourné pour demander à Jake de tenir plus fermement l'extrémité. Jake était accroupi contre le lavabo crasseux, le cigare coincé entre les dents, les yeux ouverts, mort, aussi mort que la prostituée étendue là. Sam le tira dans le couloir, hurlant au jeune flic, paralysé par le choc, d'appeler une ambulance. Sam pressa ses lèvres sur celles de Jake pour lui faire reprendre sa respiration. Il appuya du poing sur le cœur silencieux du vieil homme, écrasant les deux cigares dans sa poche de chemise. Rien n'y fit. L'équipe de secours, malgré tout son matériel et les instructions données par radio depuis l'hôpital, n'obtint pas plus de résultats.

De jeunes hommes. De jeunes hommes en uniforme bleu sombre, aux cheveux noirs bien peignés, arborant moustache et ventre plat. Ils s'occupèrent de Jake pendant une heure et demie, percèrent sa poitrine d'une longue aiguille qui fit tressaillir Sam et lui donna l'espoir qu'ils le ranimeraient.

Ils s'assirent finalement sur les talons et hochèrent la tête, laissant Jake allongé sur la moquette mitée et infestée de puces, la poitrine ponctuée de cercles blancs laissés par les plaques du défibrillateur.

— Sortez-le de là, dit doucement Sam.

— Je regrette, dit le grand jeune homme. Je regrette, pour votre collègue.

— Sortez-le de là, nom de Dieu ! hurla Sam. Je ne veux pas de lui ici. C'est pas un endroit pour mourir.

Ils se regardèrent, déroutés par sa véhémence et son

manque de professionnalisme. Ils hésitèrent puis rassemblèrent et rangèrent lentement leur matériel.

– J'ai dit sortez-le de là ! Maintenant !

Sam se pencha sur Jake et tenta de le soulever lui-même.

– Eh !… Monsieur ! (Le jeune homme se leva et s'approcha de Jake.) On va s'en occuper.

– Alors qu'est-ce que vous attendez ?

Sam resta sur la scène jusqu'à midi, s'occupant de tout lui-même. Quand il redescendit enfin, la neige avait fondu.

Il avait perdu son coéquipier. Cela ne lui était encore jamais arrivé. Il pria pour que ce soit la première et la dernière fois.

Il n'alla pas à la péniche mais roula jusqu'à l'appartement qu'il louait toujours. Il avait l'impression d'être un étranger dans ces pièces empoussiérées qui sentaient le renfermé. Il abandonna son costume et son pardessus sur le carrelage de la salle de bains et resta un quart d'heure à se frotter sous la douche pour se débarrasser de l'odeur. Il enfila un vieux jean et un tee-shirt puis alla jeter ses vêtements et ses chaussures puantes dans le conteneur derrière l'immeuble. Quand il revint à l'appartement, le téléphone sonnait. Il le laissa sonner quinze coups, indifférent. Les sonneries reprirent, s'arrêtèrent, et recommencèrent. Il débrancha la prise du téléphone et n'entendit plus que l'eau dégouttant du toit.

Jake n'avait désiré qu'une chose : tenir le coup le plus longtemps possible puis se retirer dans la cabane au bord de la rivière Skykomish avec sa gentille, grosse et fidèle bonne femme. Sam, qui n'avait aucun violon d'Ingres, n'avait jamais compris la passion de Jake pour la pêche, la chasse et les interminables réunions maçonniques. Jake n'avait désormais plus de temps pour rien de tout cela, et Sam en avait tant qu'il ne savait qu'en faire.

Il ferma les yeux, et l'image de Jake – mort – lui revint avec une telle violence que la bile lui remonta à la gorge. Il alla vomir dans les toilettes puis, le visage pressé contre le froid de l'abattant, sanglota sur l'homme dont il était censé prendre soin, l'homme dont il était chargé de masquer les insuffisances.

Ensuite, il but jusqu'à l'inconscience.

Quand il revint chez Nina trois jours plus tard, il savait que leur histoire était presque finie. Elle ne lui demanda pas où il était passé et n'essaya pas de le réconforter à propos de Jake. Elle attendait, sachant que son pressentiment du désastre s'était confirmé. Il ne l'avait jamais vue aussi calme et aussi sobre. Il but sans interruption jusqu'à ce que le sommeil le terrasse. Il se réveilla une ou deux fois pour constater qu'elle le serrait si fort que leurs respirations se confondaient, mais son désir pour elle s'était évanoui. Elle ne lui avait jamais parlé de ce qu'elle ressentait au plus profond d'elle-même, et maintenant lui ne pouvait plus lui parler.

On lui donna un autre coéquipier, une nouvelle recrue de moins de trente ans, un maniaque de la procédure qui n'avait pas la moindre envie de couvrir les défaillances ou les absences de Sam, qui tint deux semaines avant d'être convoqué par le lieutenant. Après dix minutes de platitudes embarrassées de la part du lieutenant et un silence de plomb de la part de Sam, on lui donna le choix : la cure de désintoxication ou le transfert à la patrouille.

Sam se leva et vida ses poches.

– Insigne. Papiers. La clef du téléphone d'urgence. Ah oui, mon laissez-passer pour le bus. Je garderai mon arme, elle m'appartient.

– Fais pas le con, Clinton. Six semaines, et à ton retour tout le monde aura oublié. C'est cette femme qui est derrière tout ça, n'est-ce pas ? Aucune femme n'en vaut la peine. Tu vas tout perdre et tu auras encore de la veine si tu trouves un job à la sécurité chez Pay-N-Save.

Sam le regarda de ses yeux éteints.

– Garde tes bébés flics sortis de l'université et tes

admirables statistiques, et bourre-leur le crâne avec. Je garde ma femme et ma bouteille, et je t'emmerde.

Il ne garda pas la femme.

Nina le regarda partir aussi placidement qu'elle l'avait laissé entrer dans sa vie. Elle but la petite gorgée de scotch restée dans sa tasse à café et le regarda prendre ses affaires. Elle ne lui demanda pas où il allait ni s'il reviendrait un jour. Elle savait. Elle lui tendit ses lèvres sèches et souleva sa tasse en guise de dernier salut.

— Ça va aller ? demanda-t-il.

Elle le considéra de ce regard vide et impénétrable qu'il connaissait si bien. Puis elle posa sa tasse et souleva le chat gris.

— Prends-le. Tu as toujours besoin de parler à quelqu'un. C'est toi qu'il préfère, de toute façon.

Il regarda le lac une dernière fois et s'éloigna, le chat sous un bras, un sac en papier brun sous l'autre. Les géraniums étaient morts dans leurs jardinières. Si elle avait dit un mot, si elle lui avait demandé de rester, il l'aurait fait. Mais de la péniche penchée ne lui parvint que le son de sa stéréo monté à plein volume. Par la porte vitrée, il aperçut l'arrière de sa tête. Elle regardait l'eau et le laissa partir.

Sur le parking, son vieux pick-up était tourné vers l'est. Une direction pas plus mauvaise qu'une autre. Pistol renifla les sièges et se coucha en boule à côté de lui. Sam traversa le pont flottant qui menait aux cités-dortoirs de la rive orientale et prit la route du col. La neige qui commençait à tomber après Issaquah arrivait droit sur son pare-brise. À chaque virage, le pick-up dérapait sur le verglas.

Six heures plus tard, il tomba en panne d'essence. Il était 2 heures du matin et, hormis le chat, Sam eut l'impression d'être la seule créature vivante dans cette rue figée de Natchitat. Il fallait qu'il pisse.

Il balança Pistol dans la neige, le temps de se soulager. Le chat le regarda, indigné, et l'imita bientôt. Il fourra

Pistol dans sa parka et partit à pied chercher un motel, surpris d'entendre un ronronnement contre sa poitrine.

Ils survécurent jusqu'à la fin de l'hiver dans la caravane de huit mètres que Sam avait achetée à un veuf qui allait s'établir à San Diego. Dans cette réclusion volontaire, Sam buvait et Pistol mangeait. Ils regardèrent ensemble la neige fondre, les pommiers bourgeonner et fleurir.

Un jour, Sam réalisa qu'il devait décider de vivre ou de mourir. Mille fois, il avait pensé l'appeler mais n'avait jamais décroché le téléphone, qui n'avait pas sonné non plus. En mai, Sam sut qu'il allait vivre.

Le bureau du shérif du comté de Natchitat l'accueillit sans lui poser trop de questions. Ses états de service étaient bons, son âge le dispensait d'une couverture médicale et ses anciens collègues de Seattle furent généreux dans leurs lettres de recommandation. Il intégra le service aussi facilement que son arme de service entra dans son holster.

Il choisit Danny Lindstrom pour coéquipier.

Sam et Danny quittèrent leur service aux premières lueurs de l'aube. La journée s'annonçait chaude, mais pour l'instant il faisait frais et le ciel au-dessus des montagnes avait la couleur des pêches et des prunes. Ils s'arrêtèrent pour rendre un hommage silencieux au jour avant de monter dans le pick-up de Danny.

La ville était encore endormie, les gars qui venaient juste de prendre la relève avaient quelques heures de répit. Sam se cala sur son siège et profita de la balade. Ils passèrent devant les magasins fermés de Main Street, puis dans les rues proprettes où s'alignaient des maisons individuelles avec leur pelouse bordée de pétunias et de zinnias, soignés par de copieux arrosages en cette saison si sèche. Les habitants semblaient à l'abri de tout danger à cette heure du jour, aimés et heureux. Sam ferma les yeux et apprécia le contact du cuir frais et humide de son siège.

Danny le regarda.

– Fatigué ?

– Ouais. Quelle saloperie de vieillir…

Danny rigola et, comme ils approchaient des limites de la ville, appuya sur l'accélérateur pour attaquer la montée. Les vergers s'étendaient à perte de vue. Les arbres aux branches soutenues par une multitude d'espaliers étaient chargés de fruits.

– Tu dînes avec nous ?

– Ça fait déjà trois soirs cette semaine. Joanne en a peut-être assez de me voir.

– Ça m'étonnerait. Elle t'aime bien.

– Comme elle aime tous les chiens perdus sans collier. Elle est née avec une prédilection pour les pauvres et les oubliés.

– Alors, fais-le pour moi, dit Danny. Elle est de meilleure humeur quand tu es là. Ces derniers temps, elle est nerveuse. On se dispute. Ça ne nous arrivait jamais. Elle s'ennuie, j'imagine. Elle déteste que je travaille la nuit. Et elle n'est toujours pas enceinte.

– Tu peux peut-être arranger ça, suggéra Sam.

– J'ai bien peur que non. Et si c'était à cause de moi ?

– La belle affaire ! Ce n'est pas comme si tu ne pouvais pas l'honorer. Peu importe de savoir lequel de vous deux est responsable. Il m'a semblé comprendre que ça pouvait s'arranger.

– Ça a de l'importance pour moi, dit Danny. Ça m'importe même beaucoup et je ne veux pas qu'on découvre que c'est ma faute.

Mal à l'aise, Sam changea de sujet. Les secrets de l'anatomie féminine lui étaient inconnus et ne l'intéressaient pas particulièrement. L'immense majorité des femmes qu'il avait côtoyées cherchaient plutôt à ne pas tomber enceintes.

Danny et Joanne formaient un beau couple. Sam n'était

pas tout à fait assez vieux pour être leur père, mais presque. Quand la compagnie de Pistol ne suffisait plus à combler la solitude de ses nuits de repos, il allait à la ferme. Le mariage de son coéquipier lui offrait une certaine consolation, quoique par procuration. Il n'était pas jaloux de Danny. Il trouvait Joanne charmante, délicieusement jolie, comme les majorettes pour qui il en pinçait au lycée. Une gentille petite épouse.

Danny. Danny pour qui il pourrait tuer. Son coéquipier.

– Elle continue de courir ? demanda-t-il.

– Qui ? Oh… Joanne ? Ouais, elle doit être en train de promener ses petites fesses dans les parages.

– Tu devrais l'accompagner pour en finir avec ton petit bedon.

Danny se redressa sur son siège en arrivant sur le parking des caravanes, rentrant son ventre pour dissimuler ce soupçon de graisse qui entourait sa taille.

– Elle ne veut pas que je l'accompagne. C'est son truc à elle, et s'il y une chose dont je n'ai pas envie, c'est de me taper huit kilomètres après le repas.

Sam s'extirpa de la cabine du pick-up et s'accouda à la vitre ouverte.

– Emmène-la en vacances, suggéra-t-il.

– Pas le temps.

– Tu as du temps. Emmène-la en vacances, passez trois jours au lit ensemble, sans pression, et faites un enfant.

Danny rit, se mit en première et lui fit un signe de la main. Sam regarda le pick-up s'éloigner et disparaître dans un nuage de poussière. Il traversa le parc endormi et fut rassuré de sentir le doux corps de Pistol contre ses tibias.

Sa caravane était fraîche. Il retrouva les cendriers pleins, son lit défait et trois jours de journaux éparpillés. Il sentit une odeur de gaz et se souvint que la veilleuse du fourneau fuyait. Il ouvrit toutes grandes les fenêtres de sa boîte de métal. Pistol miaulait tant il avait faim. Sam attrapa machinalement sa mixture à base de poisson et la lui versa. Il regardait le vieux chat manger quand la douleur arthritique à sa hanche gauche se rappela à son bon souvenir.

Il petit-déjeuna d'une canette de bière. Pistol, fatigué de ses errances nocturnes, semblait prêt à dormir toute la journée auprès de son maître, qui vida la canette, la froissa, en prit une autre et regarda le camping s'éveiller. Il s'étendit et s'endormit aussitôt.

3

L'entrée du chemin qui montait à la ferme des Lindstrom était coincée entre deux rangées d'arbres fruitiers et envahie de mauvaises herbes, si bien que Danny devait chaque fois faire attention à ne pas la manquer. Il aimait bien que ce soit comme ça, que sa propriété ait seulement l'air d'un verger et non d'un lieu habité. Il avait délibérément placé la boîte aux lettres en retrait de la route, et mis son veto à la suggestion de Joanne, qui voulait donner un nom à la ferme et faire poser un panneau avec une flèche pour signaler le chemin défoncé. Elle était si souvent seule ici qu'il préférait que les bâtiments restent invisibles depuis la route du comté. Les autochtones savaient qu'ils habitaient après la grande montée, mais les étrangers qui passaient par là en voiture n'apercevaient même pas le faîte du toit.

Le pick-up traversa les dernières volutes de brume matinale, frôlant les blés sauvages chargés de rosée qui se courbaient sur le chemin. Danny huma la douce odeur d'un champ de luzerne récemment fauché. C'était l'heure de la journée qu'il préférait. Il rentrait retrouver Joanne, savait qu'elle dormait à poings fermés dans la vieille maison.

Le pick-up fonça dans la montée du chemin plein de nids-de-poule, et Danny vit que la maison était toujours là, paisible et assoupie. Joanne avait laissé la lumière de la véranda comme elle le faisait toujours, comme le faisait sa mère quand il était au lycée.

La veille au soir, il avait été pressé de quitter Joanne, pressé d'échapper à sa colère et à sa tristesse, mais maintenant cela n'avait plus d'importance. Il avait envie de la retrouver, de la sentir contre lui durant les quelques heures qu'il leur restait à passer ensemble au lit. Rien d'étonnant à ce qu'ils se disputent : ils se voyaient peu à cause de son service de nuit, et lui dormait toute la journée. Ne leur restait que le dîner, et il aurait voulu que ces rares moments soient paisibles et joyeux au lieu d'entendre ses plaintes perpétuelles à propos de bébé, de spermatozoïdes et de tout ce que le toubib lui avait fourré dans le crâne.

Danny gara le pick-up dans la grange et se dirigea vers la maison d'un pas raide à cause des courbatures. Il se figea en entendant le sifflement peu amical de la créature qui s'approchait en se dandinant, toutes ailes déployées. C'était Billy Carter, qui jouait le rôle de chien de garde. En reconnaissant Danny, B.C. se calma, replia ses ailes et lui emboîta le pas. B.C. appartenait à Joanne et ne tolérait Danny qu'à contrecœur. Danny suspectait B.C. de ne pas dormir de la nuit quand il était en service et n'était pas mécontent que le jars ait pris le pouvoir. Escorté du vaniteux volatile, il longea le potager de Joanne où prospéraient tant bien que mal quelques courgettes.

– Elle n'a pas la main verte, mon pauvre B.C.

L'animal lui jeta un regard désapprobateur qui le fit rire.

– Toi, au moins, tu peux te contenter de courgettes, de tournesols et de vers de terre !

Joanne tirait grande fierté de ses tournesols. Des tiges de trois mètres cinquante surmontées de fleurs aussi grosses que des assiettes bordaient toute la façade arrière de la maison et semblaient toiser le fouillis de pétunias plantés au pied du mur.

Danny s'arrêta comme il le faisait toujours pour regarder au-delà du champ de blé d'hiver désormais desséché, vers la gorge où coulait la rivière silencieuse. Les eaux étaient basses, mais dans quelques mois, à la fonte des neiges des Cascades, elle gronderait à nouveau.

Même à Natchitat, où la vie s'écoulait si paisiblement que les changements étaient quasi imperceptibles, les choses changeaient malgré tout. Mais pas la rivière ni la ferme où il était né. Danny n'avait pas souffert du départ de son père pour la Corée : son grand-père, sa grand-mère et sa mère, Anna, veillaient sur lui. Il n'avait que deux ans, et la mémoire à peine formée. Son père n'était pas revenu de la guerre, mais cela n'avait rien changé à sa vie. Sa mère avait pleuré, Danny aussi, mais seulement parce que les larmes de sa mère l'effrayaient. Comme tous les enfants, il avait la certitude d'être protégé et que les tragédies n'arrivaient qu'aux autres. Pourtant, en une semaine, il avait perdu ses deux grands-parents.

Doss Crowder était capitaine des pompiers et père de la petite fille fluette que Joanne était alors. Doss passait beaucoup de temps à la ferme pour aider Anna, prenant en quelque sorte la place de son grand-père. Danny ne se souvenait pas si Joanne venait parce que Doss était là ou l'inverse. Cette chipie le suivait partout comme son ombre, posait des questions idiotes et se mettait en travers de son chemin. C'était des années avant qu'elle devienne la jolie et douce jeune femme qu'il mourait d'envie de toucher, tremblant à l'idée de la fureur de Doss si jamais il osait poser une main sur elle. Mais, à cette époque, Joanne avait tant de succès que Danny devait attendre son tour pour obtenir un rendez-vous.

Il en crevait de jalousie et compensait sa frustration par le sport. Il se consolait en regardant la rivière, jusqu'au jour où l'anévrisme qui dormait dans le cerveau de sa mère s'était rompu. Elle était morte avant qu'il ait eu le temps d'arriver. Elle avait quarante-six ans, Danny dix-sept. Il n'avait plus personne pour le consoler. Il avait haï la rivière qui continuait de couler et les pommiers qui avaient fleuri ce printemps-là.

Il refusa de quitter la ferme et y vécut seul avec son chien jusqu'à la fin du lycée. Joanne était la seule à pouvoir apaiser la colère qui le rongeait. Elle renonça à aller à la fac sur la côte pour l'épouser. La ferme redevint un foyer et Danny finit par en oublier la rivière. Après cela, pourtant, il ne tint jamais rien pour acquis, sachant que ce qui semblait sûr et permanent pouvait lui être ôté à tout moment. Doss y compris. Mais, à la mort de Doss, Danny avait Joanne et Joanne avait Danny – un homme capable de s'occuper de lui tout seul.

Danny se baissa machinalement pour caresser le cou de B.C., sentit venir le coup de bec et retira sa main.

– B.C., tu n'es qu'un vieux salaud. On ne t'a jamais dit que la soupe de canard était facile à faire ? Eh bien, avec les oies, c'est pareil.

Il rigola et entra dans la cuisine. Comme toujours, il traversa en silence les pièces obscures pour jeter un œil dans la chambre. Elle était là, allongée sur le côté, ses cheveux bruns dissimulant son visage, ses bras étreignant l'oreiller. Elle occupait l'extrême bord de son côté du lit, comme si elle s'était endormie avec la volonté de rester intouchable, même en son absence. Elle s'était couverte d'un drap pour se protéger de la fraîcheur du matin. Il tira légèrement le drap vers lui, mais elle ne bougea pas. Il la regarda pendant un moment pour voir si elle dormait vraiment et se rassura en voyant sa poitrine se soulever avec régularité.

Danny ferma doucement la porte de la chambre et partit à la cuisine. Excepté la nouvelle cuisinière et le réfrigérateur flambant neuf, tout était resté comme avant, et ce à la demande de Joanne. C'était une belle cuisine. Redevenue au goût du jour, la vieille table en chêne recouverte d'une toile cirée à carreaux rouges et blancs trônait toujours au centre de la pièce. Ils avaient gardé le four à bois, qu'ils utilisaient rarement, et le fauteuil à bascule de la grand-mère de Danny. Même l'évier grêlé avec la pompe qu'il fallait actionner pour avoir de l'eau. Il avait installé de vrais robinets depuis longtemps, mais Joanne n'avait pas voulu qu'il démonte la vieille pompe.

Le jour où, devenue son épouse, elle était entrée dans cette pièce, elle avait tout caressé avec tendresse et lui avait souri.

– Je venais souvent me réchauffer ici du temps où tu n'étais qu'un sale petit morveux. Tu imaginais que j'avais le béguin pour toi, mais je ne venais pas pour toi, mon vieux Danny. Ta mère et ta grand-mère étaient toujours disponibles pour moi, et si je m'étais salie elles ne poussaient pas les hauts cris. Ma mère a passé sa vie à récurer, moi y compris, sans doute. Je ne devrais pas dire ça, elle a été si courageuse.

Danny l'avait serrée dans ses bras.

– En tout cas, elle a élevé un beau brin de fille, même si Doss y est aussi pour quelque chose. Elle est comme elle est, et nous irons dîner avec elle tous les dimanches soir.

Joanne avait inspecté la cuisine et fait la grimace.

– Tout est encore là, mais toi et ton chien vous l'avez laissée dans un sale état. Ne t'inquiète pas, je vais arranger ça.

Joanne avait tenu parole. Elle avait aspiré les poils de chien, frotté le linoléum collant et confectionné de nouveaux rideaux, sans toutefois rien changer. Elle lui avait redonné sa maison, et elle l'aimait.

Pour l'heure, la table était couverte d'une multitude de pots de confiture qu'elle avait préparée pendant qu'il patrouillait avec Sam dans les tavernes empuanties. Il se demanda si elle n'avait pas plongé dans cette folie de confiture pour apaiser sa colère. Cela se produisait de plus en plus souvent ces derniers temps.

– J'ai du temps à ne savoir qu'en faire, lui avait-elle dit tout de go. Je n'ai à m'occuper de personne, à part toi, et tu n'es jamais là. Quand tu es là, tu dors.

La sérénité de Danny s'était évanouie. Joanne changeait, et il ne savait que faire. Il avait entendu dire qu'en vieillissant les femmes finissaient par ressembler à leurs mères. Allait-il se retrouver avec une autre Elizabeth Crowder ?

Danny était plus déconcerté que fâché. Lui aussi voulait des enfants, mais jamais il ne reprochait à Joanne de ne pas être enceinte. Il ne l'avait jamais envoyée chez le médecin, prenait les choses comme elles venaient ; et il était malade à l'idée qu'on puisse mettre en doute sa virilité, que le toubib ou n'importe qui d'autre découvre qu'il avait un problème de ce côté-là. Joanne ne comprenait pas l'effort qu'elle lui demandait.

Il regarda sous la boîte à pain pour y prendre son petit mot. Elle en laissait toujours un, quelque chose de drôle ou de coquin. Il n'y avait rien sous la boîte en étain. Il n'y avait ni biscuits ni sandwichs sur la table, rien pour lui signifier qu'elle était contente qu'il soit rentré à la maison.

Il alluma la radio posée sur le rebord de la fenêtre et écouta le bulletin météo et le cours des produits agricoles en mangeant un bol de céréales froid. Il se fichait éperdument de la météo ou du prix du porc, mais le ronronnement familier de la voix de l'annonceur emplissait la cuisine vide. Il posa son bol dans l'évier, le rinça, éteignit la lumière et passa dans le couloir où il ôta sa ceinture et son holster qu'il suspendit au portemanteau car Joanne n'aimait pas voir traîner son arme de service dans la chambre. Elle n'était de toute façon pas loin en cas de besoin.

Joanne n'avait pas changé de position. Elle lui tournait toujours le dos et ne remua pas quand il traversa la chambre pour aller dans la salle de bains. Il urina, tira la chasse d'eau, laissa l'eau du lavabo couler pendant qu'il se lavait le visage, espérant qu'elle se réveillerait et ferait un mouvement vers lui quand il se glisserait sous les draps. Puis il repéra la boîte de Tampax au couvercle rageusement déchiré où manquaient deux cylindres.

Encore. Sans vouloir admettre son inquiétude, il avait compté les jours qu'elle avait barrés sur son calendrier. Elle avait cinq jours de retard. Mais les menstrues étaient revenues et elle lui en voulait.

Quand Fletcher s'était fait faire une vasectomie, Sam avait plaisanté en lui disant que c'était comme tirer avec une arme non chargée. Danny avait ri. Il ne riait plus, maintenant. Danny appuya les mains de chaque côté du lavabo et se regarda dans le miroir. D'accord, d'accord. Quel enfer ! C'est bon, il irait chez le toubib… mais ne le dirait pas à Joanne. Il ne voulait pas qu'elle pense avoir épousé un eunuque.

Joanne ne dormait pas. Elle avait entendu le 4×4 remonter le chemin et dit une prière, comme à son habitude, remerciant Dieu qu'il ne soit rien arrivé à Danny. De colère, elle était allée se coucher sans lui laisser le moindre signe montrant qu'elle se souciait de le savoir bien rentré. Si quelque chose lui était arrivé, elle ne se le serait pas pardonné.

Elle était stérile. Stérile, un mot terrible. Elle n'avait jamais rien fait qui vaille la peine, n'était pas quelqu'un de bien et ne le serait jamais. Danny, lui, pouvait être fier de son travail. Il avait des amis qui le comprenaient. Il sauvait des vies, elle faisait des confitures.

Sans bouger, elle ouvrit les yeux à demi pour le regarder. Il posa soigneusement sa chemise d'uniforme sur le dossier de la chaise près de la commode, suspendit son pantalon sur un cintre et aligna ses bottes. Elle le trouva superbe, admira ses larges épaules et son dos bronzés, ses fesses blanches qui lui donnaient l'air d'un petit garçon. Il n'était plus le Danny mince et parfait dont elle était tombée amoureuse, mais son petit ventre ne l'en rendait que plus cher à ses yeux. Elle lutta contre cette bouffée d'amour. Elle ne devait pas flancher, car, s'il ne faisait pas la seule chose qu'elle lui demandait, ils étaient fichus.

Non, ils n'étaient pas fichus. Elle était fichue.

Elle n'avait jamais rien tant souhaité que d'être comme tout le monde, et acceptée. S'il n'y avait pas eu Sonia Hanson – Sonia au visage carré et massif, aux jambes comme des souches, mais confiante et loyale –, Joanne n'aurait eu aucune amie au lycée. Walt Kluznewski était en adoration devant Sonia depuis le cours préparatoire, et s'il avait jeté un œil sur Joanne, Sonia n'aurait pas blâmé Joanne mais Walt.

– Sonie, pourquoi elles ne m'aiment pas ? avait-elle demandé un jour à Sonia. Elles font comme si elles m'aimaient bien quand nous défilons en pom-pom girls, et ensuite c'est comme si je n'existais pas !

– Joanne, ce que tu peux être bête ! avait soupiré Sonia. Tu es belle comme Elizabeth Taylor et elles vendraient leur âme au diable pour te ressembler. En plus, elles sont raides dingues du beau Danny, qui est aimable avec elles mais qui t'appartient. Elles crèvent de jalousie, alors elles essaient de te rendre la vie infernale. Ignore-les.

– Je ne suis pas responsable de mon apparence.

– Moi non plus, répondit Sonia en riant, et je suis heureuse que ce bon vieux Waltie s'en fiche. Il m'aime et je vous aime, toi et Danny. Et rappelle-toi que les années de lycée ne sont pas éternelles. Sous peu, nous serons toutes de joyeuses matronnes un peu replètes, et tout le monde aura oublié qui a fait quoi au lycée de Natchitat.

Les choses s'étaient bien passées pour Sonia. Elle avait épousé Walt, eu trois enfants en trois ans. Et Walt Kluznewski tenait sa station-service en affichant son éternel grand sourire qu'il neige, qu'il vente ou qu'il fasse une chaleur torride. Toutes les filles un peu malignes de leur classe étaient allées à l'université puis s'étaient établies à Seattle ou à Spokane. Les autres s'étaient mariées et étaient devenues des femmes au foyer qui semblaient accepter Joanne. Elle les rencontrait au supermarché, poussant leur chariot avec un bébé dedans, un autre en préparation. Elle était conviée aux fêtes de naissance, aux réunions Tupperware, mais Sonia restait sa seule amie.

Personne ne voulait d'une majorette de trente et un ans. Elle n'était jamais celle qu'on appelait quand on avait envie de s'épancher. Elle ne faisait jamais plaisir à personne, pas même à Danny. Tôt ou tard, il verrait combien elle était insignifiante, cette jolie petite femme qui nettoyait sa maison, parlait gentiment à ses amis et craignait de lui demander pourquoi il criait dans son sommeil. Elle savait qu'il était important pour lui de la retrouver à la ferme en rentrant de son service, du moins pour l'instant. Peut-être y avait-il déjà une autre femme, joyeuse, pleine de vie... et pas stérile.

Elle se tourna un peu et sentit le sang chaud couler entre ses cuisses. Elle avait tout fait pour ne pas saigner ce mois-ci, s'était efforcée de respirer calmement, de ménager son corps comme s'il allait se casser. Elle n'était pas allée courir pendant toute une semaine, alors que la course était la seule chose qu'elle faisait pour elle-même.

– Tu es réveillée ? murmura Danny. Chérie, tu es réveillée ? Je suis rentré.

Déterminée à ne pas céder, Joanne fit semblant de dormir. Elle sentit le lit pencher sous son poids, l'entendit soupirer et reconnut une légère odeur de transpiration malgré la lotion après-rasage dont il venait de s'asperger. Autrefois, elle avait rêvé se retrouver au lit avec Danny, mais cela n'avait jamais été ce qu'elle avait imaginé. Si elle avait eu un orgasme, elle n'avait pas reconnu la sensation puissante décrite dans les livres ou évoquée par d'autres femmes. Danny allait vite, comme si l'acte sexuel était une épreuve sportive remportée par le plus rapide. Parfois, elle entrevoyait ce que cela aurait pu être, sentait un étrange chatouillement, mais Danny était déjà lancé avant que la sensation de Joanne ait pu croître. Il jouissait toujours dans une ultime poussée triomphante et l'abandonnait un instant plus tard avec un amical tapotement sur l'épaule avant de se tourner et de s'endormir.

Ses mains magnifiques, ces mains si habiles au travail du bois, devenaient pataudes quand il la touchait. Il semblait n'avoir aucune idée de ce qu'était une zone érogène.

– Dis-lui, lui conseilla Sonia. Dis-lui ce qui te fait du bien. Tous ces ex-athlètes sont comme ça. Ils savent taquiner un ballon de foot mais ignorent comment s'y prendre avec une femme.

Là-dessus, Sonia avait éclaté de rire.

– Je ne peux pas, Sonia, je ne peux pas. C'est affreux. Il en serait blessé... Et si je n'aimais pas ça ?

– Ne dénigre pas avant d'avoir essayé. Dis-toi que tu enseignes le braille à un aveugle. Joanne, les hommes sont des êtres humains ordinaires. Tu continues de croire qu'ils sont supérieurs. Ils ne le sont pas. Il faut leur donner la feuille de route.

– Walt ne s'est pas mis en colère ?

– Il était furax, répondit Sonia en riant. Un jour, il a même passé son poing à travers la cloison de la salle de bains. Mais il a fini par y arriver. Tu vois, on se parle, comme ça, il n'a pas à deviner ce que je sens ou à quoi je pense, et donc je ne lui en veux pas.

Joanne avait brusquement levé les yeux.

– Je n'en veux pas à Danny.

– Non ? Tu lui en veux énormément, mais tu ne l'admets pas. Vous continuez à vouloir donner l'image du couple idéal de 1967, mais tout ça c'est fini, ma petite. C'était il y a quatorze ans. On a tous vieilli, mais tu vises toujours la perfection et cela te perd.

– Alors je vais le perdre aussi. Je ne pourrais pas vivre sans Danny.

– Oh, si, tu pourrais, et arrête de faire ta poule mouillée. Regarde-moi. Regarde-moi bien.

Sonia avait tournoyé sans complexe devant Joanne pour lui montrer sa silhouette épaisse, boudinée dans un tee-shirt et un short rouge, ses grosses chevilles serrées dans les chaussettes blanches de Walt.

– Si je peux exiger quelque chose pour moi-même et que Waltie se dépêche tous les soirs de venir me retrouver, tu le peux certainement. Danny est fou de toi. Mets-le à l'épreuve.

Cela semblait si facile quand elle écoutait Sonia… mais celle-ci avait confiance en elle, tandis que Joanne avait l'impression d'être une ombre.

Elle était heureuse que Danny soit rentré, soulagée de le sentir allongé près d'elle dans le grand lit si vide quand il était absent la nuit. Il roula vers elle, posa son bras lourd sur ses côtes, caressa ses seins. Elle se raidit.

– Joanne ? Chérie ?

Il se colla doucement contre elle pour tenter de l'adoucir.

– Danny, je ne peux pas. J'ai mes foutues règles. Je ne peux rien faire du tout.

– Je sais. Je ne veux pas de ça, mais je suis excité dès que je te touche. Je ne peux pas m'en empêcher. C'est plus fort que moi. Laisse-moi juste te tenir avant que je m'endorme. Laisse-moi juste t'embrasser.

– Je sens affreusement mauvais. Je ne me suis pas brossé les dents, je suis en sueur et sale.

Joanne se détendit au contact du corps de Danny. Elle voulait chasser sa colère et ne pas rester seule.

– Tu sens toujours bon et j'ai besoin de toi. Nous avons passé une sale nuit et je ne pensais qu'à une chose, rentrer à la maison et te retrouver.

Il la caressa comme s'il voulait calmer un cheval fougueux.

– Sam a pris des coups, mais ça va. Ton jars de malheur m'a mordu, et, comme tu ne m'avais pas laissé de mot, j'ai eu peur que tu sois partie avec le laitier.

– Tu es fou, chuchota-t-elle en se retournant. On n'a même pas de laitier.

Elle rit, et sa colère s'évanouit en pensant à l'attaque de Billy Carter. Elle l'embrassa sur sa bouche, qui sentait le cigare et le dentifrice. Il lui prit la main et la posa sur son sexe.

– Chérie, Joanne, fais-le pour moi.

Elle garda ses doigts inertes, tenta d'ôter sa main, mais il lui maintenait fermement le poignet.

– Je t'en prie.

– Je déteste ça.

– Non, non, ça va. Juste un petit moment. Comme ça, doucement…

Elle serra ses doigts et fit glisser sa main hésitante. Danny haletait, oublieux d'elle, tandis qu'elle s'exécutait. Elle ferma les yeux comme pour s'absenter elle-même.

– Plus vite, chérie, va plus vite.

Quelque chose en elle s'y refusait. Elle se revoyait dans sa 64 Chevrolet, obéissante, en train de l'aider à déverser sa semence inutile. Elle ne se sentait plus aussi coupable qu'alors, seulement fatiguée. Et seule. Elle ôta sa main et l'entendit jurer avant de se jeter hors du lit et de claquer la porte de la salle de bains. Elle savait qu'elle avait failli à sa tâche.

Elle entendit le flot du robinet et le vit revenir se coucher. Il lui tapota l'épaule comme si elle l'avait accompagné dans sa jouissance et s'endormit en occupant presque toute la place. Le soleil qui entrait dans la chambre et coulait comme du beurre fondu lui fit mal aux yeux. Une nouvelle, longue et chaude journée commençait.

Elle ne pouvait plus dormir et souleva le bras lourd de Danny. Elle se leva, ôta sa robe de chambre et sa culotte, les jeta dans le lavabo et fit couler de l'eau froide. Le sang et l'eau formèrent une mousse rose qui s'écoula en tourbillon. Elle ne pleura pas avant d'être sous la douche, où elle savait qu'il ne pouvait l'entendre. Elle ne savait même pas pourquoi elle pleurait, si c'était à cause du sang qui signifiait une autre occasion perdue ou à cause de l'homme qui dormait dans la pièce voisine.

Elle enfila sa tenue de jogging et chercha sous le lit ses Adidas. Danny s'agitait dans son sommeil, luttant contre quelque démon. Elle toucha son épaule, et il se jeta pratiquement hors du lit puis se calma quand elle lui caressa le dos. Elle ferma doucement la porte de la chambre et l'abandonna à sa journée de sommeil.

N'ayant plus de raison de se ménager, elle se donna à fond dans sa course. Sous ses pieds, la route lui paraissait élastique et d'un grand secours. Ses crampes au ventre s'atténuèrent, ses muscles se détendirent, et elle courut, laissant tout derrière elle.

Le matin, encore frais malgré quelques pointes de chaleur, lui appartenait. En ville, sa mère devait vaquer à ses rituels ménagers et préparer la rentrée des classes. Elle enseignait toujours et demeurait un modèle qu'aucune fille ne pouvait espérer égaler. Elizabeth passerait à la ferme après la réunion des professeurs et lui apporterait un plein panier de fruits et légumes de son jardin. L'air de rien, elle jaugerait la façon dont Joanne tenait sa maison, ferait la moue devant le potager piteux et manifesterait une légère désapprobation au fait que Danny dormait toute la journée, lui qui, pourtant, travaillait toute la nuit.

Elle courut plus vite. *Souviens-toi de garder les bras près du corps, respire profondément, hume la sève des pins, la rivière.*

Devant elle, la route s'éloignait du cours de la rivière pour grimper à travers les pâturages en jachère. Joanne était essoufflée, les muscles de ses mollets lui faisaient mal, mais elle ne pouvait pas ralentir ni se reposer, pas à cet endroit-là. La grange en ruine se trouvait juste à sa gauche, et Joanne s'efforça de ne pas la regarder. Personne ne remarquait plus les poutres carbonisées, les épieus de fer tordu qui pointaient sous l'ivraie recouverte d'un manteau funèbre de pâquerettes et de carottes sauvages. Ce mémorial convenait mieux à Doss que la plaque de bronze posée sur le mur de la caserne.

Pourquoi courait-elle sur cette route matin et soir ? Pour

faire pénitence ou par défi ? Danny voulait qu'elle aille courir en ville, là où c'est plus sûr, mais Joanne en avait plus qu'assez d'être en sécurité. C'était le dernier endroit où elle avait vu son père vivant, et, bien que ce lieu désolé l'emplît de mélancolie et d'angoisse, elle s'obligeait à passer devant deux fois par jour, par fidélité envers Doss.

Elle courait mal, ce matin, l'angoisse qu'elle parvenait d'habitude à contenir alourdissait chacune de ses foulées. Elle courut plus vite pour conjurer sa peur.

Je n'ai pas peur. Je n'ai pas peur. Je... n'ai... pas... peur.

Elle essaya de se rappeler une chanson, mais aucune ne lui revint. Y avait-il des gens qui, comme elle, éprouvaient cette peur diffuse, cette peur sans nom ? Si seulement elle avait pu la nommer !

Elle entendit un bruit venir de la grange en ruine qu'elle ne parvint pas à identifier. Son cœur se serra dans sa poitrine. Ce n'était pas le saut d'un lapin pris de panique ni le glissement d'une couleuvre sur le blé sec. Ni une gélinotte que le bruit sourd de ses pas avait fait sortir. Cela ressemblait plus à un sifflement, comme si quelqu'un d'extrêmement vieux l'appelait.

Elle s'arrêta, consciente que quelque chose de vivant la regardait, et sentit un frisson parcourir sa nuque et ses bras nus.

Mais cette présence n'était pas définissable, seul un vent timide caressait l'herbe haute et agitait doucement les feuilles des peupliers.

Elle s'enfuit en tirant si violemment sur ses jambes qu'elle trébucha et évita de peu la chute sur la route gravillonnée.

Un pick-up poussiéreux la dépassa à vive allure, lui envoyant un flot de cailloux dans les jambes. Au passage, le conducteur lui cria, par la vitre ouverte :

– Alors, ma mignonne, on fait ballotter ses nichons ?

Elle ne reconnut pas plus le pick-up que le chauffeur,

dont la tête était masquée par les deux fusils du râtelier installé à l'arrière.

Sa peur se mua en colère et, debout au milieu de la route, elle leva son majeur là où le pick-up était passé.

– Casse-toi, connard !

Sa voix résonna comme une sirène dans l'air du matin.

4

Tout s'était déroulé à merveille. Cette fois, Duane fut persuadé d'avoir trouvé la femme idéale. Soulagé d'avoir achevé sa recherche, il décida que cela méritait bien une petite célébration. Il s'autorisa un vrai bon steak – pas un de ceux qu'on vous sort du micro-ondes au Trail's End Tavern, au goût de sciure et dur comme de la semelle –, au Red Chieftain et se fit servir une pièce d'aloyau de cinq cents grammes accompagnée de champignons et de rondelles d'oignons, plus trois Martini en apéritif et un Grand Marnier pour finir.

L'alcool l'avait plongé dans un sommeil comateux, malgré l'inconfort du matelas défoncé. Il avait rêvé de la femme qui courait, de son visage adorable et candide tourné encore et encore vers le sien. Un sentiment de complétude qu'il avait presque oublié le submergeait. Il murmurait et souriait en dormant.

Puis quelque chose le réveilla, peut-être le grincement de freins, peut-être le cri d'un ivrogne sortant du Trail's End. Duane se redressa, tout à fait réveillé, les nerfs parcourus de décharges électriques. L'image de la femme s'évanouit et céda la place à une appréhension qu'il ne put identifier. Il contempla les ombres projetées sur le mur taché et tenta d'isoler la cause de son anxiété.

Et il y parvint.

Les autres femmes. Elles aussi lui avaient semblé parfaites de prime abord. Certes pas aussi parfaites. Il avait compris trop tard que le destin les avait placées sur son chemin dans le seul but de le retarder. La plupart étaient réduites à des ossements, désormais, leur chair corrompue mêlée à la terre et à l'eau de leur sépulture inconnue de tous. Mais, même mortes, elles continuaient de le narguer et essayaient de le faire douter de son choix. Les garces. Des garces jalouses de son bonheur. Et voilà que leurs stupides fantômes revenaient le hanter.

Il ne se souvenait pas d'elles avec précision, seulement de l'endroit où elles se décomposaient. Il savait qu'il ne devait sous aucun prétexte y remettre les pieds, au cas où quelqu'un les aurait retrouvées. Leurs visages s'étaient effacés de sa mémoire car il s'était appliqué à les oublier. Elles n'étaient plus des femmes, juste des croix sur une carte. Des panneaux indicateurs.

Il se concentra sur la carte imprimée dans sa mémoire et compta les croix.

El Paso. Celle qu'il avait prise en voiture alors qu'il quittait Amarillo. Elle avait feint d'être bonne et douce puis lui avait montré ses seins tatoués sous la lune pâle qui lavait les montagnes Franklin, comme si elle était fière d'avoir été marquée et abîmée par d'autres hommes. Aujourd'hui, elle était ensevelie sous un rocher au pied des montagnes, abritée à jamais de la lune et du soleil.

Les chutes du Niagara. Côté américain. L'étudiante qui se prenait pour une psy et lui avait dit qu'il souffrait – de quoi, déjà ? – du complexe d'Œdipe. Il l'avait poussée depuis la rive de Goat Island et l'avait entendue hurler jusqu'à ce que les rapides eussent emporté sa voix.

Quelque part dans l'Iowa. Council Bluffs. Il se rappelait seulement qu'ils étaient dans un train en direction de Chicago, ensuite qu'elle n'y était plus, il s'y retrouvait seul, content qu'elle n'y soit plus.

Où encore ? Ah si, Los Angeles. Il en avait refroidi tellement qu'il peinait à tenir les comptes, surtout qu'elles se ressemblaient toutes. Il se souvenait d'un jour où, en creusant un trou pour en enterrer une, il avait arraché des succulentes. Ces maudites fleurs violettes et poisseuses lui avaient taché les mains, comme du sang.

Il n'avait pas envie de repenser à elles mais s'obligea à les remettre dans l'ordre. Elles étaient six. Non, sept. El Paso, Niagara Falls, Council Bluffs, L.A., et… Klamath Falls, dans l'Oregon, juste à la sortie de l'autoroute. Cut Bank, et une longue, très longue attente avant qu'on le prenne en auto-stop pour quitter le Montana. Et une autre… Où ? Il avait un blanc pour la septième : c'était si loin, avant ses dix-neuf ans. Un hiver. Le sol gelé et un vent de tous les diables. Quelque part dans le Nord.

Il alluma une cigarette et reprit sa litanie, qui lui revint facilement, comme s'il récitait un poème par cœur. Bemidji ! Le pays de Paul Bunyan. Elle dormait sous la glace d'un lac, les cheveux flottant comme des algues, les yeux ouverts dans cette crypte bleu et blanc.

Il n'avait jamais lu leurs noms dans le journal. Les flics ignoraient sans doute toujours où elles se trouvaient et, dans le cas contraire, ne le tiendraient de toute façon pas au courant. Il savait combien il était important de se déplacer sans cesse et de ne jamais revenir sur les lieux.

Maintenant, tout allait bien. Elle était là, elle l'attendait. Il imaginait sa joie le jour où il lui dirait qu'elle pouvait se débarrasser des autres, des imposteurs.

Maintenant qu'il l'avait trouvée, il ne lui restait plus qu'à échafauder un plan. Ce fut l'affaire d'une heure. Jamais il n'avait été si précis, tout s'imbriquait comme une serrure à combinaison complexe. L'euphorie le gagna. Il savait comment la retrouver, comment l'approcher.

Mais il n'était pas pressé. Plus rien ne pressait.

Il se força à accomplir sa routine quotidienne – l'achat du vin au Safeway, la mise en bouteilles dans la salle de bains moisie de son motel –, non pas tant parce qu'il avait un besoin pressant d'argent, mais parce qu'il était assez superstitieux pour ne pas vouloir modifier la stratégie qui l'avait conduit jusqu'à elle.

Sa besogne terminée, il se sentit libre de partir à la recherche du bowling. En Amérique, chaque trou paumé a son bowling, signalé par une quille de néon bleu. Il repéra vite l'enseigne dans Main Street.

C'était ouvert. Il entra, passa d'un pas décidé devant la caisse et reconnut l'odeur de graillon des beignets et des hamburgers, le bruit familier des boules lancées et des quilles qui tombent. Bingo ! Il avait déjà repéré la vitrine des trophées aux vitres sales. Et, bien sûr, il y avait les photographies encadrées témoignant de tous les championnats qui s'étaient déroulés à Natchitat. Des rangées et des rangées de visages vides et souriants.

Il faillit pousser un cri de joie quand il reconnut sa merveilleuse petite frimousse qui le regardait. Une fleur parmi toutes ces femmes laides et ordinaires. Elle était agenouillée à côté d'un trophée massif, un bras posé sur l'épaule d'une grosse femme rousse qui affichait un sourire stupide. Les autres étaient groupées derrière elle. Elles portaient toutes le même tee-shirt, celui qu'elle portait la veille au soir pour leur première rencontre. Sa main trembla quand il lut la légende de la photo.

Bureau du shérif du comté de Natchitat
Ligue féminine de bowling

Et, en caractères plus petits, les noms.

Premier rang, à gauche : Joanne Lindstrom

Elle lui avait manifestement envoyé un signe, même si elle n'en avait pas eu conscience. Il n'y avait pas de hasard. Elle avait choisi ce tee-shirt pour lui indiquer où et comment il pourrait la retrouver.

Il fouilla dans sa poche de chemise et en tira son petit carnet à spirale et son stylo en or. Pour la première fois il écrivit son nom, formant les lettres avec soin. Son nom…

Il s'arracha à regret à sa contemplation et balaya du regard le reste des photographies de groupe, cette fois avec attention. Il devait trouver l'autre photographie qui lui donnerait l'information essentielle qui lui manquait ; celle des hommes se trouvait sur l'étagère supérieure : deux rangées de flics. Il les mémorisa de façon à pouvoir les reconnaître, même tout nus dans Main Street. Ils se tenaient raides comme s'ils avaient un bâton entre les fesses. Des connards suffisants qui se ramollissaient et engraissaient plus vite que les autres, gavés de repas et d'alcool gratuits.

Il compta neuf hommes, tous en pantalon sombre et chemise blanche sur laquelle leur nom était brodé en rouge. Il s'amusa à deviner lequel était le mari sans regarder les noms.

Il élimina d'emblée le vieux dégarni à la longue mèche pathétiquement ramenée sur le dessus du crâne, puis les deux gros à face de lune, et enfin les très jeunes.

Duane se rapprocha de la vitrine, une main au-dessus des yeux pour éviter le reflet de l'ampoule nue, et esquissa un sourire. La devinette était décidément trop facile. Ce n'était certainement pas le gars au premier plan, si petit qu'il n'aurait jamais été pris dans un commissariat de grande ville. Le nain était encadré de deux géants qui faisaient les pitres devant l'appareil, aux frais du nabot. Imbéciles et mal élevés.

Ce ne pouvait pas être le plus grand aux dents écartées, aux rides profondes autour des yeux. Trop vieux : la cinquantaine, peut-être plus. Elle avait sûrement trouvé mieux.

L'autre. Oui. Ce devait être lui. Un gars pas mal, quoique d'une beauté stéréotypée, ennuyeuse. Brun. Une coupe de flic. Des traits réguliers s'adoucissant vers un menton qui menaçait de doubler de volume. Cinq ou six kilos de trop épaississaient ce corps d'athlète aux épaules larges, au cou massif et aux grosses cuisses de joueur de football. Le type ne paraissait pas vraiment en mauvaise forme, mais sur le point de le devenir ; sûrement un ancien sportif qui continuait d'emmagasiner les calories en pensant pouvoir encore les brûler.

Il parcourut des yeux les fioritures de la broderie sur sa poche de chemise. Donny, non, Danny. Le gars avait au moins trente ans et se trimbalait encore avec un nom de gamin sur la poitrine !

Il se ferait une joie d'éliminer ce flic.

Il regarda autour de lui pour voir si on l'observait. Non. Personne ne l'avait remarqué. La femme derrière le comptoir, qui nettoyait inefficacement le Formica avec une serviette sale, avait la gueule de bois ou s'ennuyait. Le gérant fumait une cigarette et regardait par la fenêtre, absorbé par le spectacle de la rue.

Tranquillement, Duane recopia les noms des flics dans son carnet, ajoutant quelques descriptions sommaires pour se rappeler qui était qui. Au bas de la photo était inscrit : *Automne 1979*. Il y avait donc de fortes chances pour que tous travaillent encore au bureau du shérif de Natchitat. Après avoir rempli deux pages, il se dirigea vers la cabine téléphonique et consulta le mince annuaire.

Il y avait trois Lindstrom. Ole, Walter et, bien sûr, Daniel. Jamais un flic de ville n'aurait laissé son nom et son adresse figurer dans l'annuaire, préférant utiliser le nom de sa femme ou de ses enfants, voire de son chien ; mais dans ce genre de patelin les flics étaient trop stupides pour craindre des représailles.

L'adresse de cet imbécile de Danny était là : 15103, Old Orchard Road. Duane la nota, ainsi que le numéro de téléphone, puis ajouta le numéro du bureau du shérif. Il rangea son carnet dans sa poche et composa le dernier numéro.

Une voix légèrement traînante lui répondit laconiquement :

– Bureau du shérif.

Duane prit une voix hésitante, un peu nasale.

– Bonjour, monsieur, je voudrais parler à l'officier Lindstrom.

– Il n'est pas là. Je vous passe quelqu'un d'autre ?

– Non, monsieur. Je préférerais lui parler en personne. Quand puis-je le rappeler ?

– Il sera là vers 19 h 30. Voulez-vous laisser un numéro ?

– Non, je n'ai pas le téléphone là où je suis. Merci, monsieur. Je rappellerai ce soir.

– D'accord.

Fin de la conversation. Le standardiste ne pouvait pas savoir à quel point il l'avait aidé.

En quinze minutes, Duane avait appris le nom de famille de Joanne, le nom de son mari, leur adresse, leur numéro de téléphone et les horaires de travail de Danny. S'il prenait son service à 19 h 30, c'est donc qu'il serait absent de chez lui jusqu'à l'aube.

Parfait.

Duane sortit retrouver le soleil du matin et rendit grâce au bowling. La route était toute tracée. Patience.

Il connaissait l'Old Orchard Road : il passait chaque jour devant avec ses bouteilles de vin qui se heurtaient dans les sacoches. Le chemin de terre débouchait sur la route asphaltée qu'il empruntait pour se rendre à son poste d'observation dans la forêt. Il l'avait trouvé sans difficulté, comme si une voix intérieure l'y avait mené. Il ne croyait en aucun dieu autre que lui-même mais était persuadé que des forces invisibles l'avaient lancé et encouragé dans sa quête. Cette prise de conscience le transportait. Il sentit tous ses muscles se détendre au point qu'il trébucha presque en allant rejoindre sa moto.

5

Sam rêva qu'il traversait à pied un désert, tirant derrière lui sa jambe blessée. Un oiseau rouge, un vautour sans doute, décrivait des cercles au-dessus de sa tête en poussant des cris stridents, mais Sam n'arrivait pas à marcher assez vite pour échapper au sinistre vacarme. Il se débattait avec la fermeture Éclair de son lourd vêtement qu'il essayait d'ôter pour pouvoir courir.

Maudissant l'oiseau écarlate qui venait de l'attaquer, Sam se retourna et se cabra soudain, envoyant valser Pistol contre la cloison. Pistol, offensé par la rudesse de son maître, le griffa au menton.

Il était réveillé, la bouche aussi sèche que le désert qu'il venait de quitter. Les 35 °C de l'après-midi menaçaient de le cuire vivant avant qu'il réussisse à se lever pour ouvrir la porte. Il entrebâilla la porte, et Pistol en profita pour s'échapper. L'oiseau de son rêve se transforma en téléphone qui lui vrillait les tympans.

Sa jambe abîmée céda presque sous lui.

– Allô !

– Salut à toi, ma poulette, répondit Danny en riant. Je dérange ton petit somme ?

– Qu'est-ce que tu veux, bon sang ?

– Service du réveil, monsieur. Vous avez demandé à la réception de vous réveiller à 16 heures pour que la femme du pasteur ait le temps de quitter votre couche avant vêpres.

Sam se massait la jambe d'une main et tenait l'écouteur de l'autre. Quand sa jambe put supporter son poids, il utilisa sa main libre pour attraper une bière fraîche dans le réfrigérateur. Avant de l'ouvrir, il fit rouler la canette sur son visage et sa poitrine pour se rafraîchir, et revint lentement à la réalité.

– Elle est partie à midi. Et maintenant tu peux me dire pourquoi tu m'appelles à l'aube ?

– Joanne a dit que le dîner serait prêt vers 17 h 30-17 h 45, et de te bouger le cul.

– Elle n'a pas dit ça. Son langage est châtié, contrairement au tien.

Sam ouvrit la canette et but une gorgée.

– Tu es sûr qu'elle veut bien de moi ce soir ?

– Certain. Belle-maman est passée pour déposer la cueillette d'hier. Il y a assez pour nourrir tout le commissariat, mais on a décidé de commencer par toi. Maïs, haricots, tomates et steak. Alors tu te ramènes ?

Sam parcourut du regard la caravane. Il faisait si chaud à l'intérieur qu'il pouvait presque voir les vagues de chaleur sortir du chaos qu'il s'était promis de ranger à son réveil.

– Et comment ! Qu'est-ce que j'apporte ?

Danny réfléchit un instant, et Sam l'entendit poser la main sur le combiné et demander quelque chose à Joanne. Nouvelle pause.

– Elle dit de ne rien apporter, mais je boirais bien quelques bières, alors si tu peux t'arrêter en chemin et en monter quelques-unes…

– Je m'arrêterai. Belle-maman est encore là ? Je ferais peut-être mieux d'apporter une caisse. Je connais la poivrote.

L'idée fit rire Danny.

– Elle est déjà sous la table et meurt d'envie de te voir. La femme est insatiable. Trêve de plaisanteries, elle est

109

partie après la livraison de légumes. Bon, on se voit tout à l'heure.

Il raccrocha avant que Sam ait eu le temps de changer d'avis.

Il avait la tête lourde de sa journée de sommeil et de la chaleur accumulée dans sa maison d'aluminium. Il attrapa une autre bière avant de passer sous la douche et apprécia l'eau fraîche sur sa poitrine. Il était content d'avoir quelque part où aller. Il ne supportait de rester dans sa caravane que le temps d'enfiler son uniforme, pas plus.

Son pick-up, garé depuis quarante-huit heures portes et fenêtres fermées, avait emmagasiné une telle chaleur qu'il crut suffoquer en ouvrant la portière. Il retint sa respiration en s'asseyant sur le siège de vinyle brûlant et descendit la vitre côté passager. Il savait devoir rouler quelques kilomètres avant que l'air devienne respirable dans la cabine. En attendant, il se réfugia dans ses souvenirs qui le transportèrent dans la fraîcheur du pont de la péniche. La pluie lui dégoulinait dans le dos, il sentait le contact de sa main sur la poignée de la porte, voyait par les fenêtres embuées où elle était assise, par terre, en tailleur, regardant l'eau.

Arrivé sur la chaussée bitumée, il se sentit mieux, chassant ses pensées tristes et puériles. Il n'était pas foutu. Il avait un endroit où aller, quelqu'un qui l'attendait, et un boulot dans lequel il excellait. Ça allait mieux, maintenant, la chaleur était supportable.

À ses yeux, Natchitat offrait toujours deux visages. Sous la lumière du petit matin, quelle que soit la saison, elle paraissait propre et tranquille, presque irréellement pure, toutes ses imperfections adoucies par les ombres violettes et veloutées de l'été et le bleu rosé des ciels d'hiver. Mais, tel un projecteur impitoyable, la lumière de fin d'après-midi apportait une âpreté qui altérait son vernis et dévoilait sa laideur sous-jacente. S'il avait pu, il aurait évité Natchitat en plein jour et serait resté dans les collines alentour.

Sam s'arrêta au parking du Safeway. Il pensa un moment fermer son camion à clef mais se dispensa de cette précaution et laissa les vitres descendues pour ne pas avoir à subir de nouveau la fournaise. Il entra dans le magasin rafraîchi par l'air conditionné. Son uniforme attirait les regards et éveillait la curiosité des clients. Il attrapa un pack de Coors et se dit qu'étant en uniforme il ferait bien d'acheter quelque chose en plus de la bière. Il choisit une glace aux amandes de deux litres. Quand il prit naturellement sa place dans la queue, saluant d'un signe de tête la caissière – une rouquine aux seins proéminents qui masquaient la caisse enregistreuse –, les clients se détendirent, moitié soulagés, moitié déçus que ce soit finalement un jour comme un autre.

– Vous avez trouvé tout ce qu'il vous fallait, Sam ? lui demanda la caissière, Beverly.

Ses seins bougeaient quand elle parlait. Sam plongea dans son décolleté, fasciné. Elle lui sourit.

– Je crois que c'est tout pour aujourd'hui, Bev. Y aurait-il une offre spéciale que j'aurais manquée, un truc gratuit ? J'ai oublié mes coupons.

Derrière son badinage ne perçait aucun désir. Ça lui venait automatiquement, comme il respirait. La fille était très jeune, et ses gros yeux ronds lui rappelaient ceux d'un veau. Elle l'aimait bien, mais elle avait vingt-trois ans, peut-être vingt-quatre, et n'avait rien à lui dire elle non plus. Et pourtant il lui rendit son sourire, les yeux rivés aux siens.

– Pour vous, Sam, pas besoin de coupons.

Elle prit les bières et la glace en se penchant juste assez pour que ses seins effleurent son bras bronzé. Sam fit semblant de n'avoir rien remarqué.

– Vous allez prendre votre service ou vous venez de le quitter ?

– Je le prends dans quelques heures, petite. Tu vois bien que je ne suis pas encore en sueur. Je suis un oiseau de nuit et tu seras depuis longtemps en sécurité dans ton lit avant que j'aie fini mon service. Pas de chance pour moi.

Elle tapa sur sa caisse de ses ongles écarlates d'une longueur improbable. Il y a vingt ans, il aurait pensé à elle en roulant dans les rues obscures. Aujourd'hui, elle lui sortit de la tête avant même qu'il ait franchi la porte automatique pour gagner le parking.

La Harley garée à côté du lampadaire attira son attention. Il en avait eu une, autrefois. Celle-ci ne présentait aucune marque distinctive, hormis quelques éraflures sur ses sacoches de cuir noir et des plaques de l'Oregon. Et une bizarrerie : les propriétaires de Harley se déplacent en général en troupeau, mais celui-ci devait être un rebelle ou un homme d'affaires en pleine crise de la cinquantaine. Sam poursuivit son chemin, mais la moto se grava dans un coin de son esprit, côté flic, une puce programmée pleine de véhicules, de visages, de signes distinctifs, de modes opératoires et d'étrangetés dont la plupart ne lui serviraient jamais.

Il traversa la ville, dépassa le parc des caravanes sans jeter un regard et, après deux kilomètres, tourna dans le chemin de terre menant chez Danny.

Il ne vit le point noir dans son rétroviseur que quand il fut assez grand pour occuper toute la surface du miroir. Il reconnut la Harley, qui roulait trop vite sur cette surface inégale. Elle était assez proche pour emboutir son pare-chocs si Sam devait s'arrêter brusquement. Irrité, il donna de petits coups de frein, et le chauffard, un homme de haute taille, fut contraint de ralentir. Sam fut certain que c'était un étranger. Son vieux pick-up était connu de tous à Natchitat, et aucun voyou du coin n'aurait eu l'audace de vouloir jouer au plus fin avec lui. Sam remit les gaz, et la moto le talonna de plus belle. Il freina de nouveau et regarda le motard dans son rétroviseur. La moto dérapa, se déporta de quelques degrés et manqua verser dans le fossé, mais le conducteur réussit à s'arrêter in extremis en posant son pied botté sur le gravier. Sam sourit et accéléra, promenant le train arrière de son vieux pick-up en guise de victoire. Il vit émerger de la poussière la tête casquée du motard. Ses lunettes à monture argentée qui brillaient dans le soleil lui donnaient une apparence irréelle. C'était un visage sans âge, non identifiable, un masque à tête ronde, désincarné.

Sam tira une Marlboro du paquet froissé posé sur le tableau de bord et l'alluma. Des miettes de vieux tabac vinrent se coller sur sa langue. Il était furieux d'avoir oublié d'en acheter d'autres chez Safeway. Il devrait attendre le distributeur de cigarettes du bureau, renoncer à fumer ou accepter un de ces mauvais cigares que Danny fumait à l'occasion.

Comme il allait s'engager sur le chemin de la ferme, il entendit la moto se cabrer à nouveau. Curieux, Sam attendit que la Harley passe et tourna la tête pour jeter un dernier coup d'œil au chauffard. Jean, tee-shirt noir et casque blanc. Caucasien. Le motard lâcha un instant sa main droite de la poignée et leva son majeur en direction de Sam.

Sam hésita à lui donner la chasse. Il aurait aimé voir la tête que ferait le conducteur de la Harley quand il le verrait sortir en uniforme de son pick-up et comprendrait à qui il avait voulu se frotter. Il hésita trop longtemps, partagé entre l'accueil chaleureux qui l'attendait au bout de la route et la satisfaction de coller un PV à l'auteur du doigt d'honneur. Et merde ! il avait toute la nuit pour trouver d'autres connards. Pas besoin de courir quand son estomac criait famine et que sa bouche n'aspirait qu'à une bière fraîche. Et la glace allait fondre.

Il se gara derrière la nouvelle General Motors rouge de Danny et se dirigea vers la porte de derrière. La pelouse qui venait d'être tondue amortissait le bruit de ses bottes, si bien qu'ils ne l'entendirent pas arriver. Il les aperçut à

113

travers la vitre et comprit qu'ils étaient lancés dans une discussion où il n'avait pas sa place.

Danny était adossé au réfrigérateur, bras croisés, le visage fermé, non pas en colère mais sur ses gardes. Sam lui avait vu ce regard des milliers de fois, ce masque de protection qu'il revêtait quand il attendait qu'un tiers prenne la parole et dévoile sa faiblesse. Joanne, assise à table, le regardait. Ses épaules nues qui dépassaient de sa robe d'été à fleurs étaient courbées vers son mari, presque de façon suppliante. Sam préféra les interrompre pour ne pas entendre des propos qui ne le concernaient pas et les mettraient mal à l'aise.

Il cogna à la porte et leurs visages surpris se tournèrent vers lui, affichant instantanément un sourire.

– Salut ! Je peux entrer avant de me faire mordre ? lança-t-il trop fort. Cet idiot de jars se croit amoureux.

Danny vint à grands pas lui ouvrir la porte et le débarrassa du sac de courses. La tension qui régnait dans la cuisine était palpable.

– T'en as mis du temps ! J'ai été forcé de boire de la limonade.

Il fallut à Joanne un peu plus de temps pour chasser sa mauvaise humeur, enfin, elle se mit à rire et déposa un demi-baiser sur la joue de Sam.

– Il sort juste de la douche, Sammie. Si tu étais arrivé plus tôt, c'est à moi que tu aurais dû faire la causette.

Il la regarda, frappé comme toujours par sa beauté authentique, et se demanda de quoi ils auraient bien pu parler en l'absence de Danny.

– Et j'aurais été bien chanceux. J'ai déjà entendu cent fois tout ce que ce gamin a à dire. En plus, il ne sait jamais par quoi commencer !

Sam accepta la bière que Danny lui tendit, heurta sa canette contre celle de son hôte en un simulacre de toast et se détendit. Les mariages les plus solides connaissent aussi des disputes, et il était simplement tombé au mauvais moment. Cependant, il ne parvenait pas à oublier l'échec de ses deux mariages. Un jour, Gloria lui avait carrément déclaré : « Les unions malheureuses réclament des spectateurs, Sam. Devant eux, on peut faire semblant un peu plus longtemps que tout va bien. Je joue la comédie, toi aussi, mais, si nous arrivons à convaincre quelqu'un que nous nous aimons encore, peut-être finirons-nous par le croire nous-mêmes. »

Sam les regardait – Danny tout contre Joanne, sa grande main posée sur sa taille fine, tandis qu'elle essayait sans conviction de se libérer de son étreinte.

– Laisse-la donc. Tu vois bien qu'elle n'attend que de retourner à ses fourneaux ! dit Sam en riant. Et je meurs de faim.

Danny la relâcha, lui donna une petite tape sur le dos et un baiser retentissant.

– Allez, femme, retourne au fourneau. (Puis, se tournant vers Sam :) Tu ne vas pas être déçu ! Sa folie des courgettes l'a reprise. On a du pain aux courgettes, des courgettes en saumure, des courgettes farcies, frites, bouillies, sautées, et on a même eu droit à de la glace aux courgettes. Toute la nourriture est pleine de ces petits points verts.

– Ne l'écoute pas, Sam. Tu n'auras pas de courgettes bouillies ! J'ai préféré m'abstenir. Assieds-toi avant de tomber d'inanition.

Il s'attabla, se sentant à nouveau bien grâce à la bière qui faisait déjà son effet, dans cette petite famille qui, maintenant, avait retrouvé ses aises. La table était couverte de saladiers d'épis de maïs, de tomates en tranches, de haricots verts, de pommes de terre à l'eau et de desserts de gélatine multicolore. Danny servit chaque assiette d'un geste grandiose. Un steak frit – à Natchitat, personne ne faisait griller les steaks. Il ferma un instant les yeux et l'arôme lui rappela les plats copieux que lui préparait sa mère.

– Joanne, si tu me trouves une femme qui cuisine aussi bien que toi, je l'épouse dans la minute.

– Menteur, lui dit-elle en lui jetant un regard accusateur. N'importe quelle femme de Natchitat cuisine comme moi, mieux, même, et à ce que je sache tu ne t'es pas empressé de conduire vers l'autel une de tes conquêtes. Ça doit être ma faute. Si je cessais de te nourrir, elles auraient peut-être une chance.

– Tu sais pourtant bien que ce n'est pas ta cuisine. C'est ta beauté sensuelle qui me fait revenir. Et Dieu sait combien j'ai tenté de résister…

– Je ne comprends rien, tu parles la bouche pleine, répondit-elle en riant.

Danny, assis en bout de table, les regardait avec une expression de fierté. L'heure était belle, la fraîcheur du soir commençait à monter de la rivière, l'air soulevait les rideaux plissés et le crépuscule tapissait la pièce d'ombres lavande. Sam connaissait ses limites avec la femme qui lui faisait face. Elle appartenait à son coéquipier, mais il savait aussi que Danny prenait plaisir à le voir flirter innocemment avec elle. Il sentit monter une affection pour ses deux hôtes, leur souhaitant tout le bonheur possible.

Joanne coupa le pain brun à l'odeur épicée. Une tranche tomba, et Sam rit en apercevant les petites taches vertes.

– Tu vois, dit Danny. Je te l'avais dit. Des courgettes. Elle a passé la journée à les broyer. C'est parce que c'est aphrodisiaque. Trois tranches, et tu te transformes en obsédé sexuel.

Sam regarda les mains délicates de Joanne, ses veines bleu foncé sous la peau de ses poignets. Il avait du mal à l'imaginer courant huit kilomètres, même un seul. Jamais il n'avait connu de femme aussi douce, mais sa douceur lui paraissait fragile. Délicate en apparence, Nina avait cependant une résistance qu'il ne trouvait pas chez Joanne.

– Sam ?… Sam ?…

Il leva les yeux et sortit de sa rêverie. Danny lui proposa un autre morceau de viande. Sam hocha la tête en poussant les haricots et la gelée pour faire de la place dans son assiette.

– Alors, Joanne, commença-t-il, qu'est-ce que tu as fait aujourd'hui pendant qu'on dormait ? À part hacher et cuisiner des courgettes ?

Elle prit une profonde inspiration, et le tissu à fleurs qui couvrait sa poitrine se souleva. Elle traça de son ongle une ligne sur la nappe.

– Bon. Ce matin, avant qu'il fasse trop chaud, je suis allée courir sur la route qui longe la rivière et grimpe ensuite jusqu'à la clairière, derrière la remise de Mason.

Elle regarda Danny, qui continuait de couper sa viande, les yeux baissés vers son assiette.

– Je dirai que ça fait au moins dix kilomètres aller-retour.

– Dix bornes !

Sam força son enthousiasme, mais Joanne ne releva pas.

– Ma belle, tu vas avoir les mollets de Babe Zaharias !

– De qui ? lui demanda-t-elle en lui lançant un regard espiègle. C'est une des serveuses de l'hôtel ? Celle qui est folle de toi ?

Danny éclata de rire et se détourna pour tousser dans sa serviette.

– Non. Ce n'est pas une serveuse de l'hôtel. C'est... Oh, laisse tomber. J'oublie toujours que nous ne sommes pas de la même génération.

– Tu te trompes, l'interrompit Danny. La serveuse du Chief a de petites jambes maigrelettes, et c'est Sam qui est fou d'elle, mais elle refuse de lui adresser la parole. Elle les aime plus jeunes.

Sam faisait des efforts pour que la conversation reste légère mais sentait qu'il approchait dangereusement des sujets sensibles, et son ventre se contracta de nouveau. Joanne parlait à Sam, mais les époux ne se parlaient pas. Tant qu'il maintenait la conversation dans ces niaiseries, ils pourraient terminer le repas sans s'envoyer des paroles difficiles à oublier qu'ils regretteraient.

Il prit une profonde inspiration.

– Alors tu as fait courir tes petites fesses, et quoi d'autre ?

– Quoi d'autre ? Pas grand-chose, Sammie. Il n'y a pas grand-chose à faire dans le coin. J'ai lavé la vaisselle, fait partir une machine. J'ai plié le linge, commencé un nouveau bouquin, et puis j'ai gardé le bébé de Sonia pendant qu'elle emmenait les grands se faire vacciner. Ensuite je suis rentrée à la maison pour préparer le dîner.

– Voilà qui me paraît une journée bien remplie ! dit Sam sans grande conviction, espérant que cette tête de mule de Danny finirait par desserrer les lèvres et se mêler à la conversation. Et pendant ce temps-là, Danny et moi, on pionçait.

Joanne se leva pour vider son assiette. Sam entendit les petits coups vifs et secs de son couteau sur la vaisselle fleurie. Dieu, il n'avait pas le souvenir d'avoir vu une femme aussi en colère !

Sam abandonna la partie et rejoignit Danny dans son silence. Il s'attaqua avec méthode à la montagne de nourriture, tout en feignant de ne pas remarquer que Joanne ne supportait plus ni l'un ni l'autre. Danny regarda sa montre et recula sa chaise. Le repas était achevé, Dieu merci, et Sam n'aspirait qu'à recouvrer la liberté. La sonnerie stridente du téléphone mit fin à la gêne persistante. Danny décrocha à la troisième sonnerie et beugla :

– Allô, on arrive, Fletch ! Lâche-nous un peu !

Il tenait le combiné loin de son oreille, le secoua, dit à nouveau « Allô », n'eut aucune réponse et raccrocha.

– Qui était-ce ? demanda Joanne.

– Personne. Une erreur. Ou c'est le téléphone qui déconne.

Danny serra Joanne dans ses bras, embrassa sa joue qu'elle détournait, et enfin ils furent dehors, dans la cour obscure qu'éclairait l'ampoule jaune de la véranda. Sam fit marche arrière sans dire un mot, espérant que Danny ferait de même. Il chercha une cigarette dans sa poche de chemise, se souvint qu'il n'en avait plus et attrapa le paquet sur le tableau de bord chauffé par le soleil. Il en restait une, qu'il alluma sans illusion ; le goût était pire que ce qu'il avait imaginé. Il se concentra sur la conduite, tandis que Danny regardait la route, toujours silencieux.

Fletcher leur montra du doigt l'horloge en les voyant arriver.

— Quinze minutes de retard, les enfants.

— Ne nous embête pas, Fletchie, dit Sam en riant.

— Wanda Moses a fait sa vilaine, Sam. Elle a jeté son dîner à la tête de Nadine et réclamé des clopes.

Sam s'approcha du distributeur et y inséra des pièces. Il tira la manette et attendit.

— Fletch ! La machine est encore en panne ?

— Il faut la prendre par les sentiments.

Sam tapa sur la machine de la paume de la main et trois paquets tombèrent. Il en glissa un dans sa poche de chemise, un autre dans sa poche arrière de pantalon et tendit le troisième à Fletch.

— Tiens, tu donneras ça à Wanda, et fais gaffe à ta gueule. Elle griffe. Fais aussi attention à tes bijoux de famille, elle donne des coups de pied.

Sam attrapa le petit inspecteur sous les bras, le posa sur le comptoir et lui chatouilla le menton. Il était le seul du commissariat à pouvoir se permettre ça sans que Fletcher cesse de rire.

— Un conseil. Cesse de faire des cadeaux à Wanda, le prévint Danny. Je crois qu'elle est seule en ce moment.

— Elles le sont toutes, pas vrai ?

6

Duane laissa doucement glisser le combiné sur son support, ni déçu ni particulièrement contrarié que son appel n'ait pas abouti une fois encore. Les rares échecs de sa vie découlaient de son impatience, mais il en avait tiré les leçons. Il se demandait quelle voix elle avait. Il l'imaginait aérienne et délicate mais n'en avait toujours pas la confirmation. Au premier appel, il était tombé sur un homme. Son mari. Il regarda ses notes dans son carnet : « 19 h 51 – une voix d'homme répond. 20 h 15 – occupé. » Il ajouta : « 21 h 20 – pas de réponse. »

– Eh, le crack ! (Une voix assourdie interrompit le cours de ses pensées.) Tu comptes rester là-dedans des plombes ou quoi ?

Il se retourna et vit un visage large en partie masqué par un chapeau de cow-boy minable dont la ganse retenait de fausses plumes. L'homme, à moitié ivre, se mettait en frais pour la femme maigrichonne pendue à son bras. Ni l'un ni l'autre ne se souviendrait de lui ni du temps qu'il faisait. Duane sortit enfin de la cabine et leur marmonna :

– Elle est toute à vous, champions. Désolé.

– Y a pas de mal. On voulait pas vous presser.

Il se faufila entre les tables qui bordaient la piste de danse, grande comme un mouchoir de poche, et s'assit au bout du bar capitonné de rouge. Le barman, qui portait lui aussi une tenue de cow-boy, arborait un ventre proéminent qui menaçait de faire sauter les boutons de nacre de sa chemise écossaise. Décidément, tout le monde voulait être cow-boy.

– Une bière ?

– Non.

– Alors quoi ?

– Un Dirty Mother.

Le barman parut offensé.

– Qu'est-ce que c'est que ce truc ?

– Liqueur de café et crème.

– Ah, un Russe blanc ?

– Non, un Dirty Mother, la vodka me fait vomir. Vous avez une clientèle si distinguée que je ne voudrais pas lui faire honte.

Il parlait trop. Il regarda le barman dans les yeux et se fendit de son sourire le plus ingénu.

– Pas d'offense, l'ami. Juste des petits ennuis d'estomac.

L'homme le calcula, enregistra sa taille et lui rendit son sourire.

– Le stress, c'est ça ? Une bonne purge, et tout rentrera dans l'ordre. Liqueur de café et crème. C'est parti.

– Formidable. J'apprécie.

– Vous travaillez dans le coin ?

– Non. De passage. Je dois être à Spokane demain midi.

À l'autre bout du bar, quelqu'un demanda une bière. Duane se retrouva seul et eut tout le loisir d'observer la salle. La direction du Red Chieftain Hotel avait manifestement refait la déco récemment. Un papier peint rouge orangé à motifs inspirés du marquage des bestiaux recouvrait les murs jusqu'à mi-hauteur. Au-dessus, des crânes de bovidés alternaient avec des fers à cheval. Sur le bar, les bretzels étaient présentés dans des scrotums de taureau. Délicate attention.

Ringards comme étaient les lieux, Duane était certain d'y croiser le petit Danny. Les flics ne se montraient jamais au Trail's End, sauf en cas de nécessité ; mais, ici, il y avait toujours une ou deux voitures de patrouille garées. Les poulets venaient siroter un café gratos et papoter avec les serveuses. Dès qu'il aurait vu le mari en chair et en os, se serait assuré qu'il était de service, il aurait toute la nuit pour observer la maison.

Duane dégusta son Dirty Mother tout en faisant de tête le compte de son argent liquide. Sitôt qu'il aurait la femme, Duane devrait se planquer avec elle pendant un temps ; il lui faudrait un billet de mille, peut-être deux. Les reçus des cartes de crédit ! Mais oui ! Les bons pigeons veillaient à leurs petits rectangles de plastique comme à de l'or mais jetaient leurs reçus avec tous leurs numéros magiques. Les corbeilles en étaient pleines, et il pouvait visiter n'importe quel distributeur au besoin. Avant d'être découverts, Joanne et lui auraient filé depuis longtemps.

Il sourit à cette pensée, et l'idiot de barman lui sourit en retour, certain d'obtenir un bon pourboire.

Pas de bol, crétin.

Il était 22 heures passées. Joanne venait de quitter la maison de Sonia et de Walt et faisait route vers la ferme. Si elle craignait de conduire la nuit tombée, elle redoutait plus encore la longue soirée dans la ferme déserte.

Sur la dernière portion du chemin de terre, la lune disparut derrière les arbres. Elle s'interdit d'avoir peur de l'obscurité. Elle roulait sur la même route que celle où elle avait couru le matin, les arbres étaient les mêmes. Ne pas avoir le cran de rentrer seule la nuit, c'était se condamner à l'isolement. Pourtant, son cœur battait trop vite, au rythme de ses pensées. Joanne fit un effort pour s'imaginer qu'elle était quelqu'un d'autre, roulant sur une route inconnue, sans destination précise, en sécurité dans le cocon de la Celica.

L'automobile la mena sans encombre jusqu'à la grange. Vingt pas jusqu'à la porte de derrière, et tous les bruissements de la nuit cesseraient. Sa clef trouva la serrure et s'y glissa facilement.

Elle entendit sonner le téléphone et se précipita dans la cuisine plongée dans le noir. Deux sonneries, deux autres encore. C'était leur ligne personnelle. Elle ne vit pas la chaise et se cogna contre le dossier. La douleur, amplifiée par les courbatures, irradia jusqu'à son ventre. Elle resta paralysée pendant trois autres doubles sonneries. Quand elle décrocha, elle n'entendit qu'un bourdonnement. Personne.

Joanne sentit un courant d'air frais et vit que la porte était restée ouverte. Elle se retourna pour aller la fermer et sentit quelque chose contre sa cuisse. Sa gorge se serra d'horreur. Quelque chose s'agitait et palpitait derrière elle.

Elle sentit une présence et s'obligea à se retourner lentement pour la voir en face.

Elle reconnut Billy Carter, dont les yeux reflétaient le quartier de lune, mais ne put arrêter le cri qui sortit de sa gorge. Le jars avait déployé ses ailes et s'avançait vers la porte en se dandinant, poussant des sifflements d'indignation. Elle claqua la porte derrière l'animal et fit glisser la targette, réalisant que si elle avait crié devant un vrai danger personne ne l'aurait entendue.

Duane avait failli raccrocher quand elle avait répondu. Sa voix douce et craintive était bien telle qu'il l'avait imaginée. Il se contenta d'attendre, la laissant répéter « Allô… Allô… » avant de reposer doucement le combiné et de rompre ce premier lien entre eux.

Plus tard. Juste un peu plus tard, Joanne.

En se retournant, il les vit entrer dans le café. Lindstrom et le vieux type.

Il prit son temps, ajoutant dans son carnet : « 22 h 27 – entendu Joanne. 22 h 31 – D. L. et (il plissa les yeux pour lire le nom inscrit sur la poche du vieux) Sam Clinton, pause-café à l'hôtel. »

La serveuse, qui en faisait des tonnes et s'esclaffait à chaque plaisanterie du vieux flic, leur servit des parts de tarte et remplit leurs tasses. Plus elles sont bêtes, plus l'uniforme les impressionne.

Duane laissa un dollar soixante-quinze sur le bar et se rapprocha d'eux mais ne put entendre leur conversation. Il était assez près pour voir les auréoles sous leurs bras, pour sentir leur sueur. Assez près aussi pour attraper leurs deux crânes et les cogner l'un contre l'autre, ou sortir les .38 de leurs holsters et appuyer sur la détente avant qu'ils aient le temps de lever le nez de leur tarte à la banane… Du sang et des morceaux de cervelle sur les vitres brillantes…

Il s'obligea à contenir sa rage. Pas question de tout gâcher quand ça s'annonçait si bien. Bien qu'il fût moins grand que lui, le mari était assez costaud. Quant à son acolyte, un fat qui ne doutait de rien. Il est rare de voir des flics tourner le dos à une fenêtre. Le vieux était manifestement un plouc en fin de carrière. Duane en avait berné de bien plus malins que lui.

Assieds-toi et avale ta tarte, Danny. J'aurai ta femme et je lui apprendrai des choses dont tu n'as même pas idée.

La voix de la femme lui revint. Il était encore bouleversé par le doux abandon qu'il y avait perçu. Elle lui appartenait déjà. Elle ferait tout ce à quoi les autres s'étaient refusées. Quand ils seraient seuls…

Les flics avaient terminé leur tarte. Le vieux glissa une pièce dans le tablier de la serveuse et Duane l'entendit glousser. Ils gagnèrent la sortie à grandes enjambées, cure-dents à la bouche, puis s'éloignèrent dans leur véhicule de patrouille. Il prit une chaise au comptoir.

– Mademoiselle ?

La demoiselle en question avait dépassé la quarantaine, mais les vieilles aiment bien qu'on les prenne pour de la chair fraîche.

Elle lui sourit et se pencha, montrant son décolleté ridé.

– Et pour vous ?

– La même chose que ce vieux Danny. La tarte a l'air drôlement bonne.

– Elle l'est. Fraîche du jour, dit-elle en posant devant lui une part ostensiblement grosse. Et crème fouettée maison.

Il enfourna une pleine bouchée de la chose sucrée et leva le pouce pour lui signifier que c'était bon.

– Ça vous plaît ?

Il lui avait suffi d'un sourire pour l'emballer, et maintenant elle allait le regarder manger chaque miette.

– Il faut toujours manger là où mangent les flics. Certains conseillent les routiers, mais ce sont les policiers qui connaissent les bonnes adresses.

Il sourit à nouveau et laissa son regard s'attarder sur son corps, comme s'il avait aussi faim d'elle. Elle apprécia.

– Vous êtes flic ?

– Moi ? dit-il en souriant d'un air modeste. Je n'ai pas ce bonheur. Je ne vois plus de l'œil gauche. Le Vietnam. Sam et ce bon vieux Danny ont eu plus de chance.

Il vit qu'elle scrutait ses yeux pour détecter son infirmité.

– Mais ils travaillent dur, plaida-t-elle. Vous êtes sans doute mieux là où vous êtes. Représentant ?

Il secoua légèrement la tête pour éviter de répondre.

– Et dangereux. Ils prennent des risques, mais je les envie, malgré tout.

Elle continua à parler, espérant retenir son attention.

– Sam a conseillé à Danny de prendre quelques jours de congé. Vous les connaissez… Danny tient compte de ses avis, ils sont un peu comme père et fils.

Ce n'était pas du tout ce qu'il voulait entendre, mais il s'efforça de rester calme pour continuer à la faire parler.

– Prendre un congé ?

– Vous connaissez Danny, non ? D'habitude, il se contente d'aller chasser l'élan avec les gars en novembre.

Cette année, il a décidé d'emmener sa femme en vacances. Un deuxième voyage de noces, le grand jeu.

Il réussit à maîtriser sa voix, mais son pouls s'accéléra dangereusement.

– Des vacances ? Labor Day et tout le tintouin ? C'est pourtant une période chargée pour les flics ?

Elle haussa les épaules.

– Les femmes comme Joanne obtiennent des hommes tout ce qu'elles veulent. Elles n'ont pas besoin de travailler et ne rentrent pas à la maison avec les pieds en compote comme moi. Elle veut des vacances, il l'emmène en vacances… Vous ne mangez pas votre tarte. Elle n'est pas bonne ?

Il ingurgita deux bouchées et lui sourit.

– Excellente. À quelle heure rentrez-vous chez vous ?

– 3 heures du matin. Un peu tard, non ?

Il la déshabilla de nouveau du regard. Elles attendaient toutes ça.

– Ce soir, j'ai un rendez-vous, un truc de boulot. Où est-ce que Danny va partir ?

– Je ne suis pas dans la confidence. Chéri, si quelqu'un m'offrait un voyage, peut m'importerait de savoir où. Je le suivrais à Tacoma, à Humptulips, n'importe où…

– On m'a dit que Sam et vous étiez assez proches. Demandez-lui de vous emmener quelque part.

– Qui vous a dit ça ?

– Je ne sais plus, mais tout ce que je peux dire, c'est que c'est un sacré veinard. Vous êtes sûre que vous n'êtes pas fiancés ?

Elle essaya de deviner ce que le vieux flic avait bien pu dire à son sujet. Quand elle releva la tête, Duane avait franchi la porte du bar.

Sur le parking derrière l'hôtel, il donna un coup de poing sur la selle en cuir de la Harley. L'emmener… Qu'ils soient maudits ! Jamais ! Il ne le permettrait pas, ni maintenant ni jamais ! Il la surveillerait chaque minute de chaque jour, et s'ils essayaient de la lui prendre il…

Il enfourcha sa vieille moto et ferma les yeux. Après quelques instants, la tension disparut et il retrouva son calme.

Cours, Danny. Emmène-la aussi loin que tu veux, mais, où que tu ailles, je serai là.

Joanne redoutait d'entendre sonner le téléphone tard dans la nuit quand Danny était de service. Le coup de fil ne pouvait pas être de Sonia, Walt et elle étaient sur le point de se coucher quand elle les avait quittés. Quand Danny appelait, ils étaient convenus d'un signal. Danny laissait sonner deux fois, raccrochait et rappelait. Ainsi, elle savait que c'était lui. Le temps qu'elle sorte de la voiture et ouvre la porte de la maison, elle n'avait peut-être pas entendu les deux premières sonneries. Joanne composa le numéro du shérif et Fletch lui assura que tout allait bien : Danny et Sam avaient pris leur pause-café et venaient de partir. Elle appela sa mère, qu'elle réveilla, et, comme elle s'excusait, elle perçut une légère irritation dans sa voix.

Joanne se persuada qu'elle était en sécurité. Elle était seule, mais à l'intérieur de la ferme, portes et fenêtres fermées. Son angoisse était familière ; elle ne devrait pas avoir peur pour elle-même, mais pour Danny, qui se trouvait quelque part, dehors, dans la nuit. C'était lui la cible, pas elle. Barricadée dans la maison, tous stores baissés, elle n'avait rien à craindre.

Joanne ouvrit le flacon de Librium. Il restait seize comprimés. Elle s'en autorisa un, le premier de la semaine. Le coup de téléphone n'était peut-être qu'une erreur.

Au lit, la drogue faisant déjà son effet, elle tomba dans un demi-sommeil où résonnaient les paroles de Danny que l'arrivée de Sam avait interrompues : « Laisse-moi respirer, Joanne... Je ne peux pas respirer... Tu as si peur que tu me transmets ta peur. »

Quelque chose – le vent dans les arbres, un frottement contre la maison – la réveilla à moitié. Elle se retourna pour chercher le sommeil de l'autre côté du grand lit. Et elle se souvint que sa mine renfrognée avait une fois de plus chassé Danny et l'avait laissé perplexe. Une branche craqua, lui évoquant un coup de feu. Elle vit Danny touché à mort. Elle le vit lui jeter un dernier regard d'agonisant avant de s'écrouler. Elle tenta de repousser cette vision, mais une autre apparut : elle vit s'écraser la voiture de patrouille que l'impact avait réduite à un amas de ferraille dont Danny ne pouvait sortir.

Mais Danny n'était pas mort. Il était seulement blessé, et elle courait vers l'hôpital pour être à ses côtés. Son amour et des soins affectueux le ramèneraient à la vie. Elle ne quitterait pas son chevet, réchaufferait sa peau à la sienne ; ils seraient à nouveaux unis.

Elle sentait même l'odeur de l'hôpital, voyait les bras bronzés et musclés de Danny contrastant avec la blancheur des bandages et des draps. Allongé là, il semblait très séduisant.

Elle n'était ni endormie ni éveillée, mais assez consciente pour voir que le store n'était pas complètement baissé. Elle soupira et alluma la veilleuse, se leva, baissa le store et vérifia que la porte de la chambre était fermée à clef.

Recouchée, elle se repassa la scène. Danny, blessé mais vivant, et elle assise à côté du lit, lui tenant fermement la main de peur qu'il ne parte pour de bon s'ils perdaient le contact.

À pas feutrés, Duane fit le tour de la bâtisse. Il savait que la femme était là : il avait entendu le claquement d'une porte, le craquement du plancher ou du lit, puis quelque chose ressemblant à des pleurs. Peut-être. Difficile d'entendre à travers l'épaisseur des murs. Il essaya chaque fenêtre et les trouva toutes fermées. Les portes aussi. Il aurait pu en forcer une en brisant une vitre, mais c'était risqué : elle pouvait avoir le temps d'aller jusqu'au téléphone. La ligne, qui passait juste sous le toit, était impossible à atteindre, impossible à couper.

Il mourait d'envie d'entrer, mais son bon sens prit le dessus. Demain, il la croiserait sûrement sur la route, seule. Il dormirait dehors pour ne pas la manquer, ou les manquer, si le mari décidait de l'emmener. Son sac de couchage était roulé à l'arrière de la moto, ses sacoches fin prêtes. Il n'avait même pas besoin de repasser au motel.

Il colla le nez à la fenêtre de la cuisine, éclairée de sa seule ampoule blafarde, mais, malgré tous ses efforts, ne put jeter un coup d'œil dans la chambre où il supposait qu'elle dormait. À contrecœur, Duane fit demi-tour et sentit que son pied venait d'écraser un corps à plumes.

Il emporta le volatile, dont la nuque brisée se balançait follement sur ses sacoches durant sa longue descente.

Il jeta l'animal dans le fossé et le regarda disparaître sous les hautes herbes.

Joanne dormit si profondément qu'elle n'entendit aucun bruit au-dehors.

DEUXIÈME PARTIE

Stehekin

4 septembre 1981

7

Le *Lady of the Lake*, large de proue et rutilant, trépidait d'impatience contre l'appontement et tirait sur ses amarres. Reflétant le bleu du ciel, le lac Chelan, calme et étale au point de ressembler à une toile peinte, chatoyait sur le fond ombré des montagnes.

À 8 h 15, Joanne et Danny faisaient la queue avec cent autres touristes derrière la chaîne qui bloquait l'accès à l'embarcadère. Joanne perçut la tension au creux des épaules de Danny. Il n'avait pas vraiment envie d'être là. C'était Sam qui l'avait décidé à partir, à partir vite, comme si cette occasion allait s'évanouir s'ils ne la saisissaient pas. Elle avait bouclé leurs valises dans la journée et se demandait ce qu'elle avait pu oublier.

Joanne pensait à leurs nuits prochaines dans la montagne, quand ils se serreraient l'un contre l'autre pour se tenir chaud. Elle était contente qu'ils aient pu organiser ce voyage. Elle s'accrocha au bras de Danny et se pencha pour regarder l'eau sous leurs pieds. Les poissons glissaient sous la surface, encerclés par une famille de canards qui tendaient le cou dans l'espoir d'attraper les miettes qu'on leur jetait. Ils lui firent penser à Billy Carter, qui avait si soudainement disparu, mais elle préféra ne pas s'attarder sur ce mystère.

– Regarde, chéri, fit-elle remarquer, ils n'ont pas du tout l'air sauvages.

Danny ne regardait pas. Il lui tournait le dos et observait le ponton voisin où une vedette de police faisait tourner son moteur au ralenti, envoyant une fumée gris-brun sous le quai de planches disjointes. Il semblait tout faire pour la tenir à distance. Il ne s'était même pas aperçu qu'elle avait lâché son bras. Elle le regarda tristement, souhaitant presque qu'il aille tailler une bavette avec les policiers de Chelan.

Ils montèrent sur le pont des passagers aux chaises recouvertes de vinyle vert, et, comme Joanne hésitait, Danny la poussa vers un siège près de la fenêtre.

– Tu veux une bière ?

– Non, pas tout de suite.

– Il m'en faut une. Et un café ?

– Ça, oui.

Elle regarda le visage de Danny qu'un rayon de soleil éclairait. Il avait les yeux gonflés, des plis devant les oreilles et des joues plus rondes qu'elle ne le pensait. Choquée, elle réalisa qu'elle ne l'avait pas vu en plein jour depuis bien longtemps. Son mari vieillissait. Pas encore aussi vieux que les passagers dans la queue, mais vieilli. Ce n'était plus le Danny qu'elle avait épousé, celui-là s'était évaporé sans qu'elle s'en soit rendu compte. Il baissa la tête, et elle entrevit son crâne luisant sous les cheveux plus clairsemés. Elle lui prit le bras.

– Danny ?

– Oui ?

– Je t'aime.

Il regarda ailleurs, embarrassé, et sourit.

– Moi aussi.

L'instant de grâce flotta dans l'air un petit moment. Tout allait bien. Ils s'étaient approchés du gouffre mais n'y étaient pas tombés et n'y tomberaient pas. Danny n'avait pas pris le temps de dormir après sa nuit de travail. Ils avaient roulé sur les routes sombres au petit matin et se dirigeaient maintenant vers une destination qui leur offrirait une deuxième chance.

Le *Lady of the Lake* démarra lentement, vira à bâbord pour dépasser ses homologues et prit sa vitesse de croisière. Même après un siècle de civilisation, la ville de Chelan, posée au bord du lac, semblait provisoire, menacée par les montagnes brunes et pelées qui se penchaient sur elle, éteignant les couleurs des maisons. Seuls les vergers et toutes leurs nuances de vert donnaient vie à la terre. Danny regarda Joanne depuis le pont supérieur. Elle jouait à faire coucou avec l'enfant assis en face d'elle. L'enfant riait et sautillait. Elle devrait avoir le sien. Il lui devait ça, car elle n'avait jamais failli à aucune de ses promesses. Elle était sérieuse, ne flirtait avec personne et faisait tellement d'efforts.

Il se dirigea vers la proue du bateau, frôlant au passage l'homme de haute taille qui regardait les montagnes à la jumelle et grogna à son « Excusez-moi ». Les montagnes paraissaient maintenant plus vertes, mais l'eau, plus profonde à mesure qu'ils avançaient, avait pris une teinte ardoise. Une embarcation de bois, le pont chargé de voitures et de vieux pick-up, se dirigeait vers eux. Le capitaine klaxonna et fit un signe en croisant le *Lady of the Lake*.

Danny pensait à Sam, qui l'avait invité à visiter son gourbi et poussé à faire ce voyage. Il avait balayé toutes ses illusions, lui avait montré ce qui arrive aux flics qui négligent leur insigne et leur femme. Il ne leur restait rien. Si Sam en était arrivé là, où donc, lui, Danny, finirait-il ? Sam n'avait pas mâché ses mots. Il l'avait convaincu d'aller chez le toubib, d'essayer pendant une demi-heure d'éjaculer dans un flacon. Danny s'était exécuté, avait apporté le maudit bocal au médecin et s'était enfui. Il se sentait encore mal. Et plus mal encore en pensant à la solitude de Sam.

Danny ne parvenait pas à chasser ses idées noires et ce vague pressentiment d'un danger qui n'avait pas sa place dans cette claire matinée. Devant eux, les montagnes aux arêtes dures et tranchantes se succédaient à l'infini. Jamais cela ne finissait : quand il pensait apercevoir enfin le bout du lac apparaissaient toujours d'autres sommets bleu acier, comme si le bateau les emportait inexorablement vers la fin du monde.

Revenu auprès de Joanne, Danny prétendit l'avoir laissée seule moins d'une demi-heure. Il lui caressa les cheveux. Joanne répondit à son geste par un sourire forcé.

– Chérie, viens sur le pont avec moi. Nous approchons de Manson.

Elle frissonna.

– Quel nom horrible pour une si jolie petite ville.

– C'est encore loin ? demanda-t-il. Tu avais dit que c'était juste un petit tour en bateau, et nous sommes déjà au milieu de nulle part.

Elle regarda sa montre.

– Le trajet est long. Trois heures quinze minutes. Je t'avais dit que c'était au bout du monde.

Il l'avait pensé, et voilà qu'elle le formulait. C'était sans doute la raison qui expliquait son malaise. Ils étaient captifs de l'eau qui s'étendait devant eux, des montagnes qui l'encerclaient.

Les hameaux avaient disparu, ne restaient que quelques cottages et caravanes au bord du lac. Les sapins aussi avaient déserté la rive pour céder la place aux pins, plus résistants. Dans ce paysage austère, tout respirait la menace, des éboulis aux rochers assez gros pour écraser un homme aux dernières lignes téléphoniques dont les boules orange prévenaient les aviateurs du danger.

Danny, qui n'avait pas dormi depuis vingt-quatre heures, avait les yeux vitreux, les muscles lourds comme du plomb. Il aurait dû dormir une journée avant de partir. Les efforts qu'il faisait pour paraître enjoué et intéressé le fatiguaient encore plus. Il ne rêvait que de s'appuyer sur l'épaule de Joanne et de laisser ses yeux se fermer. Au lieu de ça, il partit acheter deux bières et un énorme sandwich au jambon et les rapporta à sa femme.

Les haut-parleurs grésillèrent, et bientôt la voix du jeune capitaine les dispensa de tout effort de conversation.

– Bienvenue à bord du *Lady of the Lake*. Le lac Chelan, long de quatre-vingt-trois kilomètres, est le troisième lac le plus profond des États-Unis. D'origine glaciaire, il s'est formé il y a des millions d'années, à la même période que la chaîne des Cascades. L'analyse des graviers et du sable de la rivière Chelan, alimentée par les eaux du lac, confirme qu'il se trouvait entre deux kilomètres et deux kilomètres et demi au-dessus du lac actuel.

– Passionnant, commenta Danny.

– Désolée, répondit Joanne en lui tapotant le bras.

– Les tribus indiennes établies à Stehekin il y a presque deux cents ans baptisèrent le lac « Eau bouillonnante ». À l'arrivée des colons blancs, les Indiens furent déplacés dans la réserve de Columbia. Les prospecteurs arrivèrent à la fin du XIXe siècle. La concession de cuivre de Holden, la plus importante, a fermé en 1957, mais quatre à cinq cents personnes vivent encore dans cette colonie luthérienne. Pour ceux de nos passagers qui vont faire une retraite à Holden Village, la navette du camp les attend.

« Quand les Blancs se sont fixés ici, le niveau du lac se trouvait à trois cent vingt-six mètres au-dessus du niveau de la mer. Après la construction, en 1927, du barrage et de la centrale électrique de Chelan, la plus ancienne de l'État de Washington, il s'est élevé de six mètres. Quarante-huit cours d'eau et une rivière se jettent dans le lac Chelan, ce qui représente un débit annuel de trente-quatre mille mètres cubes d'eau. Mesdames et messieurs, les eaux du lac sont froides, mais aussi très pures : on peut voir jusqu'à neuf mètres de profondeur. Au-dessous de neuf mètres, les corps ne remontent plus à la surface. Sinon, ils flottent après trois ou quatre semaines.

– C'est joyeux, commenta Danny. Au moins, on sait qu'on ne se décompose pas si on tombe dedans.

Joanne se tourna vers la vitre, se demandant pourquoi l'évocation de la mort suscitait toujours des sarcasmes de la part de Danny. Elle savait et avait toujours su qu'il avait peur de la mort.

– … cuivre, plomb, zinc, or, poursuivait le guide. À la fin des années 1800, M. E. Fields, receveur des postes à Stehekin, fit bâtir un hôtel sur le lac, à l'embouchure de la rivière Stehekin. Il décida la compagnie des chemins de fer Great Northern de conclure un accord pour que le *Belle of Chelan*, le *Clipper* et le *Stehekin* y amènent les voyageurs fortunés. M. E., qui rêvait d'un décor aussi fastueux qu'à Chicago ou San Francisco, fit venir des chandeliers en cristal, des tentures de velours, un piano à queue, le tout acheminé sur des barges. L'hôtel Fields a été submergé par les eaux en 1927.

Joanne trembla. Malgré la beauté du paysage, aucune entreprise ou tentative humaine n'avait duré ici : les Indiens avaient été arrachés à leurs eaux bouillonnantes, les mines désertées, même l'hôtel avait été englouti. Elle se demanda s'il reposait toujours au fond du lac, imaginant ses fantômes jouant du piano pour les écervelées que de vieux messieurs riches attiraient dans ce coin sauvage en leur faisant miroiter dîners dansants, homard et champagne, pour exiger ensuite un paiement en nature. Joanne se dit qu'elle avait sans doute lu trop de romans.

Le grand bateau heurta le ponton délabré de Holden Camp et débarqua les luthériens, allégeant grandement le nombre de passagers. Puis le lac, pris en étau par les montagnes, se resserra. L'eau profonde paraissait huileuse maintenant que le soleil avait disparu derrière les sommets.

Danny regarda le lac et regretta qu'ils n'aient pas choisi d'aller à Tahoe ou à Vegas.

Les montagnes qui tombaient à pic dans l'eau n'offraient aucun versant accueillant. Dans ces eaux glacées, personne n'avait aucune chance de regagner le rivage. Danny crut voir un port dans le lointain et regarda sa montre. Moins d'une heure de trajet et seulement des impressions négatives. Il maudit Sam en silence, ferma les yeux et s'endormit aussitôt.

Sur le pont supérieur, l'homme roux aux jumelles esquissa un sourire en apercevant au loin, très haut au-dessus du lac, la forme blanche d'une chèvre des Rocheuses qui trottinait allègrement sur un sentier visiblement impossible.

8

Danny s'éveilla – avait-il dormi une minute, une heure ou un jour ? –, le visage pressé contre le bras nu de Joanne, la bouche sèche au goût amer. Joanne, qui tenait ses mains dans les siennes, le berçait tendrement. Ils allaient s'en sortir, ils s'en étaient toujours sortis. Il s'assit, s'essuya la bouche et s'étira d'un même mouvement, puis lui caressa la nuque.

– On est arrivés ?

Elle lui sourit, mais elle avait caché ses yeux derrière des lunettes de soleil.

– Nous allons accoster. Voilà le gîte.

Il s'était imaginé un village pittoresque, mais la nature avait rechigné à donner d'elle-même. Il n'y avait qu'une centaine de mètres entre la rive du lac et les pins et sapins dominant la demi-douzaine de pavillons. Une minuscule bande de terre, c'est tout. Le bâtiment de plain-pied qui leur faisait face, un long rectangle avec une aile sud à un étage, était couvert d'un toit en tôle ondulée. Devant le gîte, quelques tables de pique-nique agrémentaient une terrasse de planches entourée d'une clôture.

Danny était déçu : il avait rêvé d'une cabane en bois rustique, et tout lui rappelait un petit motel des années 1950. Le quai bétonné était en réalité la fin d'une route en cul-de-sac où venaient se garer des véhicules en tout genre : des voitures des années 1950, pour ne pas déroger

140

au style architectural du gîte, les pick-ups des services forestiers, des camping-cars, des motos et des vélos.

Toute l'installation semblait provisoire, rien de plus qu'une légère griffure sur le paysage. Danny leva les yeux vers la forêt, si dense qu'elle ressemblait à une mer noir et vert ondulant doucement.

Il n'avait aucune envie de s'engager dans ce dédale d'arbres et de sentiers, de grimper vers le ciel bleu et mort. Mais il était trop tard pour changer d'avis. Ils étaient allés trop loin. Danny enviait les touristes qui prendraient leur déjeuner sur la terrasse, achèteraient des souvenirs et seraient de retour dans leur lit à la nuit tombée.

Son somme, qui n'en avait pas été vraiment un, lui avait alourdi les jambes. Il se leva pour aller récupérer leurs sacs à dos. La foule, composée en majeure partie de citadins impressionnés par la majesté des montagnes, comptait aussi quelques randonneurs chevronnés qui se placèrent dans la queue pour attendre les minibus qui les conduiraient au point de départ de leur excursion. Les matelots finirent de décharger les valises et les sacs, les caisses de ravitaillement et de linge propre destinées au gîte.

Danny, voyant Joanne se diriger bille en tête vers un samoyède blanc, voulut l'en empêcher mais fut rassuré quand il vit le chien accepter ses caresses. Elle était trop confiante. *Un jour, elle se fera mordre*, pensa-t-il. *Elle croit encore que l'amour et la tendresse gouvernent le monde.*

– Danny ! Approche et viens faire connaissance avec notre ami. Regarde comme il est beau.

Il approcha une main de l'animal, qui recula et aboya.

Le garde forestier sourit à Danny.

– Il a une préférence pour les dames et les enfants mais se méfie des hommes.

Danny tendit la main au garde et se présenta.

– Danny Lindstrom, inspecteur de police à Natchitat. C'est vous qui faites la loi, par ici ?

Le garde forestier haussa les épaules.

– Quand il se passe quelque chose. Nous n'avons pas les mêmes problèmes que vous. Notre travail consiste surtout à veiller sur les randonneurs, à s'assurer qu'ils sont bien revenus. Pas beaucoup de crimes par ici, trop difficile de s'échapper.

– J'imagine. Nulle part où fuir.

– Un jour, raconta le garde en riant, un pauvre type qui avait dévalisé la poste de Malott est venu se planquer dans le coin. Il s'est perdu et aurait crevé de faim s'il n'avait pas réussi à tuer un cerf. Il s'est pratiquement jeté dans nos bras quand on l'a cueilli, soulagé qu'on l'ait retrouvé.

Danny sourit d'un air absent, regardant les montagnes grises.

– Et si vous avez un blessé ? demanda-t-il en se tournant vers le garde. Comment font les secours pour venir jusqu'ici ?

– De Chelan, l'hydravion d'Ernie Gibson peut être là en vingt minutes, en mettant les gaz. Nous avons un semblant de piste d'atterrissage vers High Bridge qui permet à un avion standard de décoller en cas d'urgence. Mais jusque-là on a eu de la chance, on s'est toujours débrouillés. Les collègues de Chelan ont leur vedette amarrée sur le lac, beaucoup plus rapide que le ferry. Vous êtes en vacances ?

– Oui. La patronne m'a mis au pied du mur, elle a déclaré que je travaillais trop.

Le garde regarda Joanne d'un air admiratif tandis que Danny posait une main de propriétaire sur sa hanche. Elle opina et sourit.

– C'est votre chien ? Il est magnifique.

– Merci. Il s'appelle McGregor, comme le sommet que vous apercevez ici. (Puis, se tournant vers Danny :) Vous partez en randonnée ?

– Demain. Madame a tout manigancé. Montée jusqu'au lac Rainbow, où on campera, et retour ici probablement. La pêche est bonne dans le coin ?

– La pêche est bonne, mais les moustiques sont encore meilleurs. Vous avez pensé à emporter un répulsif ?

– J'espère que oui. Les bagages, c'est son rayon. Vous connaissez les femmes.

Les hommes rirent puis le garde se dirigea vers son véhicule.

– Avant de partir, n'oubliez pas de passer au bureau pour signer le registre, comme ça, on saura où vous trouver si on ne vous voit pas revenir.

– On le fera.

Duane, qui s'était fait servir un soda et un hamburger sur la terrasse, vit Danny quitter le bureau des gardes forestiers. Il attendit qu'il se soit éloigné avant d'y entrer à son tour. Il attira le registre à lui, prétendant vouloir s'inscrire. Le garde de service avait le dos tourné. Duane en profita pour regarder la liste et lut « Lindstrom, Danny, Joanne : Rainbow Lake. Retour prévu le 7 sept. 81. » Il ferma le registre et emporta une pleine poignée de cartes et de guides de sentiers.

Il connaissait leur destination, restait à étudier comment y aller. Heureusement, il avait son sac de couchage. Il irait faire des provisions dans la petite épicerie. Il n'aurait ni à les attendre ni à les suivre. En partant avant eux, en reconnaissance, il aurait l'avantage. En sortant du bureau, il vit Joanne et Danny grimper les marches de la réception. Son cœur se serra à l'idée qu'elle passerait encore une nuit avec l'autre.

Mais cela ne servait à rien d'y penser.

Il attrapa la navette bondée d'irréductibles randonneurs pressés de partir et de monter leur campement avant la nuit. Cinq kilomètres jusqu'au départ du sentier. Duane le regretta aussitôt et se ravisa : il ferait mieux d'y aller à pied. Il venait juste de descendre quand le chauffeur, un jeunot embauché pour l'été, lui lança :

– Monsieur !

Duane se retourna, s'efforçant de ne pas montrer sa contrariété, sa légère appréhension.

– On a besoin de savoir où vous comptez aller, monsieur, lui dit le jeune garde. Si vous voulez bien signer ici, inscrire votre nom, votre destination et votre date de retour, je le ferai savoir à mon chef.

– Oui, bien sûr. Mais je ne repasserai pas par ici. Au sommet, je pense rejoindre le sentier qui mène à l'autoroute. À votre avis, combien de temps dois-je prévoir ?

– Dix heures, à peu près. Faites attention aux serpents à sonnette.

– Merci.

Duane gribouilla sur le bloc-notes qu'il lui tendait : « David S. Dwain, Portland, Oregon. Destination : autoroute des Cascades Nord. »

Et c'était vrai. C'était sa destination initiale. Un saut de puce jusqu'à la frontière canadienne et, une fois franchie, la liberté perpétuelle. Le nom de Stehekin lui plaisait, il en aimait à la fois la consonance et le sens : « la voie qui traverse ». Duane trouvait toujours un passage, quelles que soient l'étroitesse de l'ouverture ou la difficulté.

Il était si exalté de se savoir si près du but que son sac à dos lui parut léger. Il laissa derrière lui la rivière, devant lui le sentier était vide.

*
* *

Danny regardait Joanne en train de défaire son sac, de mettre soigneusement de côté le café instantané, le lait en poudre, le sucre, les œufs et le bacon dans la cuisine aussi bien équipée que la leur.

– Joanne, c'est ça que tu appelles vivre à la dure ? On a une salle de bains avec une douche et une baignoire, des toilettes avec une chasse d'eau, l'électricité et une alarme incendie.

– Seulement ce soir. Demain, c'est l'aventure.

Comme elle se penchait pour regarder sous l'évier, Danny vint se placer derrière elle, les bras autour de sa taille, attirant son dos vers lui.

– Il avait envie de toi, lui murmura-t-il à l'oreille.

Elle retint sa respiration.

– Qui ?

– Qui ? Ce type ! Tu parles de l'homme du ferry ? Ou du gamin qui a apporté les draps ? C'est de lui que tu parles ? Le gamin qui a apporté les draps ?

Elle rit, mais le jeu ne l'amusait pas.

– Le garde forestier. Il te trouvait à son goût.

– Le chien aussi, rétorqua-t-elle avant d'ajouter : Ça t'a excité ? C'est ça que ça t'a fait ?

Dannu recula d'un pas, stupéfait.

– Qu'est ce que tu veux dire ?

– Et si j'étais laide ? Si personne d'autre ne me désirait ? Tu continuerais à me désirer ?

– Arrête, Joanne ! Je suis venu jusqu'ici pour te faire plaisir et tu…

– Je devrais pouvoir t'exciter sans que tu aies besoin de me voir dans les yeux d'un autre.

– Arrête, Joanne, j'en ai marre.

Elle s'avança vers lui, posa la tête sur sa poitrine et lui prit les bras pour s'en entourer.

– Pardon, Danny. Je suis un peu nerveuse. Tout cela ressemble à un voyage de noces. Tu te rappelles comme j'étais nerveuse la première fois ? Pardon.

– Ne prends pas mal tout ce que je dis, d'accord ?

Il écarta ses cheveux et la regarda.

– D'accord. Tu m'embrasses ?

– Tu as gagné.

Il l'attira à lui.

– Attends. Laisse-moi juste prendre une petite douche.

– Tu sens bon comme ça.

Elle se libéra de son étreinte avec précaution.

– Juste une minute. Attends-moi, je reviens.

– Tu ne vas pas enfiler quelque chose de plus confortable, hein ?

– Je ne vais rien enfiler du tout, répondit-elle d'un air coquin.

– Encore mieux.

– Reste là et ferme les yeux.

– C'est toi qui fermes les yeux, moi, je regarde.

Joanne resta longtemps sous la douche, essayant d'évacuer la gêne et de chasser la pénible impression de jouer un rôle. Elle revint nue dans le salon et se sentit un peu ridicule.

Il s'était endormi sur le canapé écossais, serrant un coussin contre sa poitrine. Elle voulut le réveiller pour l'allonger dans la chambre où il serait mieux installé, mais il grogna et elle renonça. Épuisé comme il l'était, il méritait de dormir sans être dérangé.

La chambre, encore inondée de soleil un instant avant, s'était assombrie. Joanne avait froid. Elle s'enveloppa dans une couverture et alla à la fenêtre pour voir le soleil disparaître derrière les nuages qui engloutissaient les sommets. Elle vit des éclairs et entendit le grondement du tonnerre. Danny sursautait mais dormait toujours.

Elle pensa aux randonneurs qui s'étaient mis tout de suite en chemin. Étaient-ils arrivés, cherchaient-ils un abri sous un rocher en saillie ou une branche de pin ? Avaient-ils peur, regrettaient-ils d'avoir quitté la sécurité du gîte ? Non. Ils étaient préparés à l'éventualité d'un orage, sinon, ils ne se seraient pas aventurés là-haut. Elle remercia le ciel d'avoir un toit sur la tête. Elle ne s'attendait pas à ce que les montagnes soient si hautes, à ce que la forêt soit dense au point d'interdire au soleil d'y pénétrer.

Joanne se demanda si Danny accepterait de rester en bas avec elle. Sans doute pas. Elle l'avait entendu dire au garde forestier qu'ils allaient monter, peut-être jusqu'au sommet, et son orgueil l'empêcherait de changer d'avis, même s'il en avait envie. Ils seraient là-haut le lendemain soir, quelque part dans les montagnes, dans un lieu maintenant caché par les nuages, sans possibilité de retour.

Elle alluma la lumière de la cuisine, et la pièce reprit son apparence normale et rassurante : une cuisinière en émail blanc, un réfrigérateur, le linoléum aux mêmes motifs que chez sa mère, des rideaux à carreaux rouges et blancs, un bouquet de pois de senteur sauvages près de la fenêtre. La lumière la réchauffa. Elle se prépara un café et un sandwich qu'elle mâcha consciencieusement tout en consultant le petit manuel de survie distribué par les gardes forestiers.

L'orage épuisa sa fureur, ne laissant qu'une pluie fine qui crépitait doucement sur les bosquets de fougères et de baies. Danny dormait toujours dans le salon obscur. Elle emporta un roman de poche dans la chambre et le lut sous l'éclairage parcimonieux de la lampe de chevet. Elle entra facilement dans l'histoire de l'héroïne gothique éprise du fils ténébreux, cruel et dépensier d'une riche famille anglaise. Soupirs et pâmoisons, fracas de vagues, étoiles filantes… Elle aurait aimé que tout fût aussi simple.

Contrairement à toute attente, elle dormit d'un trait jusqu'au matin, bercée par la pluie. Quand elle se réveilla à l'aube, Danny était à côté d'elle, déjà habillé. Joanne se blottit contre lui et se rendormit gentiment. À son réveil, il faisait grand jour. Une lumière vive et bonne. Dans le salon, Danny inspectait leur matériel. Le sentiment d'étrangeté de la veille s'était dissipé avec la pluie.

9

La navette longea sans heurts la rivière de Stehekin jusqu'à la bifurcation de High Bridge. Le chauffeur, un extra embauché pour l'été, débitait son monologue sans discontinuer.

– La cabane en rondins à votre droite, l'école primaire, accueille quinze élèves jusqu'à la quatrième, et la petite cabane là-bas, je vous laisse deviner sa fonction. Il y a là-dedans des toilettes avec chasse d'eau, mais les types de l'écologie leur interdisent de s'en servir. C'est là que se trouvait l'hôtel Field avant qu'il disparaisse sous les eaux en 1927. Le musée de l'Or, à côté du gîte, conserve encore quelques planches de bois de l'hôtel. Sur votre droite se trouve un potager bio. Les personnes qui s'en occupent vendent leurs produits au restaurant du gîte. Ils font aussi des tartes. Aux mûres, cette semaine. Excellentes. Vous y avez goûté ?

Danny fit non de la tête.

– On en avait l'intention, mais on s'est réveillés trop tard. On essaiera au retour, à moins que nous ne décidions de repartir par Okanogan.

– La nourriture est bonne. Maintenant, regardez à votre droite, derrière la ligne des arbres. Voici tout ce qui reste du gîte de Rainbow Falls.

Ils n'aperçurent en effet au loin qu'un tas de vieilles planches et un toit branlant. Joanne repensa un instant à la vieille grange près de chez eux et au murmure qu'elle avait entendu. Elle ferma les yeux, et le bruit s'évanouit.

– Une vieille fille du nom de Lydia George tenait le gîte de Rainbow Falls au début du XIXe siècle. Son frère, un mineur dont j'ai oublié le nom, vivait ici avec elle. L'hiver 1910-1911, il neigea et neigea sans arrêt. La couche de neige était si épaisse que le toit ne résista pas. C'en était fini des rêves de Lydia, qui dut fermer son établissement.

– Qu'est-elle devenue ? demanda Joanne.

– Je l'ignore. Elle doit être morte aujourd'hui.

– Sauf si elle a cent dix ans, rétorqua Danny en riant.

Joanne regarda le triste amas de bois, se demandant quels avaient été les rêves de Lydia.

– Y a-t-il un cimetière près d'ici ?

– Oui, mais seuls les anciens savent où il se trouve. De nos jours, les gens qui meurent ici sont enterrés à Chelan ou à Wenatchee.

Le chauffeur, un tout jeune étudiant de l'Indiana ou de l'Ohio, se moquait éperdument des cimetières. Il leur montra du doigt des arbres du côté gauche de la route.

– Vous avez remarqué qu'ils sont noirs sur le versant sud ? En 1889, le feu a tout embrasé dans la vallée. Quasiment tous les arbres sont morts. Ceux qui ont survécu portent ces marques de brûlures mais continuent de pousser. Les Indiens disent qu'il y a un feu de forêt tous les quatre-vingt-dix ans. Il y en a toujours eu. Quand le feu gagne la vallée il balaie tout sur son passage.

– Donc, vous en connaîtrez un, dit Danny. C'est pour ça qu'ils ne construisent jamais dans la forêt ?

Le chauffeur haussa les épaules.

– C'est possible. La seule issue serait le lac.

Le minibus ralentit et s'arrêta. Le conducteur grimpa sur le toit et leur lança leurs sacs. Il donna ses instructions à Danny.

– Il y a dix-huit kilomètres jusqu'au Rainbow Lake. Ce n'est pas facile, mais pas trop dur non plus. Regardez les panneaux et faites attention aux serpents à sonnette et aux éboulements. Quand vous serez arrivés là, il restera encore vingt-sept kilomètres jusqu'à Bridge Creek. Suspendez votre nourriture quand vous campez. Ne l'accrochez pas simplement à un arbre : les ours grimpent et la prennent. Il faut la suspendre à au moins trois mètres de hauteur. Tendez une corde entre deux arbres espacés d'un mètre cinquante, ça les contrarie.

– Il y a des ours ? demanda Joanne.

– Là-haut. Surtout des ours bruns. Ils ne vous embêteront pas, sauf si vous vous placez entre une femelle et son petit. Alors abstenez-vous. Il reste peut-être quelques grizzlis, mais personne n'en a vu depuis 1965. Cet été, nous n'avons vu aucun ours dans la vallée inférieure, alors, à votre place, je ne m'inquiéterais pas. Contentez-vous d'observer les précautions d'usage.

Ils se mirent en route, Joanne en tête. On aurait dit qu'il n'avait pas plu la veille. Le sentier qui grimpait sans à-coups était sec et caillouteux. Ils dépassèrent un réservoir que Joanne regretta de laisser derrière elle, bien que leurs gourdes fussent pleines. Elle tenta de se concentrer sur la végétation, preuve que le vivant avait défié le feu, les animaux et les éboulements : fougères, sureau, pâquerettes, linaires, seringas, ronces, pois de senteur, phlox et mousses. Leurs muscles s'échauffant peu à peu, ils progressèrent sans difficulté, Danny soufflant seulement plus bruyamment. Elle se sentit d'abord un peu plus joyeuse, puis tout à fait gaie.

Le sentier devint plus raide. Ils s'arrêtèrent sur une butte et contemplèrent la cime des arbres à feuillage persistant et le lac tout bleu entre les montagnes qui l'enserraient. Danny posa un bras léger sur son épaule.

– Tu as eu une sacrée bonne idée, ma petite. Nous sommes sur le toit du monde.

– Pas encore. Regarde.

Le sentier devant eux continuait de grimper. Danny se jeta dans l'herbe et prit la main de Joanne.

– Je vais te confier deux secrets, à condition que tu me promettes de ne jamais en parler à personne.

Elle hocha la tête et réalisa qu'il ne lui avait jamais livré un vrai secret.

– Un. Et pas de « Je le savais ». Je ne suis pas au mieux de ma forme. Mes jambes me font mal, mon dos me fait mal. Et mon putain de cul me fait mal. (Il leva la main pour lui enjoindre le silence.) Deux. J'ai peur des serpents. J'ai une peur bleue des serpents. Pas seulement des serpents à sonnette auxquels tu me condamnes. Des couleuvres, des serpents-rois, des serpents des blés, des couleuvres agiles, du boa caoutchouc, de tout ce qui rampe dans l'herbe ou sort des rochers. Tu vas rire ?

– Non, répondit-elle en lui prenant la main. Non, je ne vais pas rire. Je suis contente que tu aies pu me l'avouer. Moi, j'ai peur de tellement de choses ! Je pensais que toi, tu n'avais peur de rien. Je suis heureuse que tu aies peur des serpents. La plupart des gens en ont peur.

– Toi aussi ?

– De quoi ?

– Des serpents.

Elle réfléchit.

– Non, je ne pense pas. Quand j'étais petite, je m'amusais avec des couleuvres. Je les fourrais dans ma poche et leur donnais à manger des foies de poulet.

Elle s'approcha de lui, décidée à ne pas laisser filer l'occasion.

– Tu veux savoir de quoi j'ai peur, vraiment peur ?

– Bien sûr. Décharge-toi sur moi. Je l'ai mérité.

– Bien. Laisse-moi trouver mes mots. (Elle fixait le lac des yeux et ajouta :) Eh bien, j'ai peur d'être bête…

– Tu n'es pas…

– Laisse-moi finir. Je ne t'ai pas interrompu, alors, si tu m'arrêtes, je vais m'énerver. Donc, par bête, j'entends que personne n'a jamais pensé que je puisse être autre chose qu'une jolie fille. Personne ne m'a jamais posé une question qui réclame une opinion sérieuse. Moi, j'ai besoin de plus de temps que les autres pour pouvoir dire ce que je pense, et quand j'ai enfin rassemblé mes idées, c'est trop tard. Ce que je dis a peu de valeur.

Il voulut argumenter mais se contenta de dire :

— D'accord. Quoi d'autre ?

— J'ai peur d'être seule, j'ai peur de te perdre. Et... j'ai peur des fantômes.

— Des fantômes ? Des fantômes en drap blanc ?

— Tu te moques de moi ?

— Non.

— Des fantômes qui me regardent. Des fantômes qui hantent de vieilles bâtisses ou des endroits solitaires et attendent de moi quelque chose, quelque chose que j'aurais dû faire et que je n'ai pas fait à temps.

Il resta silencieux un long moment. Tous deux avaient l'impression que leur respiration couvrait les bruits de la forêt. Puis Danny rompit le silence.

— Quand nous étions sur le bateau, j'ai senti quelque chose, quelque chose de cet ordre. J'avais envie de rentrer chez nous.

— Pourquoi n'as-tu rien dit ?

— Ce n'était qu'une impression, rien de réel.

— Les impressions sont réelles. Tu veux toujours rentrer ?

— Non.

Il lui frotta le dos de la paume de la main.

— Quelle qu'en soit la raison, c'est passé, maintenant. Je devais sans doute me sentir un peu coupable d'avoir laissé Sam, de le savoir seul au boulot.

— C'est lui qui t'a conseillé de partir avec moi, non ? Comment s'est-il débrouillé pour te convaincre ?

Danny ne pouvait pas avouer à Joanne ce qu'il avait ressenti quand il était entré dans la caravane sale et désolée de son coéquipier. Il aurait eu l'impression de le trahir.

— Il a dit que j'avais de la chance de t'avoir et que si je ne faisais pas attention à toi tu partirais avec le plombier.

La blague éculée la fit rire.

– Il est mal renseigné. Tu sais bien que c'est avec le laitier.

– Sam a dit quelque chose du genre : « On ne réalise pas ce qu'on a tant qu'on ne l'a pas perdu. » Sam n'a rien d'un philosophe. Il a juste ajouté que je devrais passer un peu de temps avec ma femme.

– Je lui en suis reconnaissante.

– Ouais…

– Et je t'aime, dit-elle doucement. Et tout le temps que tu peux me donner me comble.

Il lui prit la main pour l'aider à se relever, puis ils se remirent en route. Leurs efforts et la chaleur les faisaient transpirer tandis que le soleil au zénith leur brûlait la peau.

Les sentiers étaient bien balisés, et ils parcoururent en une heure les trois kilomètres jusqu'à la jonction avec le sentier de Boulder Creek. Ils firent un détour de huit cents mètres jusqu'au point de vue sur les chutes dont ils entendirent le grondement bien avant de les voir. Arrivés à proximité, Joanne voulut s'approcher du nuage de fines gouttelettes, mais Danny la retint.

– Non.

– Mais il fait si chaud. Je vais me déshabiller et me rafraîchir.

– Je voudrais bien voir ça. Le rocher peut se détacher et t'entraîner dans sa chute.

Elle détourna les yeux de la cascade et le suivit sur un promontoire plus sûr.

– C'est dangereux par ici. Tout paraît si beau, mais la mort n'est jamais loin.

Ils reprirent leur ascension régulière sans échanger une parole tandis que rapetissait le lac qu'ils laissaient derrière eux. Ils ne croisèrent aucun randonneur ; peut-être étaient-ils les seuls humains dans la montagne. Le sentier capricieux tantôt les condamnait à un dédale de lacets qui éprouvaient les muscles de leurs jambes douloureuses, tantôt traversait une prairie couverte de valérianes et de pâquerettes, tel un jardin de contes de fées. Ils s'arrêtèrent dans l'une d'elles et mangèrent leur dernier sandwich, burent de l'eau tiède et s'embrassèrent comme des lycéens.

Sur ses jambes plus solides, Duane avait traversé tout ça avant eux, mais sa première nuit dans la montagne avait été lamentable. L'orage avait détrempé son sac de couchage, et les insectes du Rainbow Lake s'étaient attaqués à son visage et à ses mains dès que la pluie avait cessé. Et, dans le noir total qui avait précédé l'aube, l'angoisse l'avait saisi. Et s'ils avaient pris un autre sentier ? Et s'ils avaient rebroussé chemin à cause de l'orage ?

Il attendit jusqu'à midi, n'entendant que le cri des plongeons huards et le vent qui agitait la cime des pins. Il revint sur ses pas, espérant les trouver. Le sentier grimpait puis descendait abruptement. En dépassant la cascade, il aperçut un petit bout de prairie. Il s'allongea sur l'herbe tendre et passa presque tout l'après-midi à observer. Il entendit leurs rires bien avant de les voir dans ses jumelles. Et s'ils n'étaient pas seuls ? S'ils étaient quatre ou plus, le défi pour lui serait multiplié par dix pour chaque couple. Il retint sa respiration lorsqu'il les vit émerger du couvert de pins, la femme en tête. Rien qu'eux deux. Il sut que c'étaient eux avant même de distinguer clairement les traits de leurs visages. Il avait passé tant d'heures à l'observer qu'il reconnut au premier regard son allure gracieuse propre aux femmes minces et fragiles. L'homme marchait avec une impassibilité qui trahissait la fatigue.

Certains d'être seuls, ils continuaient d'avancer, les yeux rivés sur le sentier.

Il la regarda aussi longtemps qu'il le put et revint silencieusement vers le lac vert et le bivouac dissimulé qu'il s'était choisi à une centaine de mètres des campements habituels. Le coucher du soleil était encore loin. Il regarderait où ils allaient planter leur tente puis se retirerait dans sa cachette. Il rattraperait les heures de sommeil que l'inquiétude lui avait volées, pendant que son matériel sécherait, que son corps se réchaufferait et reprendrait des forces pour la tâche qu'il lui fallait accomplir.

Ils s'installèrent près du feu que Danny avait allumé et luttèrent contre une nuée de moustiques. Joanne s'aspergea le visage et les mains d'un liquide graisseux avant d'appliquer le même traitement à Danny. Le soleil avait disparu, ne laissant dans le ciel qu'une traînée fluorescente. L'air était aussi froid que des cailloux au fond d'un ruisseau. Ils déroulèrent leurs manches sur leurs mains et coincèrent leurs pantalons dans leurs chaussettes, autant pour avoir chaud que pour se protéger des insectes. Joanne s'approcha de Danny pour mêler leurs deux chaleurs, réalisant qu'ils se trouvaient vraiment en pleine nature. Ils étaient arrivés à l'endroit caché par les nuages d'orage qu'elle avait observés la veille. Leurs jambes les avaient portés mille cinq cents mètres au-dessus du grand lac, à dix-sept kilomètres du gîte bien chauffé où ils avaient passé leur première nuit. Elle n'était pas effrayée, mais impressionnée par l'extraordinaire changement du paysage sitôt le soleil couché. Même les bruits étaient autres.

De partout leur venaient bruissements, murmures, craquements. Joanne crut entendre comme un glissement sur l'herbe. Les oiseaux ne chantaient plus, mais elle perçut à plusieurs reprises des battements d'ailes au-dessus de leurs têtes. Elle regarda Danny, qui paraissait indifférent à la vie cachée autour d'eux. Il regardait le feu et tirait sur son cigare, fasciné par les flammes.

Joanne était fatiguée, et même épuisée. Ses jambes tremblaient après cette journée d'effort, mais elle n'était pas encore assez tranquille pour se glisser dans son sac de couchage et dormir. Quelque chose pouvait se produire pendant son sommeil, et elle ne connaîtrait son ennemi que quand il serait trop tard. À ce moment, un cri résonna dans la forêt, laissant après lui un silence qui lui sembla infini. Elle entoura Danny de ses bras et enfouit le visage dans sa poitrine, avant de constater, à sa grande stupéfaction, qu'il riait.

Il la serra contre lui et lui chuchota :

– Ce n'est rien, chérie. Juste un couguar, une femelle avec ses petits. Elle ne s'en prendra pas à nous, elle cherche un mâle. J'espère qu'il va répondre à l'appel, parce que je ne peux rien pour elle.

– Tu es sûr ?

– Certain. Si on s'inquiète à chaque bruit, on est bons pour l'asile de fous. Tu avais dit, je crois, que tu voulais te retrouver en pleine nature et vivre à la dure ? Nous y sommes. C'est trop pour toi ?

– Non. Mais reconnais que c'est différent. On aurait dû camper devant la maison un moment pour s'habituer. Tu sais quoi ? Chantons !

– Tu plaisantes.

– Non. C'est ce qu'on fait quand on campe autour d'un feu.

Il chanta avec elle jusqu'à ce que la nuit les enveloppe complètement, effaçant d'abord la cime des arbres puis tout le reste, sauf le feu et le croissant de lune. *Yellow Submarine*, *Eleanor Rigby* et *Fight On for Natchitat High*. Il chantait affreusement faux, et elle comprit pourquoi il n'ouvrait jamais la bouche à l'église. Leurs voix flottaient au-dessus du lac sombre et s'y noyaient.

Alors, ayant vaincu sa peur, elle chanta pour lui de sa voix haut perchée de soprano.

Il fit un mouvement si rapide pour attraper son arme dans le sac à dos qu'elle chantait encore quand elle l'entendit crier :

– Qui est là ?

La chanson se bloqua dans sa gorge d'où ne sortit plus aucun son. Elle se retourna et aperçut une haute silhouette derrière le feu. La créature gigantesque les avait sûrement observés pendant qu'elle chantait pour son mari. Quand la chose parla, Joanne fut surprise d'entendre une voix humaine.

Danny, toujours sur ses gardes, se leva d'un mouvement fluide, son arme à la main, comme si elle était un prolongement de lui-même. L'homme leva lentement les bras.

– Pas de panique, l'ami. Je ne suis pas le yéti. Juste un imbécile qui est tombé sur un ours et s'est sauvé à toutes jambes. Braquez votre torche sur moi. Vous verrez que j'ai les mains en l'air.

Danny grommela quelque chose à Joanne, qui s'empara de la lampe torche qu'elle avait utilisée plus tôt. Le cône de lumière balaya d'abord son mari, qui tenait son revolver des deux mains, jambes écartées, toute son attention concentrée sur l'homme qui se tenait devant lui. Elle tourna la lampe vers l'inconnu et vit alors un homme de grande taille qui devait dépasser Danny de quelques centimètres, les yeux rouges comme ceux d'un renard sous le feu de sa lampe. Il avait les mains ouvertes et vides. Danny hésita puis rangea son arme dans sa ceinture.

– Désolé, dit-il. Vous nous avez surpris. Nous pensions être seuls.

– Je pensais aussi être seul, répondit l'homme. La frousse de ma vie… Pardon, ajouta-t-il en se tournant vers Joanne.

Il baissa les bras délibérément et, prenant un air gêné, attendit qu'ils l'invitent à se joindre à eux.

– Depuis combien de temps êtes-vous là ? demanda Danny d'une voix redevenue normale.

Le réflexe de défenseur s'était évanoui.

– Excusez-moi encore, mais je ne sais pas où je suis. Je suis arrivé par le bateau d'hier et me suis mis en route tout de suite. Mais je me suis fait surprendre par l'orage de la nuit dernière. Et c'est ce matin, en me dirigeant vers Early Winters, que j'ai rencontré une mère ours avec ses deux petits. J'ai passé la moitié de la journée dans un arbre et l'autre à me demander où j'étais. Quand j'ai entendu chanter – une voix de femme –, je me suis dit que j'étais au paradis ou que j'étais devenu fou. Désolé de vous avoir interrompue.

Danny prit la torche des mains de Joanne et la dirigea vers le visage de l'homme. Toute sa tension se dissipa.

– Vous étiez dans le même bateau que nous, non ? Je vous ai vu sur le pont. Approchez, mon vieux. Joanne, donne à notre homme quelque chose à manger.

– Non merci, m'dame, répondit doucement l'inconnu. J'ai grignoté des biscuits secs quand j'étais sur l'arbre et, franchement, la peur m'a coupé l'appétit.

Danny ajouta des bûches dans le feu. Les braises devinrent de hautes flammes à la lueur desquelles Joanne découvrit alors l'inconnu : roux, plus jeune que Danny, et plus grand. Une chevelure cuivrée que la lumière du feu faisait virer au magenta, des yeux rouges, et le genre de peau où affleurent les vaisseaux sanguins. Il était assez beau, mais sa rousseur la mit mal à l'aise. Elle n'éprouvait aucun plaisir à le regarder.

L'homme, qui avait à peine jeté un regard à Joanne, tendit la main à Danny.

– David Dwain, annonça-t-il. De Portland. Comment se fait-il que vous portiez un .38 ? En général, les gars montent ici avec une carabine, s'ils arrivent à la passer en douce.

– Vous imaginez un plombier sans sa ventouse ? répondit Danny en riant. Je suis flic, et sans mon arme je me sens tout nu. Quelle idée de sortir du bois à pas de loup ! J'aurais pu vous tuer. Lindstrom, Danny. Nous sommes de Natchitat, et voici ma femme, Joanne.

L'homme la regarda d'un air neutre et sortit son sac de couchage de son havresac. Il sourit à Danny.

– Je suis venu dans ces montagnes pour me vider la tête, mais rien ne s'efface aussi facilement. Nous sommes collègues. Bureau du shérif du comté de Multnomah. (Puis, se tournant enfin vers Joanne :) Vous voilà bien protégée, m'dame. Deux représentants de la loi pour vous servir d'escorte.

Il ment. La pensée effleura Joanne et se dissipa aussitôt. Bien sûr que c'était un flic, il en avait l'apparence. Elle venait à peine de retrouver Danny que déjà ce dernier reprenait ses réflexes masculins, lui demandant de servir l'inconnu, de prendre sur leurs réserves pour remplir son gobelet de whisky. Elle servit à l'étranger du ragoût de bœuf reconstitué et constata avec satisfaction qu'il était chaud. Il prit l'assiette en hochant la tête d'un air absent, concentrant toute son attention sur sa conversation avec Danny.

Elle tua de la main le moustique qui s'était posé sur sa joue et sentit la poche de sang s'écraser. Elle s'approcha de Danny, qui posa un bras sur son épaule, mais elle comprit que l'homme roux occupait toutes ses pensées. C'était toujours comme ça quand deux flics se rencontraient : ils commençaient par se flairer comme des chiens, vérifier qu'ils parlaient la même langue, puis évoquaient leurs connaissances communes, et enfin se racontaient leurs histoires de guerre.

Joanne fixa les flammes d'un air maussade et n'entendit plus que des bribes de conversation.

– La prison que vous avez là-bas est une véritable antiquité, non ? demanda Danny.

– Rocky Butte ? C'est mieux que ce que c'était. Ils ont comblé les fossés et fermé le donjon. Nos bureaux se sont également améliorés. Ils nous ont chassés des bâtiments du tribunal pour nous installer à Glisan, près de l'aéroport. Pas de fenêtres, mais des locaux fraîchement repeints.

– Vous vous plaisez au service des fraudes ?

– Disons que c'est un défi. Certains auteurs de chèques en bois sont diablement malins. On en a eu une, une femme vraiment superbe. Elle émettait des chèques sans provision dans toutes les boutiques de luxe et se dépêchait de quitter la ville avant qu'ils arrivent à la banque. Quand je la coince à San Francisco, elle me fait son numéro, joue la dignité outragée jusqu'à ce qu'elle comprenne que je vais vraiment lui passer les menottes. Alors elle me prend dans ses bras, sanglote et me propose ce qu'il est convenu d'appeler des faveurs sexuelles.

– Vous me racontez des bobards.

– Non, c'est la vérité. En d'autres circonstances, je me serais laissé tenter, mais… Bref, je la repousse, mais elle s'accroche, résiste, et voilà que sa perruque tombe. Le choc. Elle était chauve. Attendez la suite. Cette femme, l'une des plus belles gonzesses que j'aie jamais vues, était en réalité un homme. Il commence à hurler et à donner des coups de pied quand le gérant du motel me dit : « Vous ne devriez pas être si dur avec une femme. » Alors j'empoigne un téton dans chaque main, je tire dessus, et l'attirail lui tombe autour des hanches. Si vous aviez vu la tête du gérant ! En plus, il a fallu que je lui achète des vêtements pour le ramener par avion. Il n'avait que des robes.

Danny appréciait. Joanne avait envie d'uriner. Elle tentait d'ignorer la pression de sa vessie, mais c'était impossible. Elle chuchota quelques mots à Danny, qui lui répondit, d'un ton impatient :

– Eh bien, vas-y, chérie. Tu as toute la forêt pour toi.

– Danny ! Je ne veux pas y aller toute seule.

Elle le tira par la manche et l'implora comme eût fait un enfant.

– On reste là. Tu n'as pas besoin d'aller bien loin. Prends la torche.

– Danny ! Viens avec moi.

Sa gêne qui grandissait lui fit détester l'intrus avec une violence qui la surprit ; elle détesta aussi Danny.

– D'accord, lui répondit-il avant de se tourner vers l'étranger et d'ajouter en riant : La petite a besoin de faire pipi, la forêt lui fait peur. On revient.

– Ne vous éloignez pas, renchérit l'homme. Je ne pensais pas être allé si loin quand j'ai croisé les ours.

J'avais l'impression d'avoir tourné en rond. Criez si vous avez besoin d'aide.

Ils quittèrent la clairière et Danny dirigea la torche vers un tronc tombé à terre.

– Vas-y, chérie. Dépêche-toi.

– Ne la dirige pas sur moi, pour l'amour de Dieu. Il peut me voir.

– Il ne regarde pas. Bon sang, Joanne, avance et fais pipi, on gèle ici !

Elle s'accroupit juste derrière le halo de la torche et essaya de ne pas souiller son jean. Elle entendit un bruit d'éclaboussement du côté de Danny. Tout était décidément plus simple pour les hommes. Elle remonta son jean et sentit qu'il était mouillé. Si son mari n'avait pas été aussi impatient, ce ne serait pas arrivé.

– Ça y est ? lui cria-t-il en s'éloignant.

– Danny !

– Quoi encore ? répondit-il, furieux.

– Viens là. Arrête-toi une minute.

– Quoi ?

– Cet homme ne me plaît pas. Je ne veux pas qu'il campe avec nous.

– Joanne…, commença-t-il, exaspéré. Joanne, nous n'avons pas le choix. Tu veux que je le chasse et l'envoie sur le sentier quand il fait nuit noire ? Il a échappé aux ours, mais une chute peut lui être fatale.

– Il y a quelque chose qui cloche chez ce type.

– Quoi ?

– Je ne sais pas. Il nous est tombé dessus comme ça et tu l'accueilles comme un vieux copain. Il me donne la chair de poule. Que sais-tu de lui, en réalité ?

– Joanne…, dit Danny en soupirant. Ce type est clair. Il sait ce qu'il doit savoir et parle comme un flic. Et en plus j'ai vu ses papiers.

– Quand ?

– Quand tu préparais à manger. Tu crois que si c'était

161

un pervers il serait monté jusqu'ici ? Il y a mieux comme terrain de chasse.

– Qui sait ?

Il lui tourna le dos et lui lança :

– Tu es furieuse parce que les choses ne se passent pas exactement comme tu le voudrais. Tu te conduis en enfant gâtée, il serait temps que tu apprennes à t'adapter aux circonstances. Il sera parti au lever du jour.

– Je ne l'aime pas.

– Eh bien, ne l'aime pas. J'y retourne. Tu viens avec moi ?

Il s'éloigna avec la torche et elle courut pour le rattraper. L'étranger était en train de suspendre leur ravitaillement et leur matériel de cuisine sur une corde entre deux pins. Danny attrapa un bout de la corde et tira fort tandis que le géant fixait le sac de toile à égale distance des deux troncs.

– Je ne voudrais pas vous effrayer, dit-il à Joanne en souriant, mais ma mésaventure d'aujourd'hui m'a rendu prudent. Il vaut mieux ne pas tenter le diable. J'espère que vous n'y voyez pas d'inconvénient ?

Elle hocha la tête sans rien dire et ne lui rendit pas son sourire.

– Je n'en suis pas à ma première rencontre avec l'ours. En 1979, je me trouvais dans le parc du Glacier quand une des filles du refuge a trouvé la mort… Je faisais partie de l'équipe qui l'a découverte et c'était… horrible. Un grizzli lui avait arraché un bras et la moitié de la tête…

– Holà ! dit Danny en se tournant vers Joanne. On parlera peut-être de ça quand il fera jour.

– Pardon…

Elle rétorqua tout de go :

– Pourquoi continuez-vous à faire de la randonnée, monsieur Dwain ? Vous auriez mieux fait de rester bien tranquille à Portland.

L'homme s'adressa à Danny, sans répondre directement à Joanne.

– Peut-être parce que je n'aime pas l'idée qu'une créature, quelle qu'elle soit, cherche à m'intimider et m'empêche d'agir à ma guise. Mais je suis devenu prudent. De toute façon, la fille du parc avait emmené son chien et dormait dans une tente avec ses provisions. Elle n'avait pas respecté les consignes.

– Alors elle méritait ce qui lui est arrivé ? dit Joanne d'une voix dure.

– Joanne !

– Personne ne mérite ça, m'dame. Excusez-moi. J'aurais mieux fait de me taire.

Joanne attrapa son sac de couchage maintenu par une ficelle si serrée qu'il ressemblait à une saucisse.

– Je vais dormir. Il est tard.

Elle attendait que Danny lui dise qu'il allait la rejoindre, mais il lui tourna le dos pour verser du whisky à l'homme roux.

Allongée à deux mètres d'eux, elle voyait leurs silhouettes se découper à la lueur des flammes et les entendait vaguement parler de pistolets, de sexe et d'arrestations. L'alcool aidant, leurs voix graves se transformèrent en borborygmes puis en éclats de rire d'hommes ivres. Elle regarda la lune parcourir le ciel. Il était très tard quand Danny vint la rejoindre en bredouillant d'une voix pâteuse. Il essaya maladroitement d'ouvrir la fermeture Éclair du sac de couchage de sa femme.

– S'il te plaît, laisse-moi entrer, pousse-toi et laisse-moi entrer.

Elle se retourna et fit semblant de dormir, mais il insistait, descendant sournoisement la fermeture Éclair. L'air glacé s'engouffra sous sa chemise et courut le long de son dos comme un serpent. Elle repoussa la main de Danny et remonta la fermeture Éclair.

– Chérie ?

Elle resta silencieuse.

– Tu es furieuse ?

– Je dors. Va te coucher.

163

– Laisse-moi entrer. Il fait froid et je n'arrive pas à défaire mon sac de couchage.

– Coupe la ficelle avec tes dents. Tu es grand et fort.

– Tu es furieuse contre moi. Et il fait froid. Allez, chérie, sois pas idiote… Laisse-moi entrer.

– Va dormir avec le tonton flingueur de Portland.

– Il pue.

– Toi aussi, répliqua-t-elle en riant.

Même ivre, il se rendit compte qu'elle baissait la garde et s'engouffra dans la brèche.

– Mais, Joanne, tu es habituée à mon odeur. Joanne… je t'ai dit que j'avais peur des serpents. Alors, nom de Dieu, fais-moi une place à côté de toi. J'ai peur de m'emberlificoter dans mon duvet.

Joanne repensa au bon moment qu'ils venaient de passer sur le sentier et se dit que le lendemain serait un jour meilleur.

– Allez, viens. Mais pas de folies.

– Absolument pas. Ça ne m'arrive jamais. J'ai tellement froid que de toute façon j'en serais incapable. Je le jure.

Elle le laissa se glisser dans sa capsule de toile et constata qu'il était nu et excité.

– Tu as menti.

– Je sais, dit-il en ricanant. Je suis un fieffé menteur, un sacré cochon de menteur qui pue.

Il attrapa le jean de Joanne et le glissa sous ses reins.

– Danny, on ne peut pas. Où est-il ?

Il embrassa sa bouche et ses oreilles, collant son visage contre le sien tandis qu'elle essayait de se dérober.

– Lui ? Il est retourné près du petit lac. Il ne voit rien, de là-bas. De toute façon, il ne pourrait rien voir de ce qui se passe à l'intérieur du sac. Nous sommes aussi en sécurité qu'une punaise dans un tapis, pardon, deux punaises dans un tapis.

– Tu es sûr qu'il ne peut pas nous voir ? demanda

Joanne, que le désir commençait à envahir. Tais-toi une minute. Chut !

Il cessa de bouger et ils tendirent l'oreille mais n'entendirent rien d'autre que les crépitements du feu mourant.

– Tu vois ? lui chuchota-t-il. Il est là-bas, il dort comme une souche, et on ne va pas lui permettre de gâcher nos bons moments ! Je regrette de t'avoir crié dessus parce que tu avais besoin que je t'accompagne. Maintenant, sois bien sage et personne ne saura ce que nous sommes en train de faire.

– Je croyais que le froid t'ennuyait.

– Ça n'a pas été si facile.

Il lui donna du plaisir. Elle le serra dans ses bras longtemps après qu'il eut poussé son cri étouffé, veillant jalousement sur lui comme sur un enfant.

Elle ouvrit enfin les yeux pour voir où en était la course de la lune et vit le géant penché au-dessus d'eux qui les fixait d'un regard vide. D'horreur, elle referma les yeux pour les rouvrir aussitôt après. Elle ne vit alors rien d'autre que le croissant de lune et des bans de nuages qui filaient. Un rêve. Un rêve éveillé né de ses soupçons et de sa crainte d'être surprise. Il ne pouvait pas être resté là à les observer. Elle aurait entendu ses pas sur le sol spongieux, et elle n'avait rien entendu.

Après un long moment passé à écouter les bruits de la nuit que couvrait la respiration lourde de Danny, elle se calma, se colla à son mari assoupi et rêva avec lui. La femelle couguar hurlait toujours, mais Joanne ne l'entendit pas.

10

Joanne s'éveilla au petit matin, avant la chaleur. Une lumière jaune pâle, constellée de poussières, filtrait à travers la cime des arbres. Danny n'était plus à côté d'elle. Elle se redressa promptement et ouvrit son duvet qui l'emprisonnait.

– Danny ! (Sa voix, déformée, lui revenait en écho depuis la forêt.) Danny ! Où es-tu ?

Elle entendit des craquements puis des pas qui approchaient.

– J'ai cru que tu allais dormir toute la journée.

C'était Danny, et il était seul.

– Ne fais pas de mouvement brusque, ajouta-t-il. Il y a certainement des cailloux sous cette mousse. Tu peux te faire mal en t'étirant.

– J'en connais un qui était en forme cette nuit. Quant à moi, mon chéri, je me sens merveilleusement bien, lui dit-elle en riant.

– C'est donc moi qui devais être dessous. Il m'a semblé pourtant avoir commencé dessus, renchérit-il, les yeux pétillants au souvenir de leurs ébats.

Elle repensa soudain à la vision fugitive de l'étranger penché sur eux. Son imagination lui avait-elle joué un tour ?

– Où est-il ?

– Dave ? Il est redescendu par le sentier. Il a dit qu'il partirait probablement dès qu'il ferait jour. Il y a personne

166

là-bas, et son matériel a disparu. Tu n'as pas été très gentille avec lui.

– Il me mettait mal à l'aise, et tu as été aimable pour deux. Allez ! Oublions-le. C'est vrai que je n'ai pas été très agréable. Tu as faim ?

– J'ai faim et je veux des œufs au bacon, des pancakes et des pains au lait, de la viande avec de la sauce.

– Continue de rêver et descends-moi le sac. Je verrai ce que je peux te proposer.

Il rapporta de l'eau du lac qui semblait potable, avec laquelle elle prépara du café et du ragoût de bœuf lyophilisé. Elle fit frire des œufs et enroula sur un bâton de la pâte à pain en boîte pour la faire cuire sur le feu. Ils mangèrent ensemble, en silence.

– Tu veux aller là-bas ?

– Là-bas où ?

– Jusqu'au comté d'Okanigan. Si on y va, il faut marcher vers le nord et franchir le mont Bowan. Ensuite, il y a cinq heures et demie de route jusqu'au sentier de Pacific Crest.

Elle lui donna son assiette à finir.

– Doit-on décider tout de suite ?

– Non. C'est toute la beauté de la chose. Nous sommes libres et nous n'avons à décider de rien. Je commence enfin à prendre goût à l'aventure.

Il paraissait bien plus jeune : deux bonnes nuits de sommeil avaient lissé ses traits et fait disparaître ses poches sous les yeux. Elle lui prit la main.

– Tu sais quoi ? Je crois que c'est bien pour moi de dire ça maintenant. Je ne sais pas pourquoi, mais je sais que c'est bien. Il n'est pas impossible que je quitte ces montagnes avec un bébé en route.

Il leva les yeux vers elle, se demandant un bref instant si ses paroles cachaient un sous-entendu. Puis il porta la main de Joanne à ses lèvres et l'embrassa. Elle sentit son amour pur de tout désir. Elle se blottit contre lui, voulant faire durer cet instant aussi longtemps que possible.

Le coup de feu retentit quelque part sur le sentier. Danny avait encore la main de Joanne contre ses lèvres quand ils en entendirent deux autres. Il se leva et se plaça devant elle pour la protéger tout en scrutant la forêt.

– Qu'est-ce que c'est ?

– Je ne sais pas, répondit-il sans la regarder.

– Des chasseurs ?

– Non, ce n'est pas la saison. Des tirs sur cible, peut-être. Nous ne sommes pas les seuls, dans le coin.

– Qu'est-ce qu'on fait ?

Quand il se tourna enfin vers elle, elle vit que son visage était à nouveau crispé. Danny prit le sac où se trouvait son arme, puis arrêta sa main au moment où elle allait se refermer sur la crosse.

– Non, il n'y a rien à faire. Cela ne nous concerne pas.

Et, pourtant, si.

Le grand rouquin était revenu. À travers le feuillage, elle distingua sa chevelure que les rayons du soleil transformaient en torche ardente. Il courait vers eux, d'une foulée souple et régulière qui lui fit penser qu'il ne fuyait aucun danger, que c'était lui le danger. Elle leva la main en guise d'avertissement, mais Danny ne la regardait pas. D'un coup, le géant fut si près d'elle qu'elle vit la sueur coulant de son front. Mais c'est à Danny, pas à elle, que l'inconnu cria :

– Un grizzli ! Mon Dieu, c'est un grizzli !

11

Elle attendait, perchée en haut du pin où les hommes l'avaient hissée, les bras serrés autour du tronc épais, les doigts enchevêtrés. Elle avait peur de tomber. Ses jambes tremblaient et la branche où reposaient ses pieds penchait vers le sol ; elle craquait au moindre mouvement et envoyait au sol une pluie d'aiguilles de pin séchées. Joanne pressa son visage contre le tronc et sentit la sève coller à ses joues, comme du sang. Elle ne pouvait pas voir où les hommes étaient allés mais entendait, loin dans la forêt, des bruits qui allaient en s'amenuisant. Jamais elle ne s'était sentie si seule, si abandonnée. Elle s'était cramponnée à son mari, le suppliant de ne pas partir avec l'inconnu, mais il l'avait repoussée comme si elle faisait un caprice. Puis les deux hommes l'avaient juchée sur l'arbre.

– Grimpe, bon Dieu, grimpe ! lui avait ordonné Danny.

– Viens avec moi. Viens avec moi ! lui avait-elle crié, bien longtemps après qu'il eut disparu.

Sans rien connaître aux armes, elle ne faisait pas confiance au pistolet bleu nuit au canon court et plat que Danny avait emporté ni à l'arme de l'autre homme. Des jouets d'enfant face à l'épaisse fourrure et à la peau d'un grizzli. Ensemble, tous les trois, ils auraient pu rester sur leur perchoir à attendre qu'on leur vienne en aide. Elle en voulait aux hommes de l'avoir abandonnée.

169

Elle pria. Si Dieu permettait que Danny lui revienne, elle Lui offrirait sa propre vie en sacrifice. Elle acceptait de mourir à cinquante ans… même à quarante. Elle deviendrait meilleure et Lui rendrait Ses bienfaits au centuple. Elle fit son examen de conscience et énuméra tous ses péchés : médisance, orgueil, mesquinerie, avarice, jalousie. Elle était jalouse ; elle ne le serait plus. « Ô Dieu tout-puissant. Par pitié. Par pitié. Par pitié. » Elle répétait sa litanie à voix haute, sans se rendre compte que sa bouche était sèche et que ses lèvres commençaient à se fendiller.

Elle ne savait pas depuis combien de temps les hommes étaient partis, elle avait laissé sa montre en bas avec leurs provisions. Elle essaya de compter les secondes et d'enregistrer les minutes, mais c'était inutile car elle n'avait aucune idée de la distance qu'ils devaient parcourir ni de ce qu'ils comptaient faire s'ils croisaient… la créature. Il lui sembla qu'une heure s'était écoulée depuis qu'elle était sur son perchoir. Elle avait des fourmis dans les bras et essaya de changer de position, mais son appui ployait toujours plus, et elle se voyait glisser inexorablement.

Pourtant, rien n'avait vraiment changé, c'était ça l'important. Danny avait emporté son pistolet. Tous les jours que Dieu faisait, Danny partait avec son arme. La seule différence est qu'elle savait que maintenant il courait un danger. Leurs affaires étaient toujours éparpillées sous ses pieds et la vue de ces objets familiers la rassura : la cafetière soufflant encore un petit jet de vapeur ; le sac de couchage de Danny posé à côté du sien ; la gamelle dont le fond durcissait sur les dernières braises de leur feu de camp. Elle devrait la faire tremper pour espérer la ravoir. Ce soir, elle y ferait frire du poisson, si Danny en pêchait un.

S'il revient… Tu n'as pas le droit de penser comme ça ! Les pensées se concrétisent si on les formule.

Elle entendit un doux bruissement dans l'herbe et vit un minuscule oiseau tacheté de brun et de noir, les plumes de sa queue pareilles à de la neige fraîche. Un lagopède alpin.

Elle était entourée d'oiseaux qui sortaient de leurs cachettes et allaient se poser sur les branches, bien au-dessus de sa tête. L'un d'eux vint se poser tout près d'elle, comme s'il avait répondu à son appel.

Elle l'interpréta comme un signe d'espoir.

Après tout, elle n'était pas seule. Les hommes n'étaient pas loin. Des hommes forts, armés de pistolets et de bâtons, capables d'effrayer un ours. Les bêtes sauvages fuient les humains si elles ont une échappatoire, et elles avaient toute la montagne pour fuir. L'animal était probablement déjà parti. Danny et l'inconnu attendaient seulement d'en avoir la certitude avant de revenir la délivrer. Elle les imagina là-bas, derrière les arbres qui la séparaient d'eux, allumant une cigarette ou un cigare, soulagés et fiers de leur victoire.

Mais elle n'y croyait pas. Elle connaissait cet effroi impuissant qui la consumait. Quand Doss était mort dans l'incendie de la grange, elle était présente et avait vu le toit s'effondrer. Elle ne savait pas à ce moment-là lequel des hommes était prisonnier des flammes. Elle ne savait pas que les cris d'angoisse, ces cris trop tardifs, étaient ceux de Doss. Mais elle l'avait senti au plus profond de ses entrailles et dans les battements sourds de son cœur.

– Notre Père qui êtes aux cieux… (Puis, son esprit confus refusant de se rappeler la suite, elle récita le bénédicité.) Bénissez-nous, Seigneur, bénissez ce repas, ceux qui l'ont préparé… Ainsi soit-il !

Une douzaine d'oiseaux s'étaient approchés d'elle. Si elle osait desserrer les mains, elle pourrait toucher leur doux poitrail. Mais, au premier coup de feu tonitruant, ils s'envolèrent. Au second, qui semblait être l'écho du premier, elle sentit un flot d'urine chaude couler le long de ses jambes puis l'entendit crépiter sur le tapis d'aiguilles de pin.

Les hommes n'étaient pas partis aussi loin qu'elle l'avait cru : les coups de feu semblaient provenir du premier tournant du sentier.

171

Le calme revint pendant un instant, un calme qui lui parut plus profond qu'avant les détonations, par contraste avec leur bruit assourdissant. Elle retint sa respiration mais n'entendit rien. Peu après, il lui sembla reconnaître des bruits de lutte, mais elle n'était pas certaine qu'ils vinssent de la même direction que les coups de feu. Soudain, un cri déchira l'air, un hurlement ni animal ni humain, qui s'amplifia avant de céder la place à un gémissement étouffé – ce ne pouvait pas être la voix d'un homme, un homme ne pouvait pousser un cri si aigu. Et plus rien.

Il fallait qu'elle les rejoigne. Elle ne pouvait pas rester là, à l'abri, pendant que Danny courait un grave danger. Peut-être. Elle pria, espérant que ce fût l'homme roux qui avait poussé ce cri, pas Danny. Mais elle ne pouvait bouger. Ses mains ne lui obéissaient plus. Elle ne put refouler un violent haut-le-cœur et fit l'effort de se pencher pour vomir. Quelques centimètres de plus, et elle serait tombée. Aurait-elle la chance de mourir en tombant ou lui faudrait-il monter plus haut dans l'arbre ? Elle ne tomba pas.

Tout était calme. Les oiseaux étaient revenus et le soleil poursuivait son ascension comme si le monde était encore vivant. Tout était comme avant, avant que Danny l'abandonne.

Il allait arriver d'un instant à l'autre. Elle scrutait la forêt avec une telle attention qu'elle en oubliait de cligner des paupières. Les yeux lui brûlaient. Quelqu'un revenait. D'abord des craquements de brindilles, ensuite des pas sonores sur le sentier qu'elle fixait toujours, guettant son mari. Elle crut l'avoir vu quand le soleil éclaira la chevelure cuivrée de l'inconnu.

Il marchait d'un pas léger, sans donner l'impression de se hâter vers elle ni de fuir un quelconque danger. Elle ne le regarda pas, continuant de guetter Danny, qui semblait être encore loin derrière. Le géant eut vite fait de la repérer. Il courut vers elle à grandes enjambées et grimpa lestement dans l'arbre pour la rejoindre sur sa branche. Il se colla à elle. Joanne sentit la poitrine humide de l'homme contre son dos nu et se souvint du rouge qui maculait sa chemise et qu'elle n'avait pas voulu voir lorsqu'elle guettait Danny.

Il lui souffla à l'oreille :

— Madame Lind… Joanne…

— Non. Je ne veux pas parler. Je ne veux pas vous écouter, lui dit-elle en essayant de se dégager.

— Ça s'est mal passé, Joanne.

— Non.

— Je suis revenu dès que j'ai pu.

— Non. Je ne veux pas de vous ici. Je veux que vous alliez chercher mon mari.

Il attendit un long moment avant de parler.

— C'est impossible.

— Alors j'y vais. Laissez-moi descendre. Ne me tenez pas. Ne me touchez pas. Je vais aller le chercher.

Elle entendit un cri, sans reconnaître que c'était le sien.

Elle essaya de se libérer, mais il la retint ausitôt, la pressant contre le tronc de l'arbre.

— Vous sentez mauvais, dit-elle. Et je ne veux pas rester là.

— Je suis désolé, mais je ne peux pas vous laisser descendre. C'est dangereux, et je dois vous protéger.

Il l'étouffait. Elle tenta de se dégager et l'entendit grogner, mais il la plaqua à nouveau contre l'arbre.

— Laissez-moi partir. Laissez-moi partir, sale fils de pute ! (Elle n'avait jamais prononcé ce mot.) Minable et répugnant fils de pute. Je vais vous tuer si vous ne me laissez pas descendre. Je ne veux pas vous entendre, je ne peux pas vous voir, je ne veux plus jamais vous revoir.

Elle regarda la main que l'homme avançait vers son visage, vit ses doigts épais couverts de fins poils roux et quelque chose qui lui parut horrible : des stries brunes et sèches qui ressemblaient à des tronçons de vers de terre et se détachaient quand il bougeait les doigts. Elle ne se souvenait pas du mot décrivant cela. Elle tourna la tête et lui mordit la main sauvagement. Il cria et lui heurta le front contre l'arbre. Le mot lui revint enfin : sang.

Elle le mordit encore et encore, et chaque fois il lui cognait la tête contre le tronc. Du sang rouge clair coulait du poignet de l'homme. Elle appuya sa joue contre l'écorce et ferma les yeux. L'homme lui parlait, mais elle n'entendait qu'un bourdonnement de sons métalliques qui n'étaient pas des mots.

Quand enfin elle comprit ses paroles, elle eût souhaité n'avoir rien entendu.

– Il est parti.

– Où est-ce qu'il est parti ? Où ? Il aurait dû revenir me chercher.

– Non. Il est parti. Il est mort.

– Non.

– J'ai tué le mâle, mais je ne crois pas avoir eu la femelle.

Elle se tut.

– Vous m'entendez ? Vous me comprenez ?

– Il a besoin de moi.

Elle pesait ses mots, car si elle réussissait à s'exprimer clairement il la laisserait aller chercher Danny. Il était fou, elle devait faire attention à ce qu'elle disait.

– Danny est mon mari. Je dois descendre. Il a besoin de mon aide. On le laissera se reposer, ensuite nous redescendrons ensemble, et tout ira bien. Mais il faut que vous me laissiez descendre, car je ne suis pas de taille à lutter avec vous.

– Il est mort, Joanne. Croyez-moi, j'ai vérifié soigneusement avant de revenir vous chercher. Ça s'est passé très vite, et maintenant il ne souffre plus.

– Vous ne comprenez pas, répondit-elle avec la patience dont on userait avec un enfant ou un attardé mental. Nous sommes venus pour passer quelques jours ensemble et tout se passait très bien avant votre arrivée. Je ne veux pas être impolie avec vous, mais vous n'êtes rien pour nous. Je vous pardonne de m'avoir cogné la tête, mais maintenant il faut que vous me laissiez redescendre.

– Il est mort, et vous ne pouvez pas redescendre tant que je ne suis pas certain que vous ne courez aucun danger.

– Non.

– Il est mort.

– Non.

– Mort.

– Ne me parlez plus, s'il vous plaît, reprit-elle d'une voix si faible qu'elle se perdit presque dans le vent qui agitait les branches.

Puis elle se tut.

Il attendait qu'elle fasse un mouvement ou ajoute quelque chose, mais elle restait tétanisée, aussi immobile que l'arbre. Après une heure, elle se mit à pleurer, d'abord doucement, puis avec d'horribles sanglots plus animaux qu'humains. Il la serrait tendrement sous le fouillis bleuvert des aiguilles de pin ; elle paraissait indifférente à tout. Après qu'elle eut poussé un dernier sanglot, il lui dit qu'ils pouvaient enfin redescendre. Il la tint fermement, l'aida à placer ses pieds et ses mains qui ne répondaient plus, puis la posa à terre aussi légèrement qu'une feuille. Elle semblait sans poids. Elle s'affaissa et continua de trembler pendant qu'il rassemblait le matériel.

Elle comprit enfin qu'elle ne retrouverait pas Danny, que cela ne servait à rien de lutter avec l'inconnu. Elle était fatiguée, fatiguée au-delà de toute fatigue humaine, et s'étonna de pouvoir encore se lever et marcher quand il lui fit comprendre qu'il était temps de se mettre en route. Elle n'avait plus aucune force dans ses jambes, qui pourtant obéirent aux ordres de son cerveau.

Elle avait oublié son nom. Il y avait autre chose. Qu'est-ce que c'était ? Ah oui, elle devait lui poser une question.

– Stop ! lui cria-t-elle. Stop, s'il vous plaît.

Il tourna vers elle sa grosse tête et attendit.

– Quoi ?

– Vous me connaissez ?

Il ne semblait pas vraiment surpris, juste un peu troublé.

– Que voulez-vous dire ?

– Me connaissez-vous ?

– Hier soir, vous vous rappelez ?

– Ah oui. Hier soir, nous…

– C'est ça que vous vouliez me demander ?

Tout se brouillait dans sa tête, elle ne parvenait pas à fixer son attention sur quoi que ce soit. Elle était égarée, confuse. Elle regarda son corps et fut surprise de voir que c'était celui d'une femme et pas d'un enfant.

– Je ne sais pas pourquoi…, commença-t-elle avant de s'interrompre pour trouver les mots justes. Quand j'étais petite… vous savez, quand j'étais petite fille, il fallait toujours que je pose cette question. Il y avait tant d'adultes, d'adultes grands – c'est parce que j'étais toute petite – qui avaient l'air de me connaître, sans doute à cause de Doss. Mais vous ne connaissez pas Doss, n'est-ce pas ? Peu importe. Le fait est que je leur demandais s'ils me connaissaient, parce que j'avais peur. J'ai très peur maintenant, vous savez. Vous êtes très grand, vous ne me connaissez pas et j'ai peur que vous me fassiez du mal.

– Non, répondit-il doucement, s'adressant à l'enfant. Non, je ne vous ferai aucun mal.

– Est-ce que Danny est vraiment – oh, je ne veux pas le dire. Est-il vraiment… ?

– Je regrette.

Il ne regrettait rien du tout, sa voix tranchante le lui disait. Il était content.

– Vous l'avez tué, n'est-ce pas ?

Il s'approcha d'elle, mit un genou à terre et la prit par le menton.

– Bien sûr que non. Mais il est trop tôt pour que vous puissiez comprendre. N'y pensez pas. Vous êtes très fatiguée, en état de choc. Je dois prendre soin de vous.

Le vert des arbres et la couleur des yeux de l'inconnu se mêlèrent et tournèrent comme dans un kaléidoscope, jusqu'à ce que le noir fût complet. Un instant avant qu'elle s'évanouisse, une petite porte de son cerveau se referma sur l'horreur qu'elle ne pouvait soutenir. Elle ne se rendit pas compte qu'il l'avait prise dans ses bras pour l'emporter plus loin dans la forêt. Elle respirait, son cœur battait, mais son esprit était resté tapi dans le noir de sa tête.

Il baissa les yeux sur le visage pâle qui ballottait contre sa poitrine, contempla les paupières délicates et veinées, les commissures des lèvres où restaient des traces de vomi séché. Il sourit tendrement. Il lui avait dit tout ce qu'elle avait besoin de savoir.

Son mari n'était plus désormais qu'un détritus, elle lui appartenait et ils étaient seuls dans la montagne. S'il avait voulu planifier, il n'aurait pu faire mieux. Avec certaines, il avait dû user de violence, avait été forcé de les attacher, de les bâillonner ; mais, même quand il desserrait leurs liens, elles continuaient de crier et de se débattre.

Elle ne luttait plus avec lui. Peut-être savait-elle déjà qui il était. Peut-être avait-elle déjà compris qu'il était la seule issue. Cela n'avait pas d'importance car, à la nuit tombée, il l'aurait pour lui seul et elle ferait tout ce qu'il lui demanderait. Cette fois, elle ne partirait pas, elle ne le quitterait pas.

Il sourit à nouveau. Cette partie du jeu, la première, était celle qu'il préférait.

12

Joanne avait perdu toute notion de temps et d'espace. Elle avait vaguement conscience d'être portée, c'est tout. Elle sentait de légers chocs à chaque pas, elle sentait le cou massif autour duquel elle avait passé un bras. Le temps d'un éclair, elle pensa qu'elle était dans les bras de Doss, qui la portait de sa vieille Studebaker à son petit lit douillet. Puis l'image s'évanouit. Ce n'était pas vrai. Elle se trouvait ailleurs, dans la lumière blafarde d'un autre jour. Était-ce encore dimanche, cette journée interminable qu'elle avait passé dans l'arbre ? Plusieurs jours s'étaient-ils écoulés ? Elle croyait se souvenir d'avoir suivi l'inconnu dans la forêt pendant plusieurs jours puis se réveillait en sursaut de son sommeil pour s'apercevoir que l'homme la portait non pas dans la forêt, mais sur la rive gelée d'un lac. C'était le crépuscule, mais quel crépuscule ? Et quelle était cette prairie ?

Elle sentit une étrange odeur et vit contre sa joue la chemise de l'homme où une tache rouge sombre avait séché. Elle leva les yeux vers son visage, dans l'ombre. Elle les ferma et les rouvrit rapidement pour mieux voir. Il avait l'air épuisé. C'était gentil à lui de la porter, car quelque chose avait dû la blesser, quelque chose qu'elle ne se rappelait pas. Danny l'avait sûrement portée un moment avant de la confier à l'autre policier le temps de se reposer. Puis elle se souvint que Danny ne pouvait pas

178

la porter, mais la confusion de son esprit l'empêchait d'en saisir la raison. C'était étrange, ce néant où s'étaient perdus des pans entiers de sa mémoire récente. Pourtant, elle devinait que quelque chose était caché derrière ses pensées, quelque chose auquel il valait mieux ne pas penser. Elle y penserait plus tard.

— Vous pouvez me poser. Je peux tenir debout.

Il la déposa précautionneusement sur ses pieds, mais ses genoux cédèrent. Elle s'agenouilla dans les hautes herbes parsemées d'asters des montagnes, surprise de trouver le sol encore chaud malgré la fraîcheur de l'air. Il se débarrassa du sac à dos qu'il avait porté pour elle tout le temps de son évanouissement. En bougonnant, il secoua ses épaules engourdies pour rétablir la circulation sanguine.

— Vos bras vous font mal ? lui demanda-t-elle. Vous m'avez porté longtemps ?

— Pas si longtemps. Vous n'êtes pas bien lourde de toute façon.

— Est-ce que nous retournons au gîte ?

— On ne peut pas rentrer à Stehekin.

— Vous savez…, dit-elle en essayant de surmonter son épuisement, le sentier n'était pas si raide, le sentier était sûr.

— Je ne pensais pas au sentier.

— Alors à quoi ?

— La femelle attend peut-être toujours. Certains grizzlis sont rusés. Ils ont leurs propres pièges.

Puis la terrible nouvelle lui revint. Elle gémit.

— Où est Danny ?

— Souvenez-vous. Nous avons dû le laisser.

— Mais je ne voulais pas.

— Il le fallait. Ne pleurez pas. Vous avez pleuré très longtemps ce matin et cela vous a rendue malade.

— Est-ce que je vous ai parlé, après ? Je me rappelle l'arbre et ensuite la forêt.

ANN RULE

– Nous serons en sécurité, ici, pendant un moment. Demain, nous irons vers le mont Bowan, puis nous redescendrons vers le sentier de Pacific Crest.

– C'est exactement ce que Danny avait décidé de faire… Alors c'est bien, n'est-ce pas ? C'est ce qu'il voulait que je fasse. Il sait toujours quoi faire.

Ses ressassements, ses constantes allusions à l'autre homme l'agaçaient, mais il se dit que cela ne faisait que huit heures qu'ils étaient ensemble et qu'il lui faudrait du temps pour oublier. Il se retourna pour dérouler les sacs de couchage.

– Quel est votre nom ?

– Vous avez encore oublié ? Duane. Duane Demich.

– Pourquoi je pensais que c'était David ?

– Vous avez confondu. Les deux commencent par D.

– Danny aussi commence… commençait… par D.

Elle était restée agenouillée et vacillait comme si elle avait perdu l'équilibre.

– Pourquoi ne l'avez-vous pas sauvé ? Avez-vous vraiment essayé de le sauver ?

Il fit un pas vers elle et la laissa poser à nouveau sa tête sur son épaule. Puis il lui montra son bras droit couvert de longues et profondes entailles qui couraient depuis le poignet jusqu'à l'aisselle.

– J'avais presque réussi à le libérer des griffes de l'animal. Mais elle allait m'arracher le bras, alors j'ai dû me retirer. Il fallait que quelqu'un revienne vous chercher. Vous ne pouviez pas rester toute seule, vous n'auriez pas survécu. Il fallait que je choisisse entre la laisser nous tuer tous les deux et votre survie. Il aurait voulu que je prenne soin de vous.

Elle hocha la tête.

– Vous pouvez manger ?

Elle eut un haut-le-cœur à cette pensée et se leva lentement. Sa vessie la brûlait et elle se demanda pourquoi ses fonctions vitales travaillaient encore alors que plus rien n'avait d'importance. Comment faire ? Elle avait peur de s'enfoncer seule dans la forêt mais ne pouvait pas uriner à proximité de l'étranger.

– Il faut que j'aille aux toilettes, dit-elle doucement.

– Vous voulez que je vous accompagne ?

– Oh non !

– Alors abritez-vous derrière ces grands mélèzes. Vous aurez votre intimité sans avoir besoin d'aller trop loin.

Elle s'éloigna prudemment, consciente qu'il la suivait des yeux. Elle s'enfonça dans la forêt pour qu'il ne puisse pas la voir. Il faisait si sombre qu'elle distinguait seulement des piliers noirs que le soleil semblait n'avoir jamais éclairés. À quelle distance se trouvait-elle de Danny ? L'inconnu l'avait-il portée longtemps ? Ils n'avaient peut-être pas parcouru une si grande distance. Il restait encore une chance pour qu'elle retourne auprès de Danny, Danny, qui l'attendait, qui avait besoin d'elle. Un homme comme lui ne pouvait pas vraiment être mort. Il était trop costaud pour mourir en quelques minutes.

Mais il n'y avait pas de sentier. Si elle essayait de revenir vers Danny, elle se perdrait dans la montagne et son crâne serait envahi par les fougères avant l'arrivée du printemps. Elle s'accroupit et urina. Quelque chose alentour courait sur les feuilles sèches, mais elle n'aurait pu dire si le bruit venait vers elle ou s'éloignait. Elle retint sa respiration et tendit l'oreille. La créature l'imita et attendit, comme elle.

Elle avait haï l'inconnu… Quand était-ce ? Hier ? Aujourd'hui ? Elle souhaita être débarrassée de lui pour toujours. Elle n'était pas assez forte. La menace était partout, ici, là-bas, près de l'homme, partout autour d'elle. Elle était cernée par le danger, dissimulé par l'obscurité. Et l'homme n'était pas sa pire crainte.

Il lui tendit le sac de couchage pour qu'elle se glisse dedans, mais le froid lui glaçait les os, ce froid mortel pour lequel le sommeil ne promettait aucun espoir de réveil. Elle s'endormit pourtant presque immédiatement, aspirée par un abîme de néant où les rêves étaient sans consistance et se dissolvaient avant qu'elle eût pu les saisir.

Elle se réveilla et constata que son cœur battait trop vite. Elle avait de nouveau oublié où elle était, mais l'image de la mort l'obsédait. Elle se demanda si elle avait été enterrée vivante et leva la main pour toucher le couvercle de son cercueil. Ses doigts ne rencontrant que l'air, elle ouvrit les yeux, vit le ciel étoilé et un quartier de lune opaque. Elle entendit un homme respirer à côté d'elle. Soulagée que le cauchemar soit fini, elle tendit le bras pour toucher Danny.

Son bras s'arrêta à mi-parcours quand elle se souvint.

Mon mari est mort.

Elle accepta le fait dans toute son horreur, avec une parfaite lucidité. Elle sentit son cœur se briser de désespoir.

L'homme... l'inconnu... David ?... Non, Duane, lui attrapa la main et la serra. Elle pensa que c'était le geste involontaire d'un dormeur et voulut la retirer, mais il refusait de la lâcher.

– Qu'est-ce qu'il y a ?

Il ne répondit pas.

– Lâchez-moi.

Elle ne savait pas s'il était éveillé ou endormi, mais sa respiration s'était accélérée. Au moment où elle essayait de dégager sa main prisonnière, l'homme remua et vint se placer sur elle. Elle tenta de se libérer, mais le corps de l'homme la maintenait au sol.

Il avait les yeux grands ouverts, clairs et lumineux comme ceux d'un renard. Des yeux de fou.

– Quoi ?, murmura-t-elle. Qu'est-ce qu'il y a ?

Mais elle avait compris.

– Non !

– Maintenant, tu m'appartiens.

– Je vous en prie...

Elle comprit que lui parler ne changerait rien. Elle pleura.

– Ça ne sert à rien de pleurer. Tu vas aimer ça.

– Non…

Il lui frappa le visage si violemment que sa tête alla heurter le sol. Elle sentit sa bouche s'emplir de sang.

Elle lui cracha au visage. Il sourit, indifférent au crachat qui coulait sur sa joue. Puis il la frappa encore, tenant son menton d'une main pour qu'elle ne puisse pas esquiver le coup.

Il roula à ses côtés et descendit la fermeture Éclair de son sac de couchage. Elle crut pouvoir s'échapper, mais il la retint par une jambe.

– N'essaie pas de me résister. Tu ne réussirais qu'à me mettre en colère. Je ne veux pas que tu me mettes en colère. Si tu le fais, il faudra tout recommencer depuis le début. Tu ne peux pas comprendre ça ?

– J'ai si froid. Je claque des dents.

– Je vais te réchauffer. Tu vois ? Ça fait du bien, non ?

Il passa d'abord sa main sur son crâne, qu'il aurait pu écraser s'il l'avait voulu. Puis il toucha ses yeux, son nez, ses oreilles avant de lui enfoncer les doigts dans la bouche. Il ne l'embrassa pas, mais ses doigts, qui touchaient ses dents et sa langue, c'était pire.

Elle se raidit quand son énorme main se referma sur sa gorge pour mesurer jusqu'où il pouvait serrer pour la faire tousser.

– Même l'air que tu respires m'appartient. Dis ça. Tu ne peux respirer sans que je t'en donne l'ordre.

– Même l'air que je respire t'appartient.

– Laisse-moi voir tes seins. Je veux que tu me les montres.

– Oh, s'il vous plaît…

Il serra davantage, l'empêchant de respirer.

– Montre-les-moi.

Elle ne sentait plus ses doigts mais réussit à débouton-ner son chemisier en gardant les yeux fermés pour ne pas voir son regard posé sur elle.

Sa main desserra son cou, descendit plus bas et lui arracha son soutien-gorge. Elle la sentit qui massait, pétrissait et aplatissait ses seins, jouait avec eux. Elle frémit.

– Tu aimes ça, pas vrai ?

Elle hocha la tête, mais il n'y prêta pas attention. Il commençait à perdre tout contrôle de lui-même, la mordillait avec frénésie, tandis que ses mains descendaient vers son ventre. Il grognait et soupirait. Il allait la dévorer.

Il la relâcha pour se montrer à elle.

Elle resta immobile, les bras en travers de la poitrine.

Elle réussit à se mettre à quatre pattes, mais il lui attrapa la cheville d'une main leste. Il la retourna comme un catcheur et la cloua au sol, appuyant de tout son poids sur ses poignets pour l'empêcher de bouger. Elle pensa qu'il allait la tuer, mais il lui sourit.

Il prenait plaisir à jouer avec elle ; il la laissait ramper juste assez loin pour lui donner l'illusion de pouvoir s'enfuir, puis la ramenait à lui et riait. Il n'y avait pas moyen de lui échapper.

Elle ne pouvait pas lui résister. Elle ne pouvait pas s'enfuir. Elle se sentait meurtrie partout où il l'avait empoignée pour la ramener à lui. Il le ferait, de toute façon. Elle le regarda, haletante, soumise, ne souhaitant qu'en finir.

– C'est mieux.

Il se mit debout devant elle, ôta son jean et se montra à elle avec fierté. Les premières lueurs de l'aube étaient apparues derrière les arbres, et elle vit sa chair ferme et pâle. Il était immense. Monstrueux. Il la fendrait en deux et la laisserait se vider de son sang et pourrir au soleil, tout comme Danny, qui pourrissait quelque part dans la forêt. Lui était mort plus dignement. Elle était devenue une chose, un jouet à la merci du rouquin.

Elle ferma fort les yeux et attendit que l'homme lui fasse ce qu'il devait faire. Il la retourna comme si elle était une poupée. Il plia soigneusement ses vêtements et les étala sur l'herbe, il n'en finissait plus. Elle sentit son regard.

Il la toucha de nouveau de ses doigts épais.

– Tu transpires. Tu t'es réchauffée.

Son doigt descendit sous ses seins, glissa sur sa sueur froide, descendit encore et tourna autour de son nombril puis s'y enfonça. Quand son doigt eut atteint sa hanche, le géant la retourna, et la panique la saisit.

– Non… je vous en prie.

Il continua son horrible parcours. Quand il aurait fini, plus aucune partie d'elle-même ne lui appartiendrait. Aucune. Elle retint sa respiration, trop terrifiée pour prier.

Il la retourna enfin sur le dos et elle pensa que maintenant…

– Tu te refuses à moi.

– … Non.

– Ne mens pas !

Il était entre ses jambes. Elle ouvrit les yeux et vit qu'il la regardait la bouche ouverte. Il surprit son regard et sourit.

– Tu aimes ça, dis ?

Elle ferma les yeux.

– Faites-le si vous devez le faire. Je vous en prie.

– Supplie-moi.

– S'il vous plaît…

Elle eut mal comme jamais. Elle sentit d'abord un déchirement dans le bassin, puis une douleur irradiante qu'elle ne put localiser exactement. Elle l'entendit lui murmurer des paroles à l'oreille mais n'en comprit pas le sens et ne voulait pas le connaître. Cela dura si longtemps qu'elle eut la certitude qu'il allait la tuer.

Son visage penché au-dessus d'elle restait figé, tel un masque dont le soleil rougissait les yeux. Soudain, il haleta et poussa un gémissement. Il se retira enfin et roula sur le côté, comme terrassé.

Elle ne tourna pas la tête. Elle vit le ciel et un faucon qui planait au-dessus d'elle et sentit un insecte ramper sur son cou moite. Le rouquin aspira une bouffée d'air et poussa un soupir.

Elle savait qu'elle le tuerait. Elle trouverait un moyen de le fracasser, de le frapper jusqu'à ce qu'il soit méconnaissable. Puis elle irait retrouver Danny, s'allongerait à côté de lui et attendrait que la mort vienne la purifier.

Il se pencha sur elle et elle tressaillit, mais il ne lui embrassa que la joue et lui tapota l'épaule. Les hommes faisaient-ils tous ça, même les violeurs ? Elle sentit un rire hystérique la submerger, mais ce fut un sanglot qui l'étrangla. Il la laissa se dégager sans protester. Elle essaya de retrouver ses vêtements éparpillés dans l'herbe et lui tourna le dos pour se rhabiller sans qu'il prononçât un mot.

Elle vit qu'il dormait, le visage apaisé et ouvert. Il n'avait pas peur d'elle et ne fit aucun mouvement quand elle s'éloigna. S'il se réveillait, elle lui dirait qu'elle avait dû aller uriner dans les bois, et il la croirait. Il lui fallait une arme. Ses pistolets étaient dans le sac sous sa tête et, en admettant qu'elle puisse les attraper sans le réveiller, elle ne savait de toute façon pas s'en servir. Danny avait essayé plusieurs fois de lui montrer. Pourquoi ne s'y était-elle pas intéressée ? Elle ne pouvait pas le tuer à mains nues. Il lui fallait quelque chose pour l'assommer pendant son sommeil. Éveillé, il la tuerait. Il la tuerait quand il en aurait fini avec elle.

Elle ne trouva pas de bâton. Les branches tombées étaient soit trop grosses pour qu'elle les soulève, soit si pourries qu'elles s'émiettaient dans ses mains.

Les pierres étaient trop rondes, couvertes de mousse, et sans aucune arête coupante. Après une demi-heure, elle trouva une pierre assez lourde mais qu'elle pouvait soulever, et assez tranchante peut-être pour sectionner une artère. Elle la serra contre sa poitrine et la rapporta vers la prairie. Le tuer effacerait la souillure de son corps et de son esprit. Elle sentait encore son odeur. Il lui faudrait se laver pendant des jours et des jours pour redevenir propre.

Le contact de la pierre chaude et compacte l'apaisa, mais ses jambes flageolaient.

Il s'était tourné sur le dos et dormait toujours. Il ne l'entendit pas approcher, ou fit semblant de ne pas l'entendre. Mais il écoutait. Les animaux sont comme ça. Il était un animal. Il était horrible.

Elle le regarda et se demanda quelle partie de la tête elle devait frapper. Elle pensa au front, mais si elle manquait son coup le bruit sourd de la pierre l'alerterait. Sa préférence allait au visage. Elle voulait voir ses yeux et sa bouche réduits à des éclats d'os sanguinolents. Mais elle savait qu'il serait encore capable de se lever et de l'étrangler, même aveugle et le visage détruit.

Il fallait qu'elle vise le front et lance la pierre assez fort sur la calotte crânienne pour réduire sa cervelle en bouillie. Danny lui avait raconté que des gens mouraient de cette façon assez facilement. La cervelle rebondissait à l'intérieur du crâne comme un ballon et s'écrasait sur chaque bout d'os qu'elle rencontrait. C'est le cerveau, non le cœur ou les poumons, qui gouverne. Elle aurait dû s'intéresser aux histoires de Danny. Elle n'avait jamais tué une araignée ni une souris, jamais prêté l'oreille aux meurtres des hommes.

Il remua dans son sommeil et elle leva plus haut la pierre, projetant son ombre sur le visage de l'homme. Elle ne pouvait pas se décider, non parce qu'elle avait pitié, mais parce qu'elle avait peur. La vie ne lui importait plus, alors pourquoi avait-elle encore peur de mourir ? Elle avait peur de souffrir davantage. Elle craignait la violence qui s'abattrait sur elle si elle ne le réduisait pas à néant du premier coup. Et elle avait honte. Si elle avait été certaine de mourir en un instant, elle n'aurait pas eu peur, mais elle ne pourrait supporter une autre séance de torture.

Elle avait mal au bras à force de tenir la lourde pierre, mais ses mains ne se décidaient ni à la lancer ni à la reposer. Si elle le laissait vivre, il la violerait à nouveau, et de façon plus terrible encore. Si elle réussissait à l'anéantir, elle mourrait aussi, mais à petit feu, dans la nature. Ne sachant pas quel chemin ils avaient pris, elle ignorait comment en sortir. De toute manière, elle dépendait de lui. Vivante ou morte, elle était à sa merci.

Et Dieu ? Dieu lui pardonnerait-Il d'avoir tué le rouquin ? Existe-t-il des raisons qui puissent justifier un meurtre ?

Ses mains tremblaient. Des morceaux de terre se décrochèrent de la pierre et tombèrent sur le visage de l'homme endormi. Elle voulut jeter son arme mais n'y parvint pas. Alors elle vit qu'il ouvrait les yeux. Il la regarda pendant un moment sans paraître effrayé, juste surpris. Elle leva plus haut les bras, mais il l'empoigna derrière les genoux avec la promptitude d'une mangouste et la fit tomber lourdement sur lui. Elle tenait toujours fermement la pierre, qui écrasa ses doigts en rencontrant le sol. Après un instant d'engourdissement, la douleur lui brûla les mains.

Tout son mince avantage était perdu. Elle attendait qu'il la frappe. Mais il s'allongea à côté d'elle et prit ses mains dans les siennes, les retourna pour voir où elle s'était blessée.

– Qu'est-ce que tu faisais ? lui demanda-t-il, l'air sincèrement étonné.

– J'allais vous tuer.

– Pourquoi ?

– Parce que vous m'avez violée. Vous n'aviez pas le droit de me toucher. Vous m'aviez promis de m'aider.

– Je vais t'aider.

– Vous m'avez fait mal.

– Je ne t'ai pas fait mal. Tu m'as résisté. Tu t'es fait mal toute seule.

– Vous m'avez violée. Vous avez détruit quelque chose qui m'était très précieux.

– Je ne te comprends pas. Tu as besoin de moi.

– Je n'avais pas besoin d'être violée. Je n'avais pas besoin... de ce que vous m'avez fait.

– Tu avais froid. Il fallait que je te réchauffe. Il fallait que tu deviennes une part de moi-même pour que je puisse te donner un peu de ma vie.

– Vous êtes un pervers…

Il lui mit la main devant la bouche.

– Tu ne comprends pas, mais tu comprendras. Tu te rappelleras pourquoi je suis là et tu regretteras tes paroles. Tu dois vivre. Tu devras manger, dormir et marcher quand je te le dirai, car je suis le seul à pouvoir te sauver.

Il mit sa main blessée dans la sienne et regarda son sang couler sur la morsure qu'elle lui avait faite. Désormais, ils étaient chacun une partie de l'autre.

– Vous promettez de… de ne pas me toucher à nouveau de cette façon ?

– Je n'ai rien à promettre. Tu ne sais rien du tout. Je te montrerai que le sexe est un moyen de ne pas mourir. C'est moi qui t'ai donné la vie quand tu voulais renoncer. Tu t'autorisais à mourir. Tu ne voulais pas de moi, mais tu voudras de moi.

– Jamais. Jamais je ne voudrai de vous, ni comme ça ni autrement, et je vous tuerai à la première occasion.

Il se leva et ramassa leurs affaires, l'ignorant. Une fois le sac sur ses épaules, il se retourna vers elle.

– Les journées sont très courtes. Nous devons profiter du soleil pour grimper jusqu'au sommet. Tu peux m'accompagner ou non. Si tu restes ici, tu vas mourir et personne ne viendra t'aider. Si tu crois que la femelle ours a renoncé, tu te trompes. Elle est toujours sur nos traces. Depuis que la brume s'est levée, elle peut nous sentir. J'ai dû tuer son petit, et elle ne me le pardonnera pas. Elle est grande, plus grande que tu ne l'imagines. Elle ne fera qu'une bouchée de ta tête et l'écrasera dans sa gueule. Personne ne te reconnaîtra plus. C'est ça que tu veux ?

Elle se couvrit la tête des mains pour ne plus l'entendre.

– J'y vais. Tu viens avec moi ?

– Partez.

Elle l'entendit soupirer, jeter l'un des sacs à dos puis s'éloigner. Quand elle leva enfin les yeux, il se trouvait à une cinquantaine de mètres, puis il disparut complètement. Elle entendit des bruits lointains derrière elle et comprit qu'elle n'avait pas assez de courage pour mourir seule.

Il se retourna pour voir la prairie où il l'avait laissée. Il la vit penchée sur les hautes herbes, cherchant ses traces. Il aurait pu crier et lui indiquer le chemin, mais il resta silencieux et la laissa tâtonner. Elle avait été hostile, ingrate. Il fallait l'humilier.

Il s'appuya contre un rocher, se cachant délibérément à sa vue, et alluma une cigarette. Elle allait arriver.

13

Il était presque midi quand il s'arrêta à l'ombre d'un escarpement et lui tendit deux barres protéinées.

– Mange-les, lui dit-il.

Il n'avait rien manifesté quand elle l'avait rejoint, feignant de ne pas remarquer sa présence.

Elle les mâcha longtemps de façon machinale et se força à les avaler. Elle se sentait dépouillée de tout sentiment mais s'était fait une promesse : il paierait pour ce qu'il lui avait fait, et elle serait libérée de lui.

Il voulut lui prendre son sac, mais elle refusa d'un signe de tête, ne voulant rien accepter de lui. Elle ne désirait qu'une chose, le fuir et avoir la satisfaction de le voir arrêté. Aurait-elle seulement assez d'endurance pour le suivre sur le sentier ? Elle pensait pouvoir y arriver. Toutes les heures qu'elle avait passées à courir l'avaient préparée à grimper l'étroit sentier avec une efficacité que peu de femmes – et peu d'hommes – pouvaient égaler. Elle préférait ne pas penser à Danny ni se demander pourquoi son mari était mort alors que l'homme roux était en vie.

Une pensée lui vint, une pensée affreuse qu'elle tenta de refouler avant qu'elle prenne sa pleine mesure : était-il possible qu'elle soit la cause de la mort de Danny ? Le fou l'avait convoitée et savait que pour avoir la femme il fallait tuer le mari. Si c'était vrai, si elle avait seulement soupçonné ses intentions, elle se serait donnée à lui pour sauver Danny. Elle aurait tout fait pour que Danny ait la vie sauve.

Elle n'avait pas cherché à séduire l'inconnu. Sans maquillage, les cheveux gras et emmêlés, vêtue d'un vieux jean et d'amples chemisiers, elle ne s'était pas montrée sous son meilleur jour. Elle ne pouvait en être la cause. Elle devait repousser cette explication chaque fois qu'elle s'imposait à elle, sinon, cela signifiait qu'elle était responsable de la mort de Danny. Non, l'idée de la violer lui était venue après coup, tout simplement parce qu'elle était une femme sans défense et qu'elle se trouvait là.

Tandis qu'ils grimpaient vers un sommet, elle essaya de se repérer par rapport au soleil. Ils semblaient avancer vers le nord, mais elle n'en était pas certaine et n'allait pas le lui demander. Le contrôle qu'il exerçait sur lui-même était erratique, son calme apparent pouvait en un instant se rompre et les plonger tous deux dans la folie. Tant qu'ils avançaient, elle se sentait en sécurité. Pour le moment, elle avait davantage peur de la montagne, de ce paysage de roches nues où rien ne pouvait survivre hormis des lichens, quelques campanules et les mélèzes jetant leurs derniers feux avant l'arrivée de l'hiver qui les dépouillerait. En d'autres circonstances, leur splendeur l'aurait frappée, mais ils ressemblaient maintenant aux flammes de l'enfer.

Ils avaient dû grimper au moins un kilomètre et demi. Les muscles des jambes de l'homme devaient tirer, tout comme les siens. Mais cette douleur pure lui fit presque plaisir. L'homme n'avait pas relâché ses efforts et transpirait. La sueur avait trempé ses aisselles et dessinait un V au dos de sa chemise, des épaules au bas de la colonne vertébrale. Il avait changé de chemise. Qu'avait-il fait de la verte tachée de sang ?

Elle trouvait bizarre que son esprit se dérobe, qu'il esquive les zones d'ombre comme s'il craignait d'y rester prisonnier. Pour se rassurer, elle s'appliqua à chercher des pensées positives. Quand elle ne parvenait pas à dormir, dans sa ferme de Natchitat, elle se construisait mentalement une petite maison : la pluie dansait sur le toit, mais elle était bien au chaud dans sa petite chambre, sous les couvertures. Cette fois, elle réussit à imaginer l'extérieur de son abri mais ne put trouver la chambre où elle se sentait d'habitude en sécurité. L'escalier qui y montait n'était qu'un sentier raide et sans issue.

Au moment où elle comprit qu'elle ne pouvait plus grimper, ils étaient arrivés au sommet du col. Il s'arrêta pour l'attendre.

– Là-bas. Regarde.

Elle regarda dans la direction qu'il lui indiquait et fut âprement déçue : la nature y était encore plus désolée, rien n'annonçait une prochaine liberté. Le sentier, au bord d'un à-pic, était si raide qu'elle soupira bruyamment. Un faux pas, et c'était la mort assurée.

– On se repose ici, souffla-t-il. Puis on descend par la forêt, on traverse les prairies pour rejoindre l'autre sentier. Cinq heures, peut-être six.

Elle ne dit rien mais accepta la gourde qu'il lui tendait et but jusqu'à ce qu'il la lui prenne des mains.

Il regarda les prairies qui s'étendaient plus bas puis ferma les yeux et s'adossa au rocher. Sous cet angle, il ressemblait à un adolescent angélique. Lucifer. Un ange déchu.

Les hommes ont parfois l'air de gamins quand ils dorment, quand ils sont en colère ou quand un accès d'enthousiasme fait tomber leur cuirasse. Il sentit qu'elle l'observait et se tourna vers elle en souriant. C'était le premier sourire franc qu'il lui adressait. Il en était métamorphosé, et elle eut du mal à reconnaître l'homme qui l'avait violée. La tête lui tourna soudain.

Il enleva sa chemise trempée, et elle vit alors la cicatrice qui luisait sur ses épaules. Sans doute une terrible brûlure.

– Comment vous êtes-vous fait ça ? lui demanda-t-elle, malgré elle.

– Quoi ?

– Cette cicatrice de brûlure sur votre dos.

– Ça ? Je me suis renversé un pot de café brûlant quand j'étais petit. J'imagine que j'ai dû hurler, alors la vieille femme de la caravane d'à côté m'a mis du saindoux et m'a enveloppé dans un drap. La mauvaise idée. Quand l'infirmière a voulu l'enlever, la peau est venue avec.

– Où était votre mère ?

– Elle travaillait. Mon père s'est tiré avant ma naissance.

– C'est douloureux ?

– Plus rien n'est douloureux. Tu es prête ?

Il partit sans attendre sa réponse, et elle dut courir pour le rattraper. La descente sollicitait d'autres muscles. Ses chevilles lui faisaient mal. Les mélèzes étaient proches, pas assez cependant pour l'arrêter si elle glissait. La forêt céda la place à l'épaulement rocheux de la montagne. Elle glissait souvent et sentait chaque fois l'aiguillon de la peur lui percer l'estomac. Il lui tendit la main, qu'elle prit instinctivement.

– Le dénivelé est de trois cents mètres, dit-il. Si tu glisses, pose tes pieds en travers de la pente. Ne panique pas. Je peux te retenir.

À mi-descente, il s'arrêta si brusquement qu'elle tomba sur lui. Il la retint. Elle suivit son regard et vit tout en bas une coulée d'avalanche. Elle distingua la prairie rase et la forêt qui la bordait. Certains grands arbres avaient été déracinés par l'avalanche. Mais elle n'aperçut aucun chemin de sortie. Pas de sentiers du tout. Elle lui demanda quelle direction ils allaient prendre, mais la cascade qui dévalait du mont Bowan couvrait tout bruit humain.

Elle lui faisait confiance pour l'itinéraire, uniquement pour ça. Ils traversèrent une nouvelle forêt de sapins, de pins, d'épicéas et de mélèzes qui masquait la prairie. Des kilomètres et des kilomètres de forêt la retenaient prisonnière avec l'homme. Elle était assez proche pour sentir son odeur, pour voir sa cicatrice zigzagante et les plaies à peine refermées de son bras. Elle remarqua que sa main portait des marques de morsure, trop petites pour avoir été faites par la mâchoire géante de l'ours femelle qu'il avait décrite. Elle s'interrogea et se demanda qui, ou quoi, pouvait l'avoir mordu.

À mi-chemin de cette damnée montagne, il aurait dû repérer le sentier, mais il n'avait vu que des arbres. Il était plus contrarié qu'inquiet. Dans le bureau des gardes forestiers, il avait étudié la maquette en relief et avait lu la brochure qu'ils vendaient trois dollars. La route était bien indiquée sur l'une comme sur l'autre. Mais pas de sentier. Il ne le trouva pas davantage quand ils furent dans la prairie.

Il avait la femme, c'était l'essentiel, la femme dont la survie dépendait déjà de lui. Comme Loreen, elle était peu sûre d'elle et cherchait un homme pour la sauver. La peur la faisait agir en idiote, exactement comme Loreen quand elle avait ses accès de colère. Bien que plus robuste que Loreen, elle ralentissait tout de même leur avancée. C'était le milieu de l'après-midi. S'il ne trouvait pas le sentier d'ici à une heure, ils seraient pris par la nuit. Pendant qu'il cherchait un passage à travers les arbres, elle se reposa dans la prairie et cueillit des pâquerettes.

Elle releva le menton d'un air de défi à son approche, les yeux assombris par la fatigue et l'indécision.

– Vous n'êtes pas policier, n'est-ce pas ?

– Non.

– Et vous ne venez pas non plus de l'Oregon ?

– Non.

– Vous allez me tuer ?

Il se laissa tomber à côté d'elle, déboutonna lentement son chemisier.

– Pourquoi voudrais-je te tuer ? Je ne vais pas te tuer. Je t'aime. Tu m'as toujours appartenu et tu m'appartiens encore aujourd'hui. Tu es à moi, tu es ma possession.

Elle comprit alors qu'il était fou.

Elle ne lui résista pas ni ne le supplia. Elle s'allongea et le laissa la toucher. Elle l'entendit psalmodier :

– Tes yeux m'appartiennent, ta bouche et tes seins m'appartiennent. Tout m'appartient, tu m'appartiens tout entière.

Tout cela n'était qu'un mauvais rêve auquel elle n'appartenait pas. Elle s'était dissociée de son corps et regardait sans rien sentir. Elle gémit quand l'homme roux lui donna l'ordre d'écarter les jambes. Quand il se rendit compte qu'elle commençait à avoir mal, il lui donna le temps d'absorber la douleur.

Puis il la prit dans ses bras, la berça et la caressa jusqu'à ce qu'elle respire calmement. Quand elle essaya de se dégager, il pressa les pouces sur sa gorge et l'étrangla de nouveau, mais elle se contint et resta tranquille. Il semblait satisfait d'elle.

Elle réessaya peu après, se dégageant centimètre par centimètre, et, cette fois, il lui permit de s'éloigner. Il la regarda se rhabiller.

– Tu es la femme la plus parfaite, la plus belle au monde. Je te protégerai et rien ne pourra t'arriver. Je ne t'ai pas fait mal, car tu ne m'as pas résisté. C'est comme ça que ça doit se passer. Tu fais partie de moi, maintenant.

Elle s'éloigna vers la lisière de la forêt. Il ne fit rien pour l'arrêter mais la regarda s'enfoncer dans la végétation. Elle espérait trouver le sentier. Dès qu'elle l'aurait trouvé, elle s'enfuirait, et s'il se lançait à sa poursuite elle grimperait sur quelque chose, quelque chose de très haut.

Elle chercha longtemps, sans rien trouver qui ressemblât à un sentier. Ce n'étaient que bois et sous-bois. Après un moment, elle revint dans la prairie et se coucha sur l'herbe en position fœtale. Il la rejoignit mais ne la toucha pas, se contentant de projeter son ombre sur elle. Puis il s'éloigna et elle s'endormit.

14

Sam tourna dans l'allée menant à la ferme. Il pleuvait
encore, et les mauvaises herbes semblaient avoir poussé
de trente centimètres en quatre jours : elles accrochaient
les ailes du pick-up et les éclaboussaient d'eau. Quand il
avait appelé à 7 heures, ce soir-là, personne n'avait
répondu, mais c'était un peu tôt. Leur bateau devait être
arrivé à Chelan à 18 heures, et il fallait compter ensuite
une bonne heure de trajet à cause des routes chargées du
week-end du Labor Day. Il était maintenant 19 h 45, ils
devaient être rentrés. En entrant dans la cour, il fut déçu
de ne pas voir le véhicule de Danny sous l'abri. Il alluma
une cigarette et se prépara à l'attaque de Billy Carter, mais
le jars ne se montra pas. La ferme avait l'aspect abandonné
d'une maison vide. L'herbe était haute ici aussi et les
tournesols de Joanne, gorgés d'eau, penchaient leurs têtes
comme des vieilles femmes. Il termina sa cigarette, en
alluma une autre et guetta le bruit lointain de l'accélérateur du 4 × 4 de Danny grimpant sur la colline. Il entendit
des freins crisser sur le gravier, mais rien de plus proche.

Un peu avant 20 heures, Sam se dit que Danny lui avait
peut-être laissé un mot. Mais la petite maison de cèdre où
était attaché le bloc-notes n'avait pas été ouverte depuis
longtemps, et une toile d'araignée barrait le loquet. Si
Danny rentrait tard, il déposerait sans doute Joanne chez
sa mère et irait directement prendre son service ; il avait

un uniforme de rechange dans son casier. Sam chercha la clef, qu'ils cachaient sous un bardeau de la véranda. Il jugea utile d'entrer dans la maison pour voir s'ils avaient laissé des signes de leur retour.

Il entra dans la cuisine silencieuse. Excepté ses propres pas, il n'entendit que le tic-tac de la vieille horloge. La pièce sentait le renfermé, un mélange de fumée de cigare, de poussière et une légère trace d'ordures. Deux assiettes avaient été abandonnées dans l'évier avec un toast moisi et des miettes de jaune d'œuf. Des conserves étaient alignées sur le comptoir. Il passa un doigt sur un couvercle et vit qu'il laissait une trace sur la fine couche de poussière. Ils étaient étiquetés de la main de Joanne : « Pêches, 3 septembre 1981 ». Il sourit en pensant qu'elle avait continué jusqu'au dernier moment, sans doute contrariée d'avoir laissé deux assiettes sales.

Il prit le téléphone et composa le numéro du bureau.

– Fletch ?

– Tu ferais mieux de rappliquer fissa, Sammy.

– Danny est dans les parages ?

– Négatif.

– Je suis chez lui, il n'y a personne.

– Ils sont sûrement pris dans les embouteillages. Tout le monde attend la dernière minute pour rentrer.

– Ouais, bon, j'arrive. Si jamais il arrive avant moi, dis-lui de m'attendre.

La virée jusque chez Danny avait retardé Sam et donné tout le temps au shérif adjoint Walker Fewell de préparer sa semonce. Fewell était un homme petit et musclé, partisan d'une discipline sans faille. Il ressemblait à un sergent instructeur de la marine, ce qu'il était, du reste. Il devait son intégration au bureau du shérif de Natchitat à une faille sur la liste de qualifications du service civil. Tout ce qu'il connaissait du travail de la police tenait dans un verre à liqueur et, pour ne rien arranger, il le savait pertinemment. Il compensait donc ses insuffisances en exigeant une obéissance absolue, des bottes cirées à la salive, des uniformes immaculés et repassés. Il caressait les journalistes dans le sens du poil et cherchait des poux à Sam parce qu'il ne pouvait pas supporter qu'un flic refuse de reconnaître son existence. Sam regardait toujours ailleurs quand Fewell lui parlait.

Walker Fewell était assis dans son petit bureau aux murs tapissés de certificats et de récompenses pour le travail non accompli. Il lisait les rapports de la nuit précédente, annotant et entourant l'écriture ronde de Sam avec la méticulosité d'un maître d'école.

Sam passa tranquillement la tête par l'embrasure de la porte et fit signe à Fewell de lui jeter les clefs de la voiture de patrouille, mais le shérif adjoint l'appela de sa voix aiguë et nasillarde.

– Inspecteur Clinton, voulez-vous bien entrer avant de partir ?

– Il va vérifier si ton caleçon est repassé, Sam, chuchota Fletch.

– Peu importe, je n'en ai pas.

– Alors que Dieu te vienne en aide. Sam, ne l'énerve pas. Il a regardé la feuille de présence et vu que tu as été en retard trois fois la semaine dernière. Il va te faire balayer la cellule, tu vas voir.

Les mains appuyées de chaque côté du chambranle de la porte, Sam toisait le shérif adjoint assis sur sa petite chaise devant son énorme bureau bien rangé. Il se montra respectueux, mais Fewell lut ou crut lire de la moquerie dans ses yeux.

– Clinton, vous n'êtes pas indispensable.

– Non, monsieur.

– Vous avez été en retard plusieurs fois la semaine passée, et vous avez sept minutes de retard ce soir. La ponctualité vous pose-t-elle problème ?

– Non, monsieur, j'ai eu des pépins avec mon pick-up.

– Alors débrouillez-vous autrement.

– Oui, monsieur. C'est tout, monsieur ?

– Nous sommes une petite unité, mais nos exigences

sont les mêmes que partout dans le pays. Vous savez l'importance que j'accorde au maintien d'une organisation efficace ?

– Oui, monsieur.

– Ce rapport sur l'incident de la nuit dernière avec… avec Mme Alma Pavko…, commença-t-il en tapotant la feuille jaune étalée devant lui du fourneau de sa pipe éteinte. Inspecteur Clinton, la grossièreté semble être une habitude chez vous. Nous n'employons pas le mot « merde » pour qualifier les excréments humains. Ils liront votre rapport au tribunal, vous savez, et les expressions « merde » et « à poil » révèlent un manque de goût pour le moins regrettable.

– J'ai témoigné plusieurs fois à la cour, monsieur. Je sais à quoi servent les rapports de police. Mais je doute que l'affaire de Mme Pavko soit portée devant la justice. La dame est sûrement bien embarrassée, aujourd'hui.

– Peut-être n'ira-t-elle pas en justice, mais je pense que vous m'avez compris.

– Oui, monsieur.

– Où est votre coéquipier ? En retard lui aussi ?

– Il a pris quelques jours de compensation, monsieur. Les Lindstrom ont manifestement été bloqués dans les embouteillages. Je suis certain qu'il va se présenter dès son arrivée en ville.

– C'est tout. Vous pouvez partir. Mais je veux voir Lindstrom dès qu'il arrive.

– Merci, monsieur.

Sam passa la porte puis jeta un dernier coup d'œil à Fewell, qui se curait le nez.

– Passez une bonne soirée, monsieur, ajouta-t-il.

Pendant son service, Sam appela si souvent le bureau pour avoir des nouvelles de Danny que même Fletch en fut exaspéré.

– S'il appelle, je te préviendrai. Maintenant, retourne à ton travail si tu veux mériter ton salaire.

15

Elle se réveilla lentement, traversant chaque strate d'angoisse avant de refaire surface. Quand elle recouvra sa pleine conscience, sa terreur était aussi vive que le soleil qui lui transperçait les yeux. Elle avait compris que Danny était réellement mort, que rien ne pouvait plus le sauver. Demain, le mois prochain, Noël, l'année prochaine et toutes les années qu'il lui restait à vivre auraient lieu sans lui. Cette certitude lui fut insupportable.

Elle s'enfouit le visage dans l'herbe et essaya d'oublier le monde. Elle était seule.

Hélas, non.

Il était penché sur elle et lui secouait l'épaule. Elle poussa un gémissement et s'enfonça davantage dans le tapis d'herbes, assez profondément pour sentir sous elle le froid tombal de la terre. Il n'y avait aucune consolation ici-bas. Aucune consolation nulle part. Elle se releva et se mit à marcher à petits pas serrés en se tordant les mains. Cette partie de la prairie semblait plus sûre. Ou celle-ci. Non, la terreur était en elle, elle n'avait nulle part où se réfugier.

– Quelle heure est-il ? Quelle heure est-il ? Heure ? Heure…, répétait-elle comme une complainte.

– Presque 5 heures.

– 5 heures du matin ? 5 heures du soir ? Il faut partir. Je veux partir d'ici. Vite, vite. Montrez-moi le chemin.

201

– C'est l'après-midi. Tu as dormi longtemps. Je t'ai laissée dormir, car tu étais épuisée. L'herbe est douce, non ?

– Il fait froid. Le sol est froid. On doit partir. Il faut descendre la montagne, prévenir quelqu'un pour qu'il vienne chercher Danny.

– Il est mort.

– Je sais, je sais, je sais… Mais il doit reposer dans une pièce propre, un endroit où – oh, mon Dieu ! – rien ne puisse plus lui arriver. Il faut avertir quelqu'un.

– On ne peut pas partir ce soir. Il est trop tard et la forêt est trop sombre. La nuit, dans la forêt, les choses te suivent, te trouvent sans que tu les voies. Rien ne t'indique leur présence. Elles viennent pour toi.

– C'est vous qui avez fait tout cela, n'est-ce pas ? Vous avez attendu la nuit tombée pour venir nous surprendre et vous avez tout changé. Vous avez tout détruit.

– Non. Je voulais te prévenir. Je suis venu pour t'avertir du danger. Dieu m'a mis sur ton chemin pour que je te sauve. Tu crois en Dieu, non ?

– J'y croyais.

Elle avait oublié Dieu à l'instant où Il l'avait abandonnée.

– Tu y crois encore. Rien n'arrive sans raison.

– Quelle raison ? lui hurla-t-elle. Pour quelle raison mon mari est mort à votre place ?

– Je ne sais pas. Je sais seulement que je suis là pour toi et que tu dois me faire confiance.

– Pourquoi ?

– Parce que tu n'as personne d'autre.

Il n'était pas l'envoyé de Dieu, il était Lucifer qui se servait du nom de Dieu pour embrouiller son esprit. Mais si elle se trompait ? Après tout, il ne l'avait pas tuée et elle pensait qu'il le ferait. Il était sans doute fou, mais elle ignorait s'il était un fou méchant ou un fou gentil. Elle était sûre qu'il l'avait violée, mais, si certains pans de sa mémoire étaient intacts, d'autres se confondaient. Avait-elle fait l'amour avec Danny ou avec lui ?

Elle le vit remuer quelque chose sur le feu, et une odeur de nourriture monta à ses narines.

– Tu dois manger, lui dit-il en souriant. Tu dois reprendre des forces, car j'ai trouvé le chemin pendant que tu dormais. Il était juste là, derrière ces troncs coupés. Demain matin, on le suivra, je te le promets.

– Pourquoi m'avez-vous violée ?

– C'est le souvenir que tu gardes ? lui dit-il en lui souriant à nouveau.

– Bien sûr que c'est le souvenir que je garde.

Mais elle ne se souvenait en réalité que de leurs corps qui remuaient ensemble, de la lune, ou du soleil, au-dessus de sa tête, et de son visage. Non, ça, c'était avec Danny. De quoi se souvenait-elle ?

– Tu as lu la Bible ?

– Je la lisais beaucoup.

– Alors tu devrais savoir qu'un homme est responsable de l'épouse de son frère mort : c'est à lui que revient la charge de s'en occuper et de l'aimer parce que son frère ne le peut pas.

– C'était trop tôt…

– Peu importe le moment. Il était inévitable que nous tombions amoureux.

Elle avait si peur de lui. Il la bombardait de tant de mots et de phrases qu'elle en avait le vertige. Il pouvait la tuer de multiples façons. Laquelle choisirait-il ? Elle ne savait pas comment se comporter avec sa folie. Peut-être était-elle folle, elle aussi ? Cette pensée lui donnait la nausée.

– Regarde autour de nous, continua-t-il d'une voix monocorde. Nous sommes au paradis. Nous avons traversé l'enfer, et nous avons été récompensés par le paradis. Dieu a créé le monde en six jours. Ces six jours ont-ils chacun duré vingt-quatre heures ou un siècle ? Savons-nous quelle heure il est ? Pouvons-nous être absolument certains qu'il existe encore un monde en dehors de ce que nous connaissons maintenant, aujourd'hui, à cet instant, à cet endroit ? Y a-t-il quelque chose derrière ces arbres et ces collines ? Il n'y a peut-être plus rien, peut-être que le reste du monde est mort.

— Mais vous m'avez dit que vous m'emmèneriez demain. Vous me l'avez promis.

— Je l'ai dit et je le ferai. Mais tu ne dois rien pleurer ni personne tant que nous avons tout cela. Nous avons été bénis, c'est la seule chose dont nous soyons certains.

— Je ne suis certaine de rien. J'ai beaucoup de mal à penser.

— Je penserai à ta place.

— Je n'ai pas le choix, n'est-ce pas ?

— Tu peux me quitter à tout moment.

Elle ne le crut pas mais n'avait pas la force de discuter. Elle était si fatiguée. Elle ne parvenait plus à faire de longues phrases, car ses pensées se dispersaient avant qu'elle ait pu les rassembler.

— Tu peux me laisser, mais cela n'arrivera pas. Tu mourrais, sans moi. Nous avons traversé le pire. Mange ça.

Elle considéra avec méfiance les morceaux brunâtres et le liquide qu'il lui tendait. Elle mangea et but machinalement.

L'obscurité tombait déjà sur la prairie, l'enfermant avec lui pour une autre nuit. Elle frissonna. Tout en paraissant regarder ailleurs, il remarqua son mouvement.

— Tu as froid.

— Un peu.

Il couvrit ses épaules d'un sac de couchage d'un geste impersonnel. Se souvenait-elle de ses mains ?

Elle ne voulait pas lui parler, mais n'avoir personne à qui parler était atroce : le silence laissait son esprit errer et ne lui apportait que des fragments d'horreur. Elle vit le visage de Danny, ses yeux morts qui l'imploraient, sa bouche morte qui l'appelait avant de se remplir d'un flot de sang. Elle dut lutter pour garder la nourriture qu'elle venait d'ingurgiter.

– Il faut que je retourne dans les bois, dit-elle doucement.

– Je viens avec toi.

Elle ne discuta pas. Son corps et ses fonctions ne lui
importaient plus. Il les lui avait pris, effaçant quelque
chose qu'elle avait gardé précieusement sa vie durant.

Elle s'accroupit près d'une souche et détourna la tête,
mais elle sentait qu'il la regardait. Il revint vers leur petit
campement désormais éclairé par les seules braises.

Il jeta d'autres bûches dans le feu, qui s'éleva en hautes
volutes, formant un halo de chaleur contre le froid, bien
réel. Le vent qui soufflait envoyait de la fumée ; elle dut
s'asseoir près de lui mais tint son sac de couchage serré
autour d'elle comme un rempart dressé contre ses mains.

Il l'avait violée. Maintenant, elle en était certaine, sans
pouvoir se rappeler combien de fois. Il était comme un
animal en rut. Elle avait entendu Doss dire qu'un bélier
pouvait copuler plusieurs fois par jour. L'homme roux
avait cette même vigueur.

– J'ai besoin de savoir ce qui est arrivé à mon mari,
lui dit-elle timidement. Je crois… si vous pouvez tout me
dire… que je serais capable de le supporter. C'est très
douloureux pour moi de ne pas savoir. J'imagine des
choses, je vois des images terribles, car je ne sais pas ce
qui lui est réellement arrivé.

Il resta silencieux un long moment avant de répondre.

– Si je pensais que cela puisse t'aider, je te l'aurais dit,
mais cela ne t'aidera pas. Je t'ai dit que ç'avait été rapide,
qu'il n'avait pas souffert, et c'est assez pour l'instant.
Quand le moment sera venu, et que nous aurons échappé
aux dangers qui nous cernent, je répondrai à toutes tes
questions. Mais pas maintenant. Et pas de sexe ce soir…

Elle en éprouva un immense soulagement. Mais non,
ce n'était sans doute qu'une nouvelle ruse.

– Nous pouvons parler, mais il y a des règles. Tu dois
laisser de côté tout ce qui est insupportable. Tu peux parler
de tout ce qui s'est passé avant notre rencontre, de ce qui

se passera demain ou la semaine prochaine. Mais nous ne parlerons de rien de ce qui s'est passé entre les deux.

– C'est impossible.

– Non. Imagine que nous sommes dans un train, la nuit. Le train nous emporte là où nous voulons aller. Tu es une jolie et gentille jeune femme, je ne suis pas si mauvais que cela, et nous avons une longue route à faire ensemble. Alors nous nous parlons, nous faisons passer le temps, laissons derrière nous tout ce qui nous chagrine, et moi je m'occupe de l'avenir.

– Mais personne ne peut commander l'avenir.

– Si. L'avenir peut prendre la forme que nous avons choisie. Maintenant, regarde le feu et continue de le fixer. Tu vois les lumières des maisons le long du sentier ? Tu entends le sifflement du vent ? Écoute maintenant le cliquetis des roues secouées par les irrégularités du chemin.

– Non. J'entends le cri d'un plongeon huard.

L'homme lui serra si fortement le bras qu'il en eut mal aux doigts.

– Ce n'est pas un huard ; c'est un sifflement. Il faut que tu écoutes.

– Je vais essayer.

La voix de l'homme était si grave qu'elle résonnait jusque dans ses os. Elle se tourna pour se défaire de l'emprise de sa main. Il la laissa se dégager.

– Quel âge avez-vous ?

– Peu importe. Rien qu'une portion de temps.

– Je ne sais pas comment parler. J'ai peur de ne pas respecter vos règles.

– Tu es douce et gentille comme ma mère. Tu lui ressembles, même.

– Où est-elle, maintenant ?

– Partie.

Elle attendit qu'il en dise davantage, mais il resta silencieux, les yeux rivés sur le feu.

– Je me souviens de tout, tu sais. Tu le crois ?

– Oui, acquiesça-t-elle.

Elle ne voulait pas le contredire, redoutant de faire jaillir quelque étincelle qui embraserait sa folie.

– Nous n'étions pas des sédentaires, comme vous. On vivait avec les forains, parce qu'il n'y avait que là qu'elle pouvait travailler. Ma mère était très jeune, mais tout ce qu'elle faisait, elle le faisait pour moi. Elle me consacrait chaque minute de son temps, quand elle le pouvait.

Il marqua une pause, comme s'il attendait qu'elle lui dise le contraire. Elle ne fit aucun commentaire.

– Elle dansait bien. Elle aurait pu se produire partout mais avait peur de se lancer. Je me souviens qu'elle portait un costume rose avec des petites choses brillantes dessus, des petites perles – comment appelle-t-on ça déjà ? –, des paillettes. Elle avait l'air d'une princesse. Ses cheveux étaient comme les tiens, mais plus longs.

Sa voix changea. Elle sentit poindre de la colère, se crispa, mais il continua à évoquer ses souvenirs.

– Nous vivions dans une petite caravane minable, glaciale en hiver, un vrai four l'été, les pneus toujours à plat. Je me réveillais la nuit et voyais qu'on s'était arrêtés en rase campagne. Elle pleurait parce qu'on ne nous avait pas attendus et qu'il n'y avait personne pour nous tirer d'affaire. Il faut avoir vécu ça pour comprendre. Les autres enfants ne voulaient pas jouer avec moi. Leurs mères accouraient pour me dire de m'en aller.

« N'empêche que j'ai toujours voulu une bicyclette. Mais elle avait déjà du mal à nous nourrir. Elle n'avait qu'une paire de chaussures, des souliers argentés avec des lacets de différentes couleurs qu'elle pouvait assortir à ses costumes. Ils étaient fendillés sur les côtés et la semelle était si fine qu'elle attrapait les échardes de la scène. Mais elle ne pouvait pas s'en offrir d'autres parce qu'elle préférait me donner à manger. Je jurerais que tu n'as jamais souffert de la faim, je me trompe ? As-tu déjà mangé pendant tout un mois des patates à l'eau et de la bouillie de semoule ?

– Non.

– Il était donc hors de question d'avoir une bicyclette. La première fois que je suis monté sur un vélo, j'avais quatre ans. Un gamin de la ville passait par là avec sa belle bicyclette rouge, alors je la lui ai prise, mais ce morveux s'est mis à pleurer et à hurler que je la lui avais volée. La première fois. Et un tour gratuit. J'étais enfin libre d'aller où bon me semblait. Mais son père est arrivé, a attrapé le guidon en me criant : « Rends-lui, espèce de vaurien ! » Le moutard grimaçait comme un singe et me tirait la langue. Ma mère a tenté d'expliquer que je ne faisais que l'essayer, mais le père du gosse, cet enfoiré qui lui tripotait les seins comme si elle ne méritait aucun égard, lui a hurlé : « Tu éloignes ton sale petit bâtard de la bicyclette de mon fils ! »

– Vous avez dû le détester.

– Je me suis vengé. Ils l'ont regretté.

– Vous n'étiez qu'un petit garçon. Comment avez-vous pu…

– Oh, ça, j'étais une petite teigne, mais une petite teigne futée. J'avais vu qu'ils avaient laissé leur imbécile de chien dans leur bagnole, les vitres un peu descendues à cause de la chaleur. J'ai attendu qu'ils s'éloignent. La voiture n'était pas fermée, alors j'ai remonté complètement les vitres. Ils ont dû avoir une sacrée surprise en revenant.

La nausée la saisit, mais elle n'en laissa rien paraître. Il continua son récit.

– Plus tard, j'ai eu une bicyclette qu'un gamin avait laissée avec un pneu dégonflé. Je l'ai prise avant qu'il revienne. Le sauvage y a mis une rustine, et elle était comme neuve.

– Qu'est-ce que c'est qu'un sauvage ?

– Quelqu'un qui arrache avec ses dents la tête des poulets vivants.

— Pourquoi ?

– Pour attirer les gogos. Ils adorent ce genre de truc,

ils viennent pour voir des bébés morts conservés dans le formol.

– Vous n'aimez pas les gens.

– En général, il n'y a pas grand-chose à aimer chez les gens. C'est chacun pour soi.

Que de violence ! Chaque sujet abordé semblait lui rappeler une affreuse histoire, comme s'il n'y avait en lui place que pour la haine. Elle essaya de penser à quelque chose de plus doux.

– Où est votre mère ?

– Tu n'as toujours pas deviné ?

– Non.

– Elle est morte. Autrement, jamais elle ne m'aurait laissé. Elle a voulu sortir en ville un soir, dans le Texas ou l'Oklahoma, peu importe. Le cow-boy conduisait et elle était assise à l'avant quand la décapotable a heurté de plein fouet un camion chargé de poteaux télégraphiques. Il l'avait vu venir et a pilé, mais l'un des poteaux est passé au travers du pare-brise et lui a emporté la tête.

– Oh, mon Dieu ! cria-t-elle malgré elle.

La voix du rouquin ne trahissait aucune émotion.

– Il était environ 5 heures et j'attendais son retour. Les forains m'ont mis dans la roulotte de la grosse femme et ont quitté la ville. Je m'inquiétais et me demandais si elle pourrait nous retrouver. J'avais écrit mon nom à l'arrière de la caravane, pour qu'elle sache où j'étais. J'inscrivais mon nom sur les panneaux de toutes les villes que nous traversions, en indiquant quelle serait la suivante. Puis, un jour, ils m'ont dit qu'elle ne reviendrait pas, qu'elle était partie. Plus tard, j'ai surpris une conversation où ils parlaient de poteau et de ce qui était arrivé à sa tête. J'ai compris qu'elle était partie pour de bon et j'ai cessé de lui laisser des messages.

– Votre père a-t-il essayé de vous retrouver ?

Il rit méchamment.

– Il faut dormir. Demain, nous devons redescendre la montagne.

Elle étala son sac de couchage près du feu.

– Non. Par ici.

– Pourquoi ? demanda-t-elle, effrayée.

– Parce que je veux savoir où tu es.

Il la conduisit à l'endroit voulu, à côté de son grabat, et sortit une corde de son sac.

– Allonge-toi, mais ne ferme pas ton sac de couchage.

– Je vais avoir froid.

– Sors ta cheville droite.

Il enroula la corde autour de son mollet puis la passa autour de sa cheville et serra assez fort pour qu'elle ne puisse pas la défaire, mais sans bloquer sa circulation. Il attacha l'autre bout à sa jambe.

– Vous n'avez pas besoin de faire ça, protesta-t-elle. Où voulez-vous que j'aille, en pleine nuit ? J'ai promis que je ne tenterais pas de m'enfuir. Vous ne me faites pas confiance ?

– Pourquoi le ferais-je ?

Il parlait si bas qu'elle l'entendit à peine.

– Tu as essayé de me tuer ce matin. Tu allais me faire exploser la cervelle avec une pierre.

Elle en gardait un vague souvenir, mais, si cela s'était réellement passé, c'était il y a longtemps : une semaine, peut-être plus. Cela faisait des jours qu'ils se trouvaient dans cette prairie, elle en était persuadée.

16

Le mercredi, Sam appela la ferme six fois en une heure, fit vérifier la ligne par l'opérateur, qui lui confirma que tout était en ordre, et s'abstint d'utiliser son téléphone au cas où Danny appellerait. S'ils avaient pris un jour supplémentaire, ils seraient bientôt de retour.

En attendant, il repensa à leur dernière conversation dans sa caravane et se demanda si ses propres confidences n'avaient pas embarrassé son coéquipier. Il avait commis une erreur en voulant se mêler de ce qui ne le regardait pas, en évoquant les problèmes conjugaux de Danny. Après tout, leur projet de voyage était leur affaire, ils reviendraient quand bon leur semblerait. Si Danny ne reprenait pas son service ce soir, c'était son problème. Sam avait sa propre soirée de repos, alors, que Danny se démerde !

Il alluma la télé pour le journal de 17 heures qu'il regarda sans réel intérêt en fumant cigarette sur cigarette. Après une heure, il décrocha le téléphone, appela les renseignements et demanda le numéro du gîte des Cascades à Stehekin.

– Le seul que nous ayons, monsieur, est un numéro à Chelan.

– Alors donnez-le-moi.

Il laissa sonner douze coups avant d'entendre une voix de jeune homme.

– Non, nous n'avons pas de listes de passagers. Pas de réservation sur le *Lady of the Lake*. Vous achetez votre billet, vous faites la traversée aller, la traversée retour, personne ne contrôle.

Il raccrocha et composa le numéro de Walt Kluznewski. Personne. Il rappela Chelan.

– Jeune homme, dit-il en mettant de l'autorité dans sa voix. Ici l'inspecteur Clinton, du bureau du shérif du comté de Natchitat. Avez-vous un parking pour vos passagers ?

– Oui, monsieur, pour ceux qui passent une nuit ou plus.

– Allez vite jeter un coup d'œil et dites-moi si vous voyez un pick-up GMC rouge avec des plaques du comté de Natchitat, immatriculé… attendez… TLL-687 ou 876. J'attends.

Sam entendit Willie Nelson hurler dans la radio de la compagnie de navigation. Vingt secondes plus tard, le jeune homme reprit le combiné.

– Inspecteur ?

– Oui.

– Il est là. On dirait qu'on ne l'a pas bougé depuis longtemps. La poussière empêche de voir à travers le pare-brise.

– N'y touchez pas. Laissez-le jusqu'à ce que j'arrive. Y a-t-il un bateau pour Stehekin ce soir ?

– Non, monsieur. Nous n'avons qu'un aller et retour par jour, qui part à 8 h 30.

– Y a-t-il un autre moyen de remonter le lac ?

– Oui, monsieur. Ernie Gibson peut vous y conduire en hydravion. Il lui faut environ vingt-vingt-cinq minutes pour rejoindre Stehekin. Il le fait chaque jour depuis plus de trente ans, sauf en plein hiver. Il y a aussi la vedette de la police de Chelan. Pourquoi ne les appelez-vous pas ?

Sam raccrocha sans remercier le gamin et resta assis à regarder le téléphone. S'il faisait le déplacement jusqu'à Stehekin et qu'il trouvait Danny et Joanne sains et saufs, se donnant du bon temps, ils seraient furieux. Plus que furieux... Sam s'était suffisamment immiscé dans leurs affaires.

Il ouvrit une canette de bière et monta le son de la télévision mais ne parvint pas à chasser son inquiétude. Quand le téléphone sonna, il sursauta si fort qu'il renversa sa bière et se cogna le tibia contre un pied de la table basse en allant décrocher.

Il reconnut la voix féminine, légèrement récriminatrice.

– Monsieur Clinton ?

– Oui, madame, répondit-il, s'efforçant de ne pas montrer sa déception.

– Elizabeth Crowder, la mère de Joanne. Je suis inquiète, monsieur Clinton. Je suis sans nouvelles de ma fille et de mon gendre. Ils devaient rentrer lundi soir. Vous étiez au courant ?

– Oui, madame, je sais que c'était leur intention, mais à votre place je ne m'inquiéterais pas. Je suis certain qu'ils seront de retour ce soir.

– Je suis montée à la ferme et je n'ai trouvé personne, reprit Mme Crowder en pleurant. Après, je suis passée chez Sonia, Mme Kluznewski, ils n'ont pas de nouvelles non plus. Je suis si inquiète, monsieur Clinton. Joanne appelle toujours, même pour quinze minutes de retard...

Sam sentait la sueur lui mouiller la nuque.

– Il n'y a pas de téléphone là-bas, madame. Elle n'aurait pas pu vous appeler.

– Je ne voulais pas qu'elle parte.

– Je suis sûr que tout va bien. Vous savez quoi ? S'ils m'appellent d'abord, je passe chez vous tout de suite, et s'ils vous appellent en premier, vous me passez un coup de fil. D'accord ?

– Oui, oui. Nous ferions mieux de ne pas occuper la ligne. Monsieur Clinton, vous savez, je n'ai qu'eux...

Sam se déshabilla, enfila un jean et une vieille chemise, farfouilla sous son lit à la recherche de ses bottes fatiguées, héritage des émeutes de Seattle, et maudit les lacets

213

qui lâchèrent. Au moment de sortir, il se rappela Pistol. Il ouvrit cinq boîtes qu'il posa sur le comptoir et versa des croquettes dans l'évier. Le chat irait boire dans les toilettes, de toute façon. Il ouvrit la fenêtre de la chambre au-dessus du mur lacéré de griffures et vit que Pistol avait déjà vidé une boîte à la crevette et au thon et en attaquait une autre.

— Fais-la durer, mon vieux, sinon, tu devras te débrouiller pour aller chercher ta nourriture. Et garde un œil sur les objets de valeur.

Il ne prit pas la peine de prévenir le bureau. S'il ne revenait pas, il ne revenait pas. Fewell apprécierait ou non.

*
* *

Ils quittèrent l'extrémité sud du lac à l'aube dans l'un des hydravions d'Ernie Gibson, un De Haviland de la Seconde Guerre mondiale. Sam, copilote improvisé dans le six-places, remarqua la manette « Larguer la bombe » du tableau de bord et fantasma sur l'histoire de l'engin. Il se revit à la base navale des Grands Lacs, marin naïf et enthousiaste de dix-huit ans qui n'avait jamais vu la guerre. Ernie Gibson, si. Sam le devina à sa façon de piloter et sentit qu'il faisait corps avec l'aéronef depuis quatre décennies. Il tourna la tête pour regarder le pilote à la peau burinée tendue sur un profil aquilin. Ernie Gibson paraissait sans âge mais devait avoir plus de soixante ans. Il était absorbé par ses messages radio et affichait une telle décontraction qu'il donnait l'impression de faire un somme. Parfait : Sam n'était pas d'humeur à bavarder.

Ils survolèrent des vergers, des fermes et quelques piscines puis de nouveau le lac, entre des montagnes sombres. Vingt-cinq minutes plus tard, le De Havilland se posa sur l'eau devant le gîte, aussi gracieusement qu'une mouette fonçant sur un morceau de pain. Avant que Sam ait eu le temps de réagir, Gibson était sorti et avait amarré l'hydravion. Sur le ponton grinçant, ils furent accueillis par l'odeur de café et de bacon venant du gîte. Sam regretta un instant de ne pas avoir de temps pour parler avec Gibson et mieux le connaître. En d'autres temps, en d'autres lieux, ils seraient devenus amis. Ernie poussa la porte vitrée et embuée du restaurant, tandis que Sam se dirigeait vers le bureau des gardes forestiers, se félicitant de porter sa canadienne : malgré les pétunias et les zinnias en fleurs qui bordaient l'allée, l'air était glacé. L'été touchait à sa fin.

En entrant dans le bureau bien chauffé, il se sentit en terrain connu. Le garde de service se fendit d'un grand sourire et lui tendit la main.

— Enchanté, inspecteur. Vous venez sans doute pour un de vos gars qui est passé par ici la semaine dernière.

— En effet. Mon coéquipier et sa femme sont venus ici et ne sont toujours pas rentrés. J'ai pensé que vous pourriez m'aider.

Le garde fronça légèrement les sourcils et poussa le registre vers lui.

— Bon. Voyons voir ce qu'ils ont inscrit. Nous gardons la trace de nos randonneurs. Il nous arrive même d'en suivre certains tout le long du Pacific Trail. Lindstrom, c'est ça ?

— Exact.

Le garde fit glisser un doigt sur une colonne de noms, tourna la page et répéta le mouvement pour s'arrêter au milieu de la suivante.

— Le voilà. Je leur ai parlé vendredi dernier. Ils ont passé cette nuit-là au gîte. Ils ont indiqué qu'ils partaient pour le Rainbow Lake et votre collègue a évoqué la possibilité de rejoindre l'autoroute des Cascades Nord sans repasser par ici. Comme ils ne sont pas rentrés lundi, on a pensé qu'ils avaient mis leur projet à exécution. Ils donnaient l'impression d'être des randonneurs confirmés, et j'ai vu qu'ils avaient tout l'équipement nécessaire.

– Oui. Mais il n'a pas appelé. Combien de temps leur fallait-il pour passer de l'autre côté ?

– Du lac ? Oh, cinq ou six heures. S'ils avaient rejoint l'autoroute des Cascades Nord, ils n'auraient eu aucun problème pour trouver un téléphone. On a pensé qu'ils avaient décidé de gravir le mont Bowan, de descendre jusqu'à l'autoroute et d'attraper un bus à Winthrop pour revenir chercher leur véhicule à Chelan.

Sam hocha la tête.

– Leur 4 × 4 est toujours sur le parking de l'embarcadère. Si vous vouliez me montrer le sentier, celui qui monte au Rainbow Lake, j'irais voir de quoi il retourne. Ils passent probablement de si bons moments qu'ils ont décidé de prolonger leurs vacances.

– Voulez-vous que je vienne avec vous ?

– Merci, ça ira.

– La montée est assez raide. Vous êtes en bonne condition physique ?

Le garde forestier approchait la cinquantaine, lui aussi, et Sam sourit.

– Comme nous tous, les vieux. Ça me fera du bien de transpirer un peu.

– D'accord. Voici une carte, assez sommaire.

– Voulez-vous que je laisse des miettes derrière moi pour que vous puissiez me retrouver ?

– Contentez-vous de rester sur les sentiers. Vous tomberez sûrement sur eux à leur descente.

– Sûrement.

Sam grimpa pendant une demi-heure sans s'arrêter, poussé par une fausse énergie qui ne dura pas. Sa hanche l'élançait quand il appuyait trop fort sur son pied droit, et la douleur gagna son dos, l'enserrant comme une ceinture. Il tenta de l'ignorer, mais, tenace, elle ne partait pas. Son dos se bloqua, ses muscles se raidirent. Trop d'années assis. Il essaya d'accélérer son rythme, mais il s'arrêtait et se reposait trop souvent. Ses poumons ne se gonflaient plus comme avant – combien d'années ? Dix, vingt ? Trente, probablement. Il soufflait comme une vieille femme.

Arrivé à la première prairie, il étendit son corps perfide et constata que sa jambe droite tremblait. Il comprenait pourquoi la plupart des flics abandonnaient le terrain avant cinquante ans : ils n'auraient pas pu rattraper un aveugle unijambiste.

Il s'étira, et ses crampes se calmèrent un peu, mais pas complètement. Il savait que s'il restait allongé trop long-temps il ne pourrait plus marcher et que s'il reprenait son ascension trop tôt ils devraient venir le chercher avec une civière.

Il était certain d'avoir parcouru cinq kilomètres, mais en regardant la carte il constata qu'il n'en avait fait que trois. Il mourait d'envie d'une bière fraîche et se rappela les canettes restées dans sa caravane. Il n'avait même pas pensé à en prendre une. Il avait fourré dans ses poches deux boîtes de haricots aux saucisses et acheté du bœuf séché au supermarché de Chelan. Rien d'autre à attendre d'un flic citadin.

Il se remit en route en bougonnant. Le sentier, très raide, était manifestement réservé aux bouquetins. Un vrai dédale de lacets. Nulle part où s'arrêter, s'asseoir et, a fortiori, s'allonger.

L'inquiétude qui l'avait saisi sur le trajet en voiture où rien n'existait, excepté les deux entonnoirs jaunes de ses phares, s'estompa peu à peu pour laisser place à la colère. De la colère contre lui-même, parce qu'il se comportait en imbécile. De la colère contre Danny, qui l'avait entraîné dans ces montagnes. De la colère contre Joanne, qui avait eu l'idée saugrenue de venir jusqu'ici.

Il emprunta le pont de planches pour traverser le ruis-seau et s'allongea à plat ventre pour boire l'eau glacée qui, par miracle, lui parut meilleure que de la bière. Le soleil qui réchauffait l'atmosphère lui fit croire, à tort, que c'était l'été. La chaleur lui apporta un léger bien-être.

Un kilomètre et demi plus loin, d'après ses calculs

approximatifs, il arriva sur une aire de camping, succinctement aménagée et sans dégagement. Cinq campements, et aucune trace d'occupation récente. La petite boîte de haricots-saucisses qu'il ouvrit en tirant la languette lui rappela la bière. Il n'avait ni dîné ni petit-déjeuné, et la nourriture, bien que froide et gélatineuse, lui redonna de l'énergie.

Il alluma une cigarette. Au moment où il remettait son briquet dans sa poche de chemise, il sentit une présence à sa gauche. Il tourna lentement la tête, s'apprêtant à parler, quand son regard croisa des yeux jaunes et plats qui l'observaient avec un intérêt paresseux. Le serpent à sonnette, épais comme son poignet, était couché sur un tas de pierres à un mètre de lui.

Sam expulsa la fumée oubliée dans sa gorge et baissa très lentement la main. Le serpent le regardait, sortait et rentrait sa langue fourchue, mais il ne s'enroula pas. Sa tête suivait chaque mouvement de Sam, qui prit une nouvelle bouffée d'air et essaya d'adapter le mouvement de son bras à la torpeur du serpent.

– Tu veux une bouffée ?

Les yeux cillèrent, la langue sortit.

– Non ? Une sale habitude, de toute façon. Il y a beaucoup de monde par ici ?

Je deviens complètement zinzin. Voilà que je parle aux crotales. Pas question de bouger le premier, surtout pas avant d'avoir fini ma cigarette.

Sam prit son temps, guettant un changement soudain dans la position du serpent, qui ne bougea que la tête. Sam regarda où il s'était assis pour voir s'il y en avait d'autres, mais non. Puis il écrasa son mégot avec son talon. Sa mauvaise hanche serait-elle encore capable de le porter ? Il ne le saurait qu'en se levant. Il se tourna vers la droite, à l'opposé du crotale, se releva, chancela un instant sur ses pieds puis fut hors de sa portée. Quand il se retourna vers le tas de pierres, le serpent avait disparu.

17

Elle savait qu'ils étaient dans la même prairie depuis longtemps, mais quelle durée exactement, elle n'aurait pu le dire. Elle avait tant de mal à se rappeler les choses, elle oubliait si vite. Un matin – peut-être le deuxième ou le troisième, elle ne savait plus –, un épais brouillard qui dissimulait les arbres les avait empêchés de se remettre en route. L'homme lui avait dit qu'ils risquaient une chute s'ils tentaient de descendre. Se souvenant de l'à-pic si dangereux, même en plein jour, elle savait qu'il avait raison. Le jour suivant, ou peut-être un autre jour, ils n'avaient encore pas pu partir. Pour quelle raison ? Elle ne s'en souvenait pas. Tantôt le jour durait si longtemps qu'il lui semblait que la nuit ne viendrait jamais, tantôt les intervalles entre le jour et la nuit s'écoulaient en un rien de temps. Il aimait quand elle s'asseyait tranquillement pour l'écouter, mais parfois la panique la prenait et il fallait qu'elle bouge. Quand l'angoisse atteignait son paroxysme, l'action la soulageait. Elle arpentait la prairie jusqu'à ses limites, accélérant sa marche afin de conjurer sa peur. Il l'arrêtait toujours avant qu'elle ait complète-ment chassé son angoisse et la ramenait à leur petit cam-pement. Elle s'efforçait de ne pas pleurer car cela semblait le contrarier, non, le mettre en fureur. Parfois, la nuit, elle était obligée de pleurer, car les larmes qu'elle avait refoulées dans sa gorge l'empêchaient de respirer, mais

elle avait appris à pleurer en silence. L'homme s'en apercevait, pourtant, et chaque fois il essuyait ses larmes de
ses doigts épais.

Dès qu'il avait posé les mains sur elle, il ne la lâchait
plus. Elle avait appris à rester immobile pour avoir moins
mal. Après, il était plus calme et la laissait tranquille.
Dans l'obscurité, et surtout dans le brouillard – quand elle
pensait être morte –, les mains de l'homme sur son corps
lui prouvaient qu'elle était toujours en vie. Quand elle ne
lui résistait pas, il était presque gentil avec elle, la laissait
respirer, lui donnait la permission de vivre.

De jour, quand elle pouvait voir son visage, elle observait chez lui un regard étrange, comme s'il y avait eu
quelque chose qu'elle aurait dû savoir. Il lui arrivait, en
jouissant, de crier un nom ou un mot qui ressemblait à
« Reen » ou « Reenie », mais elle ignorait ce que ça signifiait.

Quand il parlait, elle n'avait pas besoin de penser ni de
se souvenir, pouvait laisser son esprit au repos. Et, tant
qu'elle répondait correctement, il ne la caressait pas.
Quand son débit s'accélérait, que sa voix devenait plus
grave, elle devait choisir avec soin ses réponses. Mais la
plupart du temps il attendait seulement qu'elle l'écoute et
le regarde.

– Certaines âmes ne meurent jamais, lui dit-il en lui
lançant à nouveau son regard inquisiteur.

– Non. Elles partent retrouver le Seigneur.

– Il n'y a pas de Dieu. Rien qu'un continuum d'âmes
d'exception. Des êtres supérieurs… les autres ne sont que
les reflets des meilleurs et meurent comme des bêtes. Je
suis un être à part. Toi aussi. Nous ne mourrons jamais.

N'avait-il pas parlé de Dieu ? Elle était sûre que
l'homme roux lui avait parlé de Dieu, longtemps auparavant.

– La vérité est invisible aux êtres inférieurs. Tu es
d'accord ?

– Oui.

– Elle est morte quand tu avais dix ans et est devenue une part de toi-même. Tu t'en souviens ? lui demanda-t-il.

– Je…

– Dis que tu t'en souviens ! hurla-t-il.

Il était en colère et exigeait une réponse.

– Je m'en souviens.

– Je te connais depuis toujours. Tout le temps que nous avons passé ensemble, tu avais besoin de moi. Quand il a fallu que je te quitte, tu es morte. Mais quand tu m'as quitté, j'ai été plus fort. J'ai toujours été plus fort parce que tu m'appartenais et que je possédais ton âme. Je n'ai jamais renoncé, mais ton départ m'a fait mal.

– Je suis désolée.

Ses histoires si confuses l'égaraient et la précipitaient dans des abîmes de perplexité.

– Je t'ai pardonné. Je t'ai toujours pardonné, car tu étais faible. Te rappelles-tu où nous étions ?

– Je ne comprends pas…

– Ne me fâche pas. Tu as dit que tu te rappelais quand tu es devenue Loreen.

– Oh oui.

Peut-être s'en rappelait-elle, après tout. Il semblait en être si certain qu'elle ne savait plus qui elle était, désormais. Ses seuls miroirs étaient les yeux de l'homme roux qui paraissaient la reconnaître.

– Je suis allé à la bibliothèque et j'ai vu des photographies de nous dans de vieux livres. Nous portions d'autres noms, mais nos yeux sont restés les mêmes. C'est à ça qu'on peut en être certain, aux yeux. Je t'ai reconnue à tes yeux. Me connaissais-tu ?

– Je… Oui, je vous connaissais.

Elle ne voulait pas avoir l'air de détourner les yeux de ceux de l'homme dans lesquels elle voyait vraiment son reflet. Elle réussit finalement à échapper à son regard qui la mettait si mal à l'aise.

– Ça te dirait de chanter ?

– Quoi ? s'étonna-t-elle.

– Tu as toujours aimé les chansons d'Elvis. *Love me Tender*…

Elle accepta de chanter, car ce devait être important pour lui. Ils avaient chanté, sur leur autre campement… Non, pas avec lui. Elle avait chanté avec quelqu'un. Avec Danny, peut-être, elle ne s'en souvenait plus.

Elle se rappelait seulement qu'alors elle était en sécurité, et heureuse, et ce souvenir lui fit monter les larmes aux yeux. Mais elle chanta longtemps avec le rouquin parce que cela semblait l'apaiser. Quand il était calme, c'est-à-dire quand elle lui faisait plaisir, il paraissait presque bon. Il ne l'effrayait plus. Elle devait seulement veiller à ne pas parler de ce qui le contrariait. Il y avait tant de choses auxquelles elle devait veiller. Tant de choses à faire pour rester en vie.

Ils étaient restés bien trop longtemps dans la prairie et il s'en voulait. Tout avait été parfait : il l'avait pour lui seul, elle lui appartenait si complètement qu'il n'avait pas voulu y mettre fin. Mais les jours avaient passé et ils n'étaient toujours qu'à six kilomètres du lac. Il n'avait vu personne, mais peut-être était-on déjà à leur recherche. Il n'en était pas certain, parce qu'elle avait oublié quand son congé devait se terminer. Quand il le lui demandait, elle répondait soit « lundi », soit « à temps pour la remise des diplômes ». Il aurait dû lui poser la question avant. La confusion, le flou de son esprit, la rendait plus docile ; il en était satisfait. Physiquement, elle se portait bien : elle mangeait et dormait quand il le lui disait et ne se plaignait que rarement de nausées. Elle le laissait lui faire l'amour, lui permettait de la serrer dans ses bras la nuit pour qu'il puisse la réchauffer.

Mais maintenant il fallait absolument partir. Son corps l'avait soudain trahi, il se sentait malade. Avec la certitude que cela passerait, mais une fièvre tenace embrumait son esprit. Son corps réagissait lentement à ses demandes. Il parvenait à faire taire la douleur, mais son bras enflé le gênait et la fièvre l'empêchait de se concentrer.

Ce maudit bras l'avait réveillé dans la nuit de lundi. Il avait d'abord pensé qu'elle avait tiré sur son entrave pour tenter de s'échapper, mais elle dormait tranquillement à ses côtés. Ce n'était pas son bras, c'était sa jambe qui le tirait, comme si sa peau avait rétréci et ne pouvait plus contenir sa chair et ses muscles. Mais, sous la faible lueur de la lune décroissante et des restes du feu, il ne parvint pas à déterminer ce que c'était. Sa jambe le démangeait, lui faisait mal quand il la grattait, et dégageait une chaleur malsaine.

Il finit par se rendormir avant l'aube en laissant son bras gonflé dépasser de son sac de couchage. À son réveil, il constata que son bras avait enflé du poignet à l'aisselle, que ses ganglions avaient atteint la taille d'une noix. Les griffures et les marques laissées par les dents de la femme avaient pris une coloration violente.

Elle n'avait rien remarqué. L'air devenu froid semblait justifier qu'il eût gardé ses manches baissées. Mais son bras paraissait maintenant presque un corps étranger, pulsatile et lourd. Il tenta de le bouger pour arrêter le battement mais n'y parvint pas.

– Qu'est-ce qui se passe ? Qu'avez-vous au bras ?

– Rien, une simple égratignure. Tu te souviens, je t'ai raconté que la femelle grizzli s'était attaquée à mon bras.

– Laissez-moi voir.

Elle voulut lui prendre le bras, mais il recula.

– Ce n'est rien, ça va déjà mieux.

– Vous avez une drôle de façon de bouger et vous laissez tomber les choses.

Il haussa les épaules et remonta sa manche.

– Oh, mon Dieu ! s'écria-t-elle.

Il suivit son regard et fut stupéfait de voir son bras enflé, d'une couleur brunâtre. Des plaies ouvertes, s'échappait du pus. Et c'était pire encore là où elle l'avait mordu. Il frissonna.

– Pourquoi ne m'avez-vous pas dit que vous étiez blessé ? Vous avez laissé le bras s'infecter. Qu'est-ce qui vous est arrivé ? Qu'est-ce qui vous a fait ça ?

– Tu as encore oublié.

Elle lui retourna la main et pressa doucement les marques de dents.

– Qu'est-ce que c'est que ça ? Qui vous a mordu ?

– Toi.

– Je n'ai pas pu faire ça !

– Quand nous étions dans l'arbre.

– Je suis désolée, tellement désolée. Vous me cogniez la tête…

– Tu étais hystérique, je devais t'empêcher de descendre. Tu ne l'as pas fait exprès, et cela n'a plus d'importance, maintenant.

– Non. Jamais je n'aurais pu faire ça à quelqu'un.

Elle tourna la tête et fouilla dans son sac. Puis elle le regarda de nouveau.

– Êtes-vous allergique à la pénicilline ?

– Je ne sais pas, je n'en ai jamais pris.

– Et quand vous étiez enfant ? Vous n'en avez jamais pris pour soigner une angine ? On vous en a sans doute donné.

Il la regarda, s'étonnant encore des blancs extraordinaires de sa mémoire. Elle semblait avoir vraiment oublié.

– Non. Jamais. Je me rétablissais toujours. Même la fois où j'ai eu mal aux oreilles.

Elle sortit un tube de plastique brun de son sac et en sortit deux comprimés blancs.

– Prenez ça. Je vais chercher un gobelet. Il faut les prendre. J'en ai suffisamment pour quatre jours, ça devrait aider. J'en ai toujours sur moi, au cas où.

– Et si je suis allergique ?

– Oublions ça. Nous n'avons pas le choix. Vous n'êtes pas allergique aux piqûres d'abeille ?

– Non.

– Alors tout ira bien, je pense. Et ça, c'est de la pommade antibiotique. Il faut aussi en mettre. Mais vous auriez dû me le dire avant.

Et cela avait un peu aidé. Son bras le gênait toujours, et l'infection, qui ne semblait ni régresser ni s'étendre, générait une douleur chronique. Il aimait qu'elle s'occupe de lui, et ce qu'il avait pris pour un sérieux contretemps se révélait une bénédiction. Quand elle s'occupait de lui, elle paraissait apaisée. Son rôle de soignante lui allait à la perfection. C'était seulement quand elle n'avait rien à faire qu'elle se montrait rétive.

Elle avait peur qu'il meure à cause d'elle. Elle avait oublié avoir voulu le tuer. Elle savait seulement que s'il mourait elle resterait seule. Il le lui avait répété maintes fois, lui avait rappelé qu'elle l'avait mordu, que ses dents avaient infecté son sang, puis il s'était mis à pleurer en pensant à ce qui lui arriverait sans lui. Il dormait, ou paraissait dormir la plupart du temps, et elle devait s'occuper de maintenir le feu et préparer de quoi manger pour qu'il reprenne des forces. Mais il ne mangeait pas et s'affaiblissait.

Il lui avait promis de s'occuper d'elle et l'avait fait. Elle ignorait où était parti Danny, mais Danny l'avait abandonnée dans la montagne et les choses s'étaient mal passées pour elle ; mais elle ne se rappelait plus quelles choses. Ses seuls souvenirs étaient de la veille, jamais au-delà. En la touchant, il lui avait donné la vie, il avait voulu qu'elle vive. De ça, elle se souvenait. Seule, même dans la prairie, elle avait peur. Elle avait besoin de toucher quelque chose d'humain pour se rassurer, car tout était vide alentour. Le plus important était qu'elle s'occupe de lui. Les femmes savent faire ça.

Un jour, quand ils seraient à l'abri sous un toit, elle ferait le tri. Sauf s'il mourait et la laissait seule, bien qu'il lui ait juré le contraire. S'il mourait, elle n'aurait plus

225

personne. Elle n'appartiendrait plus à personne et cesserait d'exister.

Elle avait mal jugé cet homme qui la retenait prisonnière dans la prairie. Et ce n'était pas bien. Malade comme il l'était, il parvint malgré tout à sortir de son délire et à lui dire qu'ils devaient partir. Il était hors de question qu'elle le laisse faire. Quand elle l'aida à s'allonger, elle vit que ses muscles étaient toujours aussi durs et forts ; mais ils ne semblaient plus pouvoir fonctionner efficacement. Il la regarda sans paraître la voir et la laissa lui prodiguer ses soins.

Quelqu'un, ou quelque chose, l'avait terrifiée, mais elle ne savait ni qui ni quoi. Elle appartenait à l'homme malade, elle le savait car il le lui avait dit mille fois. Si elle le laissait mourir, personne ne lui pardonnerait.

Elle veillait sur lui. Il gémissait dans son sommeil mais ne lui répondait pas, malgré ses multiples appels.

Quand il ouvrit les yeux et la regarda, elle comprit qu'il la reconnaissait et remercia le ciel. Il paraissait souffrir encore beaucoup, mais les médicaments agissaient.

– Raconte-moi des histoires, supplia-t-elle.

Alors, il lui parla de nouveau, d'une voix moins grave, mais régulière.

– Tu ne me quitteras pas, hein ? lui demanda-t-elle.

– Jamais je ne te quitterai. Tu es mon bien, ma possession. Je suis une partie de toi.

Alors elle se sentit revivre.

– Il faut que je sache si nous ne risquons rien, lui expliqua-t-il. Enfonce-toi dans la forêt. Je dois savoir si quelqu'un peut s'approcher de nous sans que je l'entende. Éloigne-toi suffisamment pour que je ne puisse plus te voir, et essaie de me surprendre. Je fermerai les yeux. Si je t'entends, je crierai « bingo ».

Elle se révéla assez bonne à l'exercice, mais il l'entendait chaque fois : elle se trahissait par une branche qui craquait ou par un bruissement de feuilles quand elle se trouvait à moins d'une centaine de mètres de lui. Même assailli par la fièvre, il l'entendait toujours. Elle se sentit en sécurité.

Le jeu fini, elle revint s'allonger près de lui. Il était bien trop malade et trop faible pour lui faire l'amour, mais il la sentait contre lui. Toute tension avait disparu. Elle s'était couchée près de lui aussi naturellement qu'une maîtresse, elle n'était plus sa captive. Il l'avait volontairement éloignée, et elle était revenue. Il n'avait pas la force de l'attacher, mais ce n'était plus nécessaire. Elle ne partirait pas.

18

La bifurcation du sentier était bien signalée. La flèche vers la gauche indiquait la direction du Rainbow Lake, la droite celle du col McAlester. Encore neuf kilomètres avant de les rejoindre. Le sentier, qui semblait pour l'instant plus facile, lui fit penser qu'il avait fait le plus dur. Sam franchit le petit pont sur le torrent, s'arrêta pour remplir sa gourde et reprit confiance. Pour un vieux flic, il ne se débrouillait pas trop mal.

Mais après le ruisseau le sentier poursuivait son ascension en une suite de lacets plus raides encore. Le sol était sec, et ses poumons aspiraient de l'air empli de poussière. Après chaque palier franchi s'en trouvait un autre, et encore. Sam ne comprenait pas qu'on puisse s'infliger une telle souffrance par plaisir. Huit kilomètres. Il but solennellement ce qui lui restait d'eau avant d'aborder le prochain lacet. Mais, sitôt le virage dépassé, sa gorge redevint aussi sèche que des cailloux brûlants.

Plus loin, il retrouva heureusement de l'eau et le sentier s'aplanit. Sam se méfiait maintenant des montagnes et du mirage de prairie obscurcie par les sommets, mais la marche fut facile pendant plus d'un kilomètre, et le paysage luxuriant et fleuri. Il respirait mieux, son corps lui faisait moins mal. La douleur physique s'atténuant, il se sentit plus seul et eut hâte d'atteindre leur campement. Danny pousserait un cri et lui donnerait une grande tape

228

dans le dos pour le féliciter d'avoir surmonté cette épreuve.

Il mourait de faim. Le vent transportait des effluves de nourriture imaginaire, de steak ou de poisson frit, ou tout ce que Joanne cuisinait à un kilomètre de là. Sa condition physique allait lui attirer les foudres de Danny. Joanne sourirait et dirait à son mari de se taire, puis ils s'assiéraient tous les trois autour du feu de camp et eux lui raconteraient tout ce qu'ils avaient fait en son absence. Il avait une idée précise de l'endroit où ils l'attendaient, comme s'il avait pu voir le bout du sentier ; il garda cette image tout le temps de sa montée, que la cascade toute proche rendait supportable. Ils lui avaient sacrément manqué. Pas de mal à ça.

Il regarda sa montre. Presque 18 h 30. Le garde forestier avait dit cinq heures et demie de marche jusqu'au lac. Il avait mis un peu plus de six heures, une performance pas trop mauvaise pour un vieux schnoque comme lui, nourri de haricots en boîte et privé de sommeil.

Il aperçut les eaux vertes du petit lac encadrées de rochers escarpés. Une vraie carte postale. Il les trouverait là-bas, cachés derrière les arbres. Il poussa un « hou ! hou ! » tonitruant qui le surprit. Il attendit.

Pas de réponse.

Sans doute était-il trop loin pour qu'ils l'entendent. Il continuerait à crier jusqu'à ce qu'il atteigne un point où les arbres n'étoufferaient plus sa voix. Il ne leur tomberait pas dessus. Par expérience, il savait qu'il vaut mieux ne pas surprendre un flic. Il criait à intervalles réguliers, s'arrêtant à chaque fois pour écouter. S'ils étaient là en train de baiser, il aurait l'air d'un con.

– Allez, sortez, sortez, où que vous soyez… Oncle Sam est venu pour dîner…

Il écouta. Une réponse. Puis il comprit : c'était sa voix qui lui revenait en écho. Les branches des arbres soupiraient et grinçaient tout autour de lui, de minuscules oiseaux passèrent au-dessus de sa tête et disparurent aussitôt au fond de la forêt.

D'abord une vague odeur. Une odeur douceâtre qui lui rappela celle des symplocarpes fétides qui s'épanouissaient en mars dans les plaines détrempées de Seattle. Un jour, dans une crise de sentimentalité alcoolisée, il en avait cueilli une pleine brassée pour Nina. Cruelle déception ! Au premier souffle de vent, ils avaient répandu leur odeur âcre sur sa peau et ses vêtements.

Pour avoir si souvent senti cette odeur, il ne pouvait ignorer son origine. Il refusait cependant de l'admettre. Mais, à mesure qu'il se rapprochait du lac, elle devenait plus forte et l'obligeait à retenir sa respiration. Lorsqu'il ouvrit la bouche pour crier à nouveau, l'air vicié emplit ses poumons. Il alluma une cigarette et avala la fumée, mais les miasmes étouffèrent le tabac brûlé.

C'était une odeur de chair en décomposition, à un stade probablement assez avancé, venant de la droite du sentier. Il ne voulut pas s'approcher de la pente qui dissimulait un corps mort à son pied.

Ses jambes le portèrent néanmoins jusqu'au bord. Il pencha la tête pour examiner le sous-bois et les jeunes arbres aux troncs minces en contrebas. Il entendit un rugissement dans sa tête, puis plus rien du tout, comme si, heurtant un mur de plein fouet, il était mort sur le coup. Et pourtant il n'était pas surpris. Il le savait depuis longtemps, depuis des jours, depuis tous ces jours passés à inventer des histoires, à trouver des explications alors que l'homme gisait déjà là.

Le cadavre reposait près d'un arbre abattu, face contre terre, une main tenant vaguement une pierre, les genoux ramassés sous son ventre gonflé. Sur le cuir chevelu d'un blanc terne, les cheveux hérissés paraissaient faux.

Sam resta longtemps à regarder avant de pouvoir débloquer ses genoux et s'engager dans le sous-bois. Il descendit, descendit, descendit encore, glissa soudain et aperçut le ravin jusque-là masqué, à six mètres du corps. Il ne voulut pas s'arrêter et ne fit aucun effort pour. Il pensa une fraction de seconde qu'il serait facile de s'abandonner à la pente, de la dévaler et de s'écraser sur les rochers plus bas... plus facile que de saluer l'homme mort.

Il ne tomba pas dans le ravin : juste à la fin de sa course, une aspérité du terrain l'arrêta. Pris d'une grande lassitude, il resta étendu un petit moment au bord du précipice, releva la tête et regarda de nouveau le cadavre, s'efforçant de ne pas le reconnaître.

Quelque chose ou quelqu'un avait descendu le corps en le tirant par les pieds ; les bras étaient levés vers le sentier, la chemise écossaise remontait sous les aisselles, laissant à nu une large bande de chair striée de lividités violacées. Il ne vit aucune tache de sang sur le jean, aucune sur la chemise, rien à l'arrière de la tête. Le visage était invisible.

Sam ne voulait pas voir le visage. Il avait envie de fuir, de parcourir en sens inverse les dix-huit kilomètres jusqu'à Stehekin. S'il n'était pas venu, que ce serait-il passé ? Il serait peut-être resté deux ou trois jours de plus dans l'ignorance, à gamberger, à s'accrocher à de vaines suppositions. Il s'était précipité jusqu'ici pour découvrir l'insoutenable.

Il inspira et trouva que l'odeur n'était pas aussi abominable que quand il l'avait sentie d'en haut. Les maîtres-chiens disaient toujours – et Sam ne les croyait pas – que l'odeur cadavérique s'élevait au-dessus de la canopée et laissait le corps curieusement pur de toute odeur. Sam avait vu des chiens tourner autour des arbres et hurler vers la cime, mais cela n'avait pas suffi à le convaincre. Pourtant, ils avaient raison.

Ses jambes ne le portaient plus. Il marcha à quatre pattes et s'arrêta à un mètre du corps : des chaussures banales, un jean de marque Levi's, une chemise écossaise identique à toutes les autres.

Ç'aurait pu être n'importe qui.

Sam claquait des dents. Il s'approcha et s'autorisa un examen plus approfondi. Il toucha la main gauche, la trouva froide ; le décollement de la peau avait commencé. Si elle avait été blessée au poignet, elle glisserait comme un gant. De ses doigts raides, Sam déboutonna la manche de la chemise et la remonta.

Le tatouage de Danny – ce stupide cœur fait maison –, grotesquement agrandi par le gonflement du bras, apparut comme dans un miroir déformant. Au centre, les lettres D et J étaient elles aussi déformées.

– Oh, camarade, camarade, camarade…, psalmodia-t-il sans se rendre compte qu'il parlait tout haut. Qu'est-ce qu'il t'est arrivé, Danny ?

Il ne gardait pas ses coéquipiers, c'était aussi simple que ça. Il s'assit sur les talons et poussa un gémissement, un cri de colère et de chagrin, une plainte primitive commune à toutes les langues. Cent créatures sauvages, terrorisées, fuirent pour chercher un abri.

Le soleil commençait à décliner, il fallait faire vite. Sam se mit au travail avec méthode, froidement. Savoir ne changerait rien, mais il avait besoin de savoir, absolument.

Danny était lourd, et il eut beaucoup de mal à retourner le corps. La rigidité avait disparu ; la mort datait donc de plusieurs jours. Depuis tout ce temps, Danny croupissait ici, seul. Une mort solitaire, la plus terrible de toutes.

Sam tenta de se raisonner. Ce n'était qu'un cadavre, semblable aux dizaines d'autres sur lesquels il avait travaillé. Il se fixa un objectif : pendant quinze minutes, oublier que le corps était celui de Danny. Il consulta sa montre et constata qu'il n'était que 19 heures : peu de temps auparavant, il avait glissé jusqu'au bord du ravin.

Il ne reconnut pas les yeux grands ouverts et exorbités, aux pupilles voilées par des cercles opaques. Il ne reconnut pas davantage le visage, qui avait pris une coloration violacée. Il remarqua ce qu'il était censé remarquer : le cadavre, allongé à plat ventre, n'avait pas été déplacé après la mort ; sinon, la lividité n'aurait pas présenté ce caractère habituel.

Sam nota ses observations dans un carnet imaginaire.

Cause de la mort ? Quatre lacérations parallèles et profondes marquaient la joue droite. Mais pas de sang. Pourquoi ? Les griffes d'un animal, peut-être, mais pourquoi pas de sang ? Mutilé post mortem, mais pourquoi ?

Le sang avait imprégné tout le devant de la chemise au point que du tissu écossais bleu et blanc ne restaient visibles que les lignes noires qui délimitaient désormais des carrés de rouge. Le sang avait coulé sur le blue-jean et l'avait raidi. Sam souleva la chemise et vit des marques de perforation, de succion à l'endroit du cœur et des poumons. Autour, la peau verte virant au noir était déjà en décomposition. Des coups de couteau ? Des morsures ?

Encore onze minutes.

Le bras droit de Danny – non, le bras du cadavre – était sorti de sa cavité articulaire. Oh, mon Dieu, quelle force il avait fallu pour l'arracher ! Quelle force ? Quelle créature ?

L'arme de Danny, son vieux .38 qui avait appartenu à Doss, se trouvait là, parmi les feuilles écrasées. Sam le ramassa par la crosse, là où les empreintes de doigts ne marquent jamais, vérifia le chargeur et vit qu'il ne manquait aucune balle. Danny ne l'avait pas utilisé. Il l'avait emporté jusqu'ici, mais pourquoi avait-il attendu qu'il soit trop tard pour s'en servir ? Ni Danny ni lui-même n'avaient eu à faire feu sur quelqu'un ; ils savaient ce que tous les flics savent : un flic contraint de tirer sur un homme ne s'en sort pas indemne. Les inspecteurs qui avaient été forcés de se servir de leur arme, qu'ils aient dépendu de la police de Seattle ou du bureau du shérif de Natchitat, avaient tous pris leur retraite précocement pour troubles psychiques. C'était l'une des lois silencieuses des gardiens de l'ordre public : ne tire pas, car la balle te fera plus de mal encore.

Mais tuer un animal était différent. Comme la plupart des flics, Danny chassait, peut-être pour trouver un exutoire aux exercices de tir obligatoires. Danny aurait pu tirer, vider son putain de chargeur. Sam frissonna et reposa l'arme, sidéré.

L'ours. Entre un mètre quatre-vingts et deux mètres cinquante debout. Des crocs comme des rasoirs. Deux cents kilos, cinq cents, peut-être plus. Sam aurait aimé se trouver face à face avec lui pour avoir l'occasion de le détruire. Les balles de son pistolet auraient été aussi inoffensives que des petits pois, sauf s'il pouvait atteindre les yeux, mais cela importait peu. Il n'y aurait eu personne pour le pleurer. En mourant dans ces montagnes, il aurait été absous de la culpabilité d'avoir, une fois de plus, perdu son équipier.

Puis il se souvint. *Joanne. Où était Joanne ?*

Il remonta jusqu'au sentier en criant son nom. Il l'appela jusqu'à se casser la voix, attendant sa réponse, et s'égosilla encore, incapable de supporter ce silence railleur.

Il lui sembla entendre des pleurs de femme près du petit lac, des sanglots étouffés. Le temps qu'il approche de l'eau, d'un sombre vert jade sous le demi-jour, le bruit avait cessé. Il les entendit à nouveau mais eut cette fois l'impression que les pleurs venaient de derrière lui, du côté gauche du sentier. Quand il s'enfonça dans la forêt, ils s'étaient déplacés vers la prairie qu'il venait juste de quitter.

– Joanne ! C'est Sam, cria-t-il. Attends-moi. Reste où tu es, j'arrive !

Les sanglots semblaient maintenant venir de la cime des arbres. Il se demanda s'il avait réellement entendu quelque chose.

Sa recherche devint frénétique. Il trouverait Joanne effrayée, peut-être même aurait-elle peur de sortir et de se montrer à lui. Elle avait attendu de l'aide trop longtemps, trop longtemps et seule. Danny gisait là depuis au moins trois jours. Effrayée ? Non, terrorisée, horrifiée.

Et si Joanne était morte, elle aussi ? L'idée le traversa, qu'il refoula aussitôt. Non. Le pire était arrivé. Il ne pouvait rien arriver de plus. Sam parlait tout seul.

– Je la trouverai, camarade, sois-en sûr. Je la trouverai et je prendrai soin d'elle. Elle est là, quelque part, camarade, et tout ira bien. Ne t'inquiète pas pour ça.

Alors il l'aperçut, de dos, appuyée contre un tronc d'arbre dans la petite clairière près du lac, immobile.

Il courut vers elle, oubliant ses cuisses et son dos douloureux. Mais quand il voulut tendre les bras vers elle il comprit que la silhouette qu'il avait prise pour Joanne n'était qu'un sac de couchage adossé à un tronc. Le vieux sac kaki de Danny. Il regarda autour de lui et vit leur petit campement, la cafetière encore posée sur les cendres grises du feu éteint.

Ils avaient bien campé là, mais il n'y avait plus personne, rien que des fantômes. Il leva les yeux et remarqua quelque chose dans les arbres. Il fut pris de nausée, craignit de lever les yeux de crainte de découvrir qu'elle s'était pendue de désespoir. Mais ce n'était qu'un sac de nourriture moisie qui se balançait au vent et venait heurter le tronc du pin.

Il remarqua l'écorce éraflée ainsi que des branches cassées. Quelqu'un s'était réfugié dans l'arbre. Par terre, du vomi avait séché. Quelqu'un s'était caché là, pris d'une terreur indicible. Il pensa trouver du sang au sol. Si elle n'était plus dans l'arbre, elle était descendue de son propre chef, ou quelqu'un l'avait forcée à descendre.

À son grand soulagement, il ne trouva ni taches de sang ni marques de griffes sur le sac de nourriture, rien sur leur campement indiquant qu'elle s'était fait surprendre par un ours. Les sacs à dos et de couchage de Joanne ne se trouvaient nulle part, mais celui de Danny avait été abandonné derrière un tronc. Elle était donc en vie, mais la suite du scénario lui échappait. Il ne parvenait pas à imaginer où elle pouvait s'être réfugiée ni combien de temps elle pourrait survivre dans ce désert sauvage et hostile.

Au coucher du soleil, le froid le saisit. Sam redevint attentif à son corps. Il ramassa machinalement du bois et fit du feu, mais uniquement pour Joanne, pour lui envoyer un signal, lui signifier qu'elle pouvait sortir sans risque de sa retraite. Il le regarda brûler et tenta de reconstituer le déroulement des événements.

Elle avait campé ici et s'était réfugiée dans l'arbre pour échapper à… quelque chose – il en restait des traces matérielles. Danny s'était éloigné de quelques centaines de mètres, mais pour quelle raison ? Il n'était pas parti chasser puisqu'il n'avait pas emporté l'arme adéquate. S'il avait voulu pêcher, il aurait pris la direction du lac. Et, surtout, s'il avait pressenti quelque problème, il n'aurait pas laissé Joanne seule.

La scène de la mort de Danny tournait dans sa tête, tel un film qu'il se passait et se repassait sans que s'impose aucun schéma cohérent. Il ne pouvait séparer la face enflée et livide de l'homme mort de celle de Danny vivant, riant et lui adressant un signe d'au revoir.

Une seule chose était certaine : rien ne serait jamais plus comme avant.

Sam n'avait pas l'intention de dormir, mais il ne put lutter contre l'épuisement et sa tête s'affaissa sur sa poitrine.

Quand il se réveilla, à l'aube, rien n'avait changé. Personne n'était venu se réchauffer auprès du feu. Il appela Joanne pendant des heures jusqu'à ce que le silence têtu et lourd de désespoir le décide à aller chercher de l'aide.

Il n'emporta rien, sauf une gourde pour le trajet du retour. Quand l'odeur du cadavre en contrebas du chemin lui revint aux narines, Sam regarda droit devant lui et se concentra sur sa marche. Il appela Joanne une ou deux fois encore, sachant que ses chances de l'entendre s'amenuisaient à mesure qu'il approchait de la bifurcation du sentier qui le ramènerait au bureau des gardes forestiers. Elle comprendrait sûrement, lorsqu'il reviendrait avec les secours, que, tout seul, il n'aurait pu la retrouver.

Il redescendit le sentier sans faiblir ni s'apitoyer, sans rien sentir quand la raideur de la pente le fit glisser et chuter, insensible aux larmes ruisselant sur les rides profondes de son visage.

19

Il ne dormait pas bien. Elle avait cru qu'il se rétablissait. Mais, dès le coucher du soleil, il avait cessé de répondre à ses questions et s'était endormi, son bras malade délicatement posé à distance de son corps. Elle veilla à ne pas le heurter ; le moindre souffle de vent sur son bras le faisait gémir dans son sommeil. Elle essaya aussi de dormir, mais ses plaintes et ses mouvements involontaires la réveillaient sans cesse. Pendant leur partie de cache-cache, il semblait aller bien. Maintenant, il délirait.

Elle voulut prononcer son nom pour le réconforter et trouva bizarre de ne pas se le rappeler. Il lui avait dit son nom, mais elle l'avait oublié. Elle mouilla un torchon qu'elle posa sur son front. Il ouvrit les yeux sans la regarder.

– Ça va bien ?

Il leva sa main saine et lui attrapa l'épaule. Il lui faisait mal.

– Espèce de garce... Tu essaies de me tuer.

– Non... Oh non, tu es malade.

– Ouvre la fenêtre. Il n'y a pas d'air, là-dedans.

– Nous sommes dehors. Il n'y a pas de fenêtre. Tu as de la fièvre.

– J'ai dit : ouvre la fenêtre, sinon, je...

Sa tête retomba. Il semblait s'être rendormi, mais il lui tenait toujours fermement l'épaule et elle ne réussit pas à se dégager. Elle lui toucha le visage. Sa peau raide et comme parcheminée était brûlante.

Que faire ?

– Écoute !

– Quoi ?

– Ils reviennent pour nous tuer. Ferme la porte à clef, Reenie.

– Il n'y a pas de porte…

– J'ai dit : ferme-la !

– Entendu.

– Tu as fait exprès de les amener ici. Tu as couché avec eux et je t'avais dit, je t'avais dit…

– Non, je n'ai pas couché avec…

– Sale menteuse ! lui cria-t-il en levant son bras blessé, qui retomba. Tu n'es qu'une pauvre imbécile, Reenie. À force de baiser avec n'importe qui, tu vas nous faire tuer.

Ses doigts glissèrent sur ses seins et ses ongles s'y plantèrent. Elle manqua s'évanouir de douleur. Elle fondit en larmes.

– Ne pleure pas, Reenie. Je te pardonne. Je t'ai toujours pardonné. Je ne te laisserai pas mourir. Je te retrouverai. Tu m'appartiens. Tu es à moi.

Elle ne se souvenait pas de ce qu'elle avait fait qui devait lui être pardonné, ni pourquoi il l'appelait par un autre nom, mais elle savait avoir fait quelque chose de méprisable : elle l'avait tué, elle les avait tués. Non, lui seulement. Elle tisonna le feu pour le ranimer, il faisait vraiment froid.

Elle s'efforça de réfléchir. Mais c'était comme de construire un pont au-dessus d'une rivière sans avoir assez de planches pour aller jusqu'à l'autre rive. Elle chercha cependant dans son esprit ce dont elle était certaine. Elle savait qu'ils étaient dans une montagne mais ne se rappelait pas laquelle. Elle avait gravi cette montagne avec quelqu'un, pas lui, quelqu'un d'autre. Qui donc ? Danny. Penser à Danny la rendait triste, car il l'avait abandonnée.

Ensuite, lui était venu pour prendre soin d'elle. Parce qu'elle lui appartenait, parce qu'il la connaissait, parce qu'ils étaient destinés à être ensemble. Il aurait pu la tuer. Pourquoi ? Pourquoi l'aurait-il tuée ? Elle ne se rappelait pas pourquoi elle avait eu cette pensée. Mais il ne l'avait pas fait. Elle lui en était reconnaissante. Depuis qu'elle avait compris que sa vie lui appartenait, qu'il avait choisi de lui laisser la vie sauve, elle lui en savait gré.

Il avait conscience de sa présence près de lui, mais la fièvre qui l'assommait et le maintenait dans un sommeil profond l'empêchait de la retenir. Il lui fallut une concentration folle pour s'éveiller. Son état de faiblesse extrême le surprit. Son sang, brûlant comme un jet de vapeur, pulsait dans ses veines et faisait battre son bras infecté.

Il ferma les yeux et la douleur le plongea de nouveau dans un sommeil sans repos.

Elle le caressa pour le réveiller et posa ses mains fraîches sur lui. Elle venait librement lui demander son dû d'amour, sans qu'il l'ait sollicitée, et c'était trop tard. Il était affreusement malade.

Elle était allongée sur lui, nue. Il la regarda.

– Que dois-je faire ? Dis-moi quoi faire.

– Embrasse-moi.

Il lui avait déjà demandé, mais elle s'était détournée de dégoût. Aujourd'hui, pourtant, elle se penchait vers lui avec avidité. Elle était sienne.

Désormais, il pouvait lui faire totalement confiance. Elle ne lui abîmerait pas le bras, ne l'humilierait pas et ne l'abandonnerait pas. Elle monta sur lui. Il possédait le papillon qu'il avait attrapé dans son filet.

Il eut l'impression que la douleur avait faibli ou qu'elle s'était évanouie en elle. Quand elle atteignit l'orgasme, il se redressa, accrocha ses deux mains à ses épaules et la pressa contre lui.

Il oublia sa main et ne s'aperçut pas que la peau infectée suppurait. Ni l'un ni l'autre ne sentit la substance visqueuse qui s'en échappait.

Après un long moment, ils regardèrent la main malade et virent que la plaie avait rejeté son poison. Ainsi nettoyée, la main ressemblait à un gant pâle. Elle apporta de l'eau pour se laver et le laver. Il dormit toute la matinée, serein.

Elle n'entendit rien, pas le moindre bruit apporté par le vent descendant du versant opposé du pic. Elle n'entendit personne crier son nom.

20

Le garde forestier en chef, son frère qui tenait le gîte, leurs épouses et Sam étaient attablés près de la fenêtre du restaurant. Leurs cafés brûlants embuaient les vitres, les empêchant de voir le ponton. L'une des femmes passa derrière le bar et prépara quelque chose pour Sam, qui avait besoin de manger. Il doutait d'en être capable. Tous étaient des gens bien, des gens vraiment bien que le choc de la nouvelle et la sympathie que leur inspirait Sam maintenaient silencieux. Sam ne parvenait pas à prononcer plus d'un mot par-ci, par-là, et le reste de la compagnie l'imitait. Attendre. Attendre les éclaireurs et les inspecteurs du bureau du shérif de Chelan, attendre Ernie Gibson, qui devait transporter les chiens dans son hydravion. Et, avec un peu de chance, un hélicoptère du comté de Chelan. Avertis par la radio à énergie solaire, tous s'étaient mobilisés pour intervenir sur un drame dans ce coin de paradis. De temps en temps, quelqu'un entrait et venait murmurer une parole à l'oreille du garde ou de son frère : tantôt l'un des étudiants embauchés pour l'été au service des forêts, tantôt l'une des jolies jeunes filles chargées de nettoyer les chalets.

Sam sentit qu'ils le trouvaient froid et détaché, ne semblant pas affecté par la perte de son meilleur ami. Il avait aboyé ses ordres, dit qui devait faire quoi et comment, et « immédiatement ». Il avait accepté du café, une douche, les vêtements de rechange de l'étudiant longiligne de l'Indiana, la gorgée de whisky offerte par le frère du garde forestier, mais découragé toute manifestation de sympathie ou tout vain propos. Son visage et son cou lui faisaient mal à force de rester figés.

Il chercha une cigarette et trouva son paquet vide. Avant qu'il ait eu le temps de se lever pour en acheter un autre, la femme du garde avait posé un paquet devant lui.

Il la remercia, essuya un peu de buée sur le carreau du revers de la main et regarda par la fenêtre. Les promenades étaient désertes, le lac et les montagnes avaient pris la même couleur gris métal ; le spectacle était fini pour les touristes, l'œuvre sérieuse de l'hiver avait commencé. Sam songea à la chaleur de Natchitat. Quand était-ce ? Hier ? Avant-hier peut-être. Il détestait la fournaise mais aurait souhaité maintenant qu'elle fût ici : elle aurait permis à Joanne de tenir le coup jusqu'à l'arrivée des secours.

– Hier, j'ai croisé un crotale, commença-t-il, sans s'adresser à personne en particulier.

– Ça arrive, répondit le garde forestier, manifestement désireux d'encourager toute amorce de conversation. Un gros ?

– Un mètre, peut-être. Mais je peux me tromper.

– En général, les crotales du Pacifique ne dépassent pas les quatre-vingt-dix centimètres.

– Il semblait assez aimable.

Le garde eut un drôle de rire qui troubla le silence de leur longue attente.

– Aucun n'est aimable. Le froid l'aura sans doute engourdi. Mais je ne me serais tout de même pas risqué à lui serrer la main.

– L'ours…, commença Sam d'une voix qui avait repris sa vigueur. Pensez-vous qu'il puisse s'agir d'un grizzli ?

– Je ne pourrais pas affirmer le contraire avec certitude, mais, comme je le disais, nous n'en avons pas vu depuis

1965. Rien de commun avec le Glacier Park. Il y a long-temps que les grizzlis ont été chassés de la région. Il est possible qu'un individu isolé soit descendu du Canada, mais j'ai peine à y croire. Personne n'en a vu de tout l'été. Et, cette année, nous avons eu des milliers de randonneurs.

– Ils n'ont vu aucun ours ?

– Si, quelques ours bruns dans la vallée supérieure, comme d'habitude, qui cherchaient de la nourriture. Une femelle et son petit ont été aperçus en juillet près de High Bridge, à Coon Lake. Une femme a trébuché sur un petit, alors la femelle s'est dressée sur ses pattes arrière et a poussé un grognement mais n'a pas attaqué. Après avoir laissé les randonneurs s'éloigner, elle a pris la poudre d'escampette. Pour qu'un ours attaque, il doit vraiment être acculé.

– L'animal devait être gigantesque. Danny n'a pas tiré. Ses blessures étaient… terribles.

– Il faisait bien noir, hier soir. Vous n'avez peut-être pas vu les choses très clairement.

– Si, j'ai vu.

– Vous devez savoir mieux que moi, répondit le garde forestier en rougissant.

Sam avait vu ce qu'il avait vu, et la scène ne collait pas avec ce qu'elle aurait dû être. Il remuerait ciel et terre pour trouver ce qui clochait.

Il pensa aux petites mains de Joanne, à sa manière de rentrer les épaules quand elle se sentait menacée. Il se rappela sa cuisine et les pots de confiture attendant d'être rangés. Il refoula ses larmes.

– Mais, bon sang, combien de temps leur faut-il pour arriver jusqu'ici ? demanda-t-il.

– Une heure et demie, dit le garde en regardant sa montre. Ils seront là d'une minute à l'autre. Les gamins d'ici ont déjà une équipe prête pour le départ. Ernie amène les deux limiers.

– Je veux l'hélicoptère. Je veux qu'on la descende tout de suite et qu'on la transporte à l'hôpital de Wenatchee.

Le garde baissa les yeux.

– Qu'est-ce qu'il y a ?

– Inspecteur... Sam... Il faut vous préparer à ce qu'elle... à ce qu'elle puisse...

– Quoi ?

– Si nous avons un ours rebelle là-haut...

– Il y en a un, bon sang ! Je vous ai dit qu'il avait tué mon collègue.

– Il se peut qu'elle aussi... qu'elle soit morte, Sam.

– Non. Je vais la faire redescendre.

– Vous êtes épuisé. Laissons l'équipe s'en charger.

– Je viens avec eux.

– D'accord. Mais mangez ça. La nuit va être longue.

Sam regarda l'assiette posée devant lui : un steak saignant et des galettes de pommes de terre. Son estomac rechigna, mais il attaqua. Il aurait préféré une bière.

La nourriture atteignit le fond de son estomac et faillit remonter, mais il la garda. Il ne se sentait pas épuisé mais en colère contre les inspecteurs de Chelan qui ne semblaient pas pressés. À midi, alors qu'il venait de décider de repartir seul à la recherche de Joanne, il entendit le bruit lointain d'un moteur et aperçut la vedette. Juste derrière, le De Havilland d'Ernie Gibson tomba gracieusement du ciel de plomb et se posa sur l'eau.

Les inspecteurs étaient des gamins dans la vingtaine. Sam n'avait plus de patience avec les jeunes, ils lui tapaient sur les nerfs. Ou bien ils ne savaient rien et prétendaient savoir quelque chose, ou bien ils connaissaient des choses inutiles et étalaient leur savoir. Sam, qui les observait depuis l'embarcadère, fut exaspéré par la lenteur et le soin avec lesquels ils amarraient leur vedette. Loin des oreilles de Sam, le garde forestier leur expliquait quelque chose. Les jeunes hochèrent la tête, jetèrent un œil de son côté et hochèrent de nouveau la tête. Sam haussa les épaules.

Le plus grand vint vers lui en premier, les mains vides. Sam fronça les sourcils.

– Où est votre matériel ?

– Monsieur ?

– Pas de monsieur… Sam Clinton, inspecteur de Natchitat. Il vous faut du matériel pour analyser la scène.

– Le garde nous a parlé de l'attaque d'un ours.

– Une hypothèse. Et c'est moi qui lui en ai parlé. Vous partez toujours du principe que tout ce qu'on vous dit est vrai ? Combien de cadavres avez-vous examinés ? Vous vous contentez toujours de retranscrire ce que vous avez entendu ?

Le jeune flic tourna les talons et partit vers son bateau. Sam le vit murmurer quelque chose à l'autre inspecteur, un homme trapu à peine plus vieux. Les deux jeunes s'éloignèrent rapidement en riant, les yeux levés au ciel. Le type trapu monta sur la vedette et revint avec une petite mallette. Sam contint sa colère mais doutait toujours qu'ils eussent la moindre idée de ce qu'ils faisaient. Quand ils revinrent vers lui, ils affichaient un visage impassible et attentif.

Le plus âgé lui tendit la main.

– Dean McKay. Sergent de Chelan. Enchanté, monsieur.

Sergent ? Il n'avait pas encore trente ans. Sam lui serra la main et ne se sentit pas en confiance.

– Clinton.

– Voici Rusty Blais. Vous venez avec nous ?

– Allons-y.

Le sentier désert la veille était à présent plein d'hommes et de chiens endurants qui eurent vite fait de distancer Sam et le garde forestier. Tous deux gravissaient la pente avec stoïcisme, s'arrêtant dans un accord tacite quand le souffle leur manquait. Ils entendaient les cris et les éclats de rire des jeunes, devant, mais levaient rarement les yeux pour constater leur écart.

Arrivé à la dernière prairie, le garde forestier, hors d'haleine, s'arrêta pour s'asseoir.

– Attendez, Clinton. On y est. Asseyez-vous une minute.

Sam se reposa à contrecœur, préoccupé par leur retard.

– Ne prenez pas mal leurs rires. N'y voyez pas un manque de respect.

– Je sais bien. J'ai fait la même chose. À Seattle, les légistes avaient un jour laissé tomber un cadavre. Ils ne l'avaient pas bien attaché et il a dévalé les escaliers. Dieu merci, la veuve était à ce moment-là chez des voisins et n'a pas assisté à la scène. Le fou rire nous a pris. Mon équipier s'est mis à rire, moi aussi, puis ce fut le tour des légistes. Imaginez quatre hommes adultes rigolant comme des malades sous les yeux du mort qui avait atterri au bas des marches. On ne peut pas pleurer sur chaque tragédie, sinon, on craque, mais…

– Je sais. Quand c'est un proche… Ça va aller ?

– J'en sais rien. Peut-être pas. J'aimais cet homme.

– C'était un type bien. Elle aussi. Elle était… elle semblait aussi être quelqu'un de bien.

– *C'est* quelqu'un de bien, même si elle a peur du noir, dit Sam en se levant. Il faut y aller. Il faut la retrouver avant la tombée de la nuit.

– Ils ont commencé les recherches. C'est une bonne équipe. Ils quadrillent avec les chiens. Et Ernie survole le périmètre. Si elle est là, ils la trouveront. Quelle était la couleur de leurs sacs à dos ? J'ai oublié.

– Kaki. Des surplus en solde. Celui de Danny est toujours là-haut, près du lac. Je crois vous l'avoir dit… Bien sûr qu'elle est là. Où pourrait-elle être, sinon ?

Le garde forestier hocha la tête puis bloqua sa respiration en sentant l'odeur de la mort. Les deux hommes quittèrent le sentier en silence et descendirent vers Blais et McKay, narines pincées, lèvres serrées.

– Qu'en pensez-vous ? demanda Sam, qui se moquait éperdument de leur avis.

– On dirait un ours.

– On dirait… ? Cet homme est un des nôtres, et c'était un ami. Vous lui devez la totale. Passez-moi quelques-unes de vos pochettes en plastique. Vous en avez apporté, non ?

Sam n'allait pas s'attirer leur sympathie. De ça aussi il se fichait.

– Oui, monsieur.

Ils lui en tendirent quelques-unes et reculèrent, l'observant avec méfiance.

Il travaillait seul, sans tenir compte de leur présence. Il remplit les sachets de plastique de feuilles tachées de sang, de terre, d'un bouton cassé, puis étiqueta chaque pochette et inscrivit ses initiales et la date. Pendant un instant, il eut du mal à se rappeler la date… 11 septembre. Vendredi. Cela faisait une semaine qu'il avait vu Danny et Joanne vivants, souriants, heureux et…

Il lui sembla sentir une odeur de cigare… Il tourna la tête, s'attendant presque à voir Danny se redresser, vivant, content de la bonne blague qu'il venait de lui faire. McKay, assis sur un tronc d'arbre à quelques mètres de là, tirait sur son mégot. Blais se balançait d'avant en arrière sur les talons, les mains dans sa poche arrière. Sam les avait pris en grippe mais se rendait tout de même compte qu'ils n'avaient rien fait pour exciter sa colère, que ses préjugés l'aveuglaient. S'ils n'avaient pas été flics, il leur aurait pardonné.

Il ne pouvait pas leur pardonner. Ils auraient dû se montrer respectueux.

Sam souleva l'une des mains ramollies de Danny, la glissa dans une pochette et racla les ongles. Aidé de McKay, il ferma l'emballage plastique et répéta l'opération avec l'autre main.

McKay s'accroupit à côté de lui.

– Prélèvement des ongles. Vous croyez qu'il peut y avoir quelque chose ?

– Je ne sais pas. Je veux savoir pourquoi il n'a pas

utilisé son arme. Je veux savoir pourquoi il ne s'est pas défendu.

– Il n'a pas tiré ? demanda McKay en poussant un sifflement de stupéfaction. Moi, j'aurais vidé tout mon chargeur sur l'animal.

– L'arme est là. N'y touchez pas ! Le chargeur est plein, la chambre aussi.

– La femelle ours l'a peut-être attaqué par-derrière ?

– Non.

Sam acheva son travail. Il avait hâte d'en finir avec cette dépouille qui n'était pas celle du vrai Danny. Elle ne le serait qu'après l'autopsie. Et il se demanda comment il allait supporter cette autre épreuve. Il se tourna vers McKay.

– Qui va prendre en charge l'autopsie ?

McKay eut de nouveau l'air surpris.

– L'autopsie. Vous pratiquez bien des autopsies, dans votre bled ?

– Attendez…, commença McKay, qui se contint malgré sa fureur.

– Qui va la faire ?

– Sans doute le Dr Hastings. Albro est en vacances.

– Vous avez là une mort suspecte, inspecteur. Vous ne savez pas ce qui s'est vraiment passé, moi non plus, du reste. Il y a des perforations sur la poitrine, des lacérations profondes sur la face, une arme qui n'a pas servi, alors, vous feriez mieux de programmer une autopsie.

– Cela ne dépend pas de moi.

– Tant mieux.

Blais bredouilla un mot et Sam entendit un « connard ».

– Vous avez quelque chose à dire, petit ?

– Non, monsieur.

– Alors fermez-la.

Sam fit demi-tour et remonta la pente avec ses sachets emplis de pièces à conviction. Il n'avait pas de temps à consacrer à des crétins incompétents.

Sam s'accrochait à sa colère, qui le réconfortait ; il était vital pour lui d'entretenir ce feu, sinon, le noyau glacé à l'intérieur de lui-même l'envahirait complètement et l'empêcherait d'agir. Il se fichait d'être apprécié, de passer pour un bon vieux flic.

L'hélicoptère se posa sur la prairie, balayant l'herbe haute. Blais et McKay sortirent du bois en feignant la même indifférence et s'avancèrent vers l'engin. Sam les observa en silence, se demandant pourquoi le monde entier semblait se mouvoir au ralenti, insoucieux du soleil qui déclinait et de la nécessité impérieuse d'agir. Par un effort conscient de la volonté, il s'interdit de diriger les manœuvres de l'enlèvement du corps de Danny. Il avait examiné la scène de sa mort avec le même soin que d'habitude. À moins qu'ils ne plongent l'hélicoptère dans le lac Chelan, ils ne pouvaient plus faire de bourdes.

Blais et McKay disparurent dans la forêt avec le sac caoutchouté et remontèrent enfin le corps de Danny. Il les regarda attacher le sac à l'hélicoptère qu'ils saluèrent quand il décolla. La gorge nouée, Sam se précipita vers le campement déserté. Les jeunes inspecteurs le suivirent et le virent collecter du vomi dans un sac. Ils s'adressèrent un signe de tête.

Le vieux flic était fou, mieux valait le laisser seul.

21

Sam ne prétendait pas être un homme des bois. Ses talents d'enquêteur faisaient merveille en ville. À Seattle, dans les ruelles hantées par les laissés-pour-compte, il retrouvait son homme neuf fois sur dix. Il connaissait la violence de la ville et tous les lieux obscurs et inaccessibles où se réfugiaient les paumés, les innocents et les préda-teurs. Mais il n'était d'aucune utilité dans les montagnes et le savait. S'il s'enfonçait dans la forêt à la recherche de Joanne, il était sûr de se perdre.

Il attendit seul près du feu, ignoré par les maîtres-chiens qui s'écartaient du groupe pour venir se réchauffer près des flammes qu'il entretenait. Il remarqua quelque chose dans leur manière, quelque chose qu'il reconnut. À l'instar des inspecteurs, aucun n'agissait avec la motivation ou l'énergie que réclamait l'urgence. Ils n'espéraient pas la retrouver ou pensaient que, s'ils la retrouvaient, elle serait morte. Sam s'enfonça dans le bois pour aller pisser et entendit leurs voix portées par l'air froid.

– Qu'est-ce que t'en penses ?

– C'est pas bon.

– L'homme est mort depuis combien de temps ? Ils l'ont dit ?

– Cinq… six jours.

– Alors je comprends pas ce qu'on fout là. Les chiens

tournent en rond comme des dindes. Ils ne retrouvent même pas leurs trous du cul.

– Tu crois que l'ours l'a eue elle aussi ?

– Non, c'est Jeannot lapin qui l'a bouffée. Le type était armé et regarde ce qui lui est arrivé. Merde !

– Je n'ai jamais entendu dire qu'un ours s'était attaqué à quelqu'un par ici.

– Ça arrive une fois tous les vingt ans environ, et après les gens oublient. Les touristes les prennent pour de gros nounours et leur donnent à manger.

Sam gelait et avait du mal à respirer. Sa colère montait à nouveau. Le plus âgé des deux hommes semblait prendre plaisir à jouer les grandes gueules devant le plus jeune.

– Ils ont croisé une femelle. Peut-être un grizzli. Quand tu en rencontres une, la seule chose à faire est de t'allonger et de faire le mort. Si tu as de la veine, tu t'en sors avec quelques morsures. On ne retrouvera jamais rien de cette femme à part quelques restes. L'ourse l'a sûrement traînée quelque part pour la savourer lentement…

Sam émergea des broussailles, le visage figé comme un masque. Les chiens de saint-hubert l'accueillirent avec des aboiements féroces. Sans leur laisse, ils lui auraient sauté à la gorge.

Les maîtres-chiens, bouche bée, regardèrent Sam. Intrigués par les aboiements sauvages des chiens, d'autres hommes s'approchèrent du feu et considérèrent Sam avec circonspection.

– Si c'était votre femme, vous ne seriez pas si pressés de la voir réduite à des morceaux de chair sanguinolente, dit Sam d'une voix tremblante.

Le maître-chien comprit qui il était et se rassit en caressant son chien d'un air gêné.

– Je ne vous avais pas vu.

– En effet.

– Pardon. Il nous arrive de parler un peu rudement. N'y voyez rien de personnel.

Un peu calmé, Sam reprit sa place près du feu pour se

réchauffer, car sa brève incursion dans les bois avait suffi à le glacer.

— Toujours rien ? demanda-t-il.

— Elle s'est peut-être réfugiée dans un arbre, dit rapidement l'homme plus jeune en regardant son équipier. La nuit, c'est plus facile pour nos chiens. Ça va aller mieux, maintenant. Les effluves de la peau – la sueur et les bactéries – sortent avec l'humidité de la nuit. Les oreilles des chiens balaient les odeurs et les leur envoient directement dans la truffe. Les chiens sont extraordinaires. Nous la retrouverons.

— Ça vous tente ? demanda le vieux type, qui venait de sortir une flasque.

L'alcool lui donna un coup de fouet. Il but une deuxième gorgée, une troisième, et lui rendit sa flasque. Il voulait croire le jeune homme, mais la conversation qu'il venait de surprendre sonnait plus vrai.

— La dernière fois que vous avez retrouvé quelqu'un, combien de temps était-il resté dans la montagne ?

Vinrent les mensonges que Sam goba parce qu'il en avait besoin.

— Trois semaines, je crois. Deux ou trois semaines. Les gens trouvent des ressources en eux quand ils y sont contraints. Vous vous souvenez de ce type de Wenatchee ? C'était en 1972, peut-être en 1973, dit-il en s'adressant à son jeune collègue. Il était resté tout ce temps, non ?

— C'est vrai. On a dû le retrouver après deux ou trois semaines au moins. Il était maigre à faire peur, mais en bonne santé.

Il mentait éhontément. Aucun n'était avare de mensonges.

Sam passa sa nuit blotti contre les troncs d'arbres qui délimitaient le dernier campement de Danny et de Joanne. Il entendit à peine les cris dans la forêt et le pas lourd de ceux qui venaient rejoindre les hommes groupés autour du feu. Il perçut les reniflements et les grognements des chiens qui se mêlaient aux voix graves des sauveteurs.

Il rêva que Joanne avait retrouvé seule son chemin dans la forêt et était revenue, qu'elle suppliait les hommes de la laisser approcher du feu. Quand il tendit la main pour la toucher, elle avait disparu.

La neige tomba pendant la nuit, d'abord en petits flocons délicats, puis en gros flocons qui fondaient sur sa joue. Sa hanche pressée contre le sol le faisait souffrir, mais il continua de dormir, inconscient du manteau blanc qui les couvrait tous. Quand il s'éveilla enfin, il vit que les autres étaient dejà levés et se sentit coupable de s'être abandonné à la chaleur de son duvet alors qu'elle attendait quelque part, seule, l'arrivée des secours.

Il était à peine 7 heures et le jour commençait seulement à entamer la fine couche de neige. Sam se sentait plus fort, moins disposé à rudoyer les hommes autour de lui. Ils faisaient leur boulot, dégagés de toute implication personnelle, comme il l'avait lui-même toujours fait.

Il se força à parler de tout et de rien avec les sauveteurs qui prenaient leur café. Il n'avait pas le droit de les presser.

— Ne vous laissez pas effrayer par la neige, lui dit le garde forestier.

— J'ai du mal à être optimiste. Va-t-elle tomber sans discontinuer jusqu'au printemps ?

— Non, ce n'est qu'un faux hiver. La première semaine de septembre, il neige toujours, au-dessus de mille deux cents mètres. La montagne veut sans doute nous préparer aux rigueurs à venir. La neige aura fondu dans un jour ou deux et cédera la place à trois ou quatre semaines d'été indien. La neige peut nous faciliter la tâche, nous donner des traces à suivre.

Sam se dit qu'ils trouveraient seulement leurs propres traces mais garda sa pensée pour lui.

— Quelqu'un a trouvé quelque chose cette nuit ?

Il savait bien que non, sinon, le garde forestier lui en aurait parlé.

— Non, mais ils sont partis tard. On n'a rien retrouvé

de son matériel, et ça c'est positif. Elle avait un sac à dos et un sac de couchage ? Vous en êtes certain ?

– Absolument. Je les ai vus les charger dans leur véhicule.

– Bien, c'est bon signe.

Combien de fois avait-il apaisé les familles en usant de vaines paroles ? Empoisonné par sa propre expérience, il ne disposait d'aucune ruse pour s'abuser lui-même.

Mais elle vivait. Il en était certain, comme il avait été certain, bien avant d'avoir découvert son corps, que Danny était mort.

L'arbre. L'arbre l'intriguait. Après le départ des sauveteurs, Sam tourna autour, examina les branches cassées, les endroits où manquaient les aiguilles de pin. L'éraflure du tronc avait été faite par quelque chose de large et de plat, une chaussure, sans doute, certainement pas une griffe. Quelqu'un avait grimpé à cinq ou six mètres et s'était cramponné là-haut. Puis était descendu… pas tombé. Était descendu doucement en arrachant les aiguilles de pin. Son pied avait brisé des branches avant de toucher le sol.

Sam repéra une prise sur les branches glissantes de neige mouillée. Il n'était pas monté dans un arbre depuis quarante ans mais progressa jusqu'à l'endroit où s'arrêtaient les marques sur le pin. Il regarda en bas et vit l'endroit où il avait prélevé du vomi, juste sous ses pieds. Il avait la certitude que Joanne s'était réfugiée là, malade de terreur.

C'était une vieille technique. On se met à la place de la victime et on imagine. Il n'avait jamais poussé le vice aussi loin que ce type de Seattle qui parlait aux cadavres pendant l'examen de la scène de crime, mais c'était une méthode éprouvée. Joanne avait bien séjourné dans l'arbre. Que s'était-il passé ?

Il regarda dans la direction où avait été retrouvé le corps de Danny, mais la roche empêchait de voir quoi que ce soit. Joanne aurait pu entendre la lutte… elle n'aurait rien pu voir.

Il tourna trop rapidement la tête, et quelque chose lui griffa la nuque. C'était un petit éclat de bois pointu et fourchu où s'étaient prises deux longues mèches de fins cheveux bruns. Il reconnut ceux de Joanne, il savait que le microscope électronique à balayage le confirmerait. Le dessus de sa tête avait heurté le rameau qui avait griffé Sam. La tête de Joanne s'était trouvée exactement à la hauteur des épaules de Sam.

Il s'adossa à la branche la plus épaisse pour réfléchir, observant de loin les sauveteurs qui retournaient le sol de leurs pieds en espérant trouver quelque chose sous la neige.

Sam changea d'optique et regarda plus près de lui. Il vit ce qu'il cherchait. Un triangle supplicié de tissu à carreaux dont les fils se balançaient paresseusement au vent. Vert et noir, si proche de la couleur des arbres qu'il semblait se confondre avec eux.

Il l'attrapa, fasciné. Il ne l'avait pas vu avant : c'était ça, la chose importante. Il ne l'avait pas vu avant. Il ne reconnaissait pas le vêtement d'où il avait été arraché. Par superstition, Danny ne portait jamais de vert. Et le morceau de tissu provenait d'un vêtement masculin que Joanne n'aurait sûrement pas porté.

Elle n'avait pas été seule dans cet arbre.

Les pochettes de plastique se trouvaient au sol, avec son matériel. Sam s'arc-bouta contre le tronc pour libérer ses deux mains et tira son paquet de Marlboro de sa poche intérieure. Il glissa le bout de tissu écossais entre la Cellophane et le carton du paquet d'un côté, la mèche de cheveux de l'autre, puis redescendit.

Elle ne se trouvait pas dans le périmètre défini pour sa recherche ; mais, s'il disait ça aux hommes, ils ne le croiraient pas. Il ne savait pas lui-même pourquoi il en était persuadé, alors comment aurait-il pu les convaincre avec des cheveux et un bout de tissu ?

Danny connaissait la réponse. Quelque part dans sa chair en décomposition se trouvait la clef de l'énigme.

Sam ne voulait pas quitter les montagnes mais ne pouvait rester. Danny l'attendait. Ici, il ne servait à rien. Il était le seul qui saurait quoi chercher quand ils découperaient Danny, le seul à pouvoir éliminer les fausses évidences.

Il redescendit avec le garde forestier en hélicoptère. La neige disparut tandis qu'ils quittaient les hauteurs, transformant le spectacle hivernal en scène imaginaire.

En attendant Ernie et son hydravion, Sam faisait les cent pas dans le bureau du service des forêts.

– Vous leur avez parlé le jour de leur départ en randonnée ? demanda-t-il au garde.

Sam se souvint de lui avoir déjà posé la question.

– Pas ce matin-là. La veille, juste à leur descente du bateau.

– Avez-vous parlé à quelqu'un d'autre ce jour-là ?

– À plein de monde. Voyons voir. C'était le 4, c'est ça ?

– Oui, le vendredi précédant le week-end du Labor Day. Combien de randonneurs sont partis ce jour-là ? Regardons d'abord toute la semaine et le week-end.

Le garde forestier posa le registre en travers du comptoir. Sam passa en revue des pages de noms inconnus gribouillés de différentes écritures, certaines presque illisibles. Les itinéraires changeaient : Purple Creek, Boulder Creek, War Creek, Rainbow Creek via McAlester... À côté de quelques-uns seulement, une croix indiquait que le groupe de randonneurs avait signalé son retour.

– Que se passe-t-il si quelqu'un part grimper sans s'être fait connaître ?

– Ça arrive. Nous n'aimons pas ça car si quelqu'un a des problèmes, ça peut mal tourner.

– Mais ça arrive ?

– Je suis certain que oui. On ne peut pas stationner en permanence au départ des sentiers pour leur tamponner la main.

– Puis-je avoir un bout de papier ?

Le garde lui tendit un bloc qu'il regarda avec attention.

– Qu'est-ce que vous cherchez ?

– Je ne sais pas.

Sam parcourut du doigt les pages et nota les noms qui n'étaient pas suivis d'une croix.

– Le groupe Vincent ?

– Oh, eux. Voyons voir. Ils ont grimpé vers Boulder, pris vers le sud, et sont redescendus par Purple, là-bas. Ils viennent une fois par mois, peut-être.

– D'accord. Dr Bonathan et son fils. Pas de croix non plus.

– Je les connais, eux aussi. Ils sont rentrés samedi soir et ont dîné au restaurant. Ils auront oublié de s'enregistrer.

– Steven Curry ?

– Il allait rejoindre le Pacific Trail. Un jeune mec, genre hippie. Il avait l'air de pouvoir le faire sans problème. Il remontait de Californie et voulait aller jusqu'au Canada.

– À quoi ressemblait-il ?

– Petit. Barbe blonde. Râblé. Il sentait le cheval d'écurie.

– David Dwain ?

– Je ne sais pas. Qu'est-ce qui est écrit ?

– Rainbow Lake. C'est vous qui l'avez inscrit ?

– Laissez-moi voir. Non, je reconnais l'écriture de Ralph Boston. Une des recrues de l'été.

– Je peux lui parler ?

– Il est reparti mercredi pour la rentrée universitaire.

– Vous n'avez pas vu ce Dwain ?

– Non. À quoi pensez-vous ?

– Il a commencé sa randonnée vendredi soir, dit Sam en réfléchissant tout haut. Mes amis se sont mis en route le samedi. Il a pu les voir, il sait peut-être quelque chose.

– Le temps qu'ils arrivent, il avait sans doute déjà dépassé Bridge Creek et Twisp. Il suffit qu'un groupe de marcheurs parte d'ici une demi-heure avant un autre groupe pour qu'ils ne se rencontrent jamais.

– Je m'en doute, dit Sam, qui arracha la feuille du bloc et la glissa dans la poche de sa veste. Je redescends à Wenatchee. Prévenez-moi dès qu'ils l'auront retrouvée. Si vous apprenez quelque chose de Curry ou de Dwain, ou quoi que ce soit d'autre, pouvez-vous avertir le bureau du shérif de Wenatchee ? Je ne sais pas où je vais séjourner, mais je laisserai un mot. Vous êtes en contact radio avec eux ?

– Oui. Y a-t-il quelqu'un d'autre que je dois prévenir ? La famille de... des Lindstrom ?

Merde ! Sam avait oublié Elizabeth Crowder, qui attendait près de son téléphone à Natchitat, qui appelait, appelait et appelait depuis quatre jours. Il n'avait pas pensé à elle. Il n'avait même pas pensé à appeler le bureau.

– Il n'a personne. Elle a une mère. Je l'appellerai de Wenatchee.

22

Joanne entendit le ronflement des pales du rotor de l'hélicoptère bien avant Duane. Noyé dans un sommeil lourd et réparateur, il avait passé la majeure partie de la journée dans une torpeur dont il n'émergeait que brièvement. Joanne le veillait, craignant qu'il ne prenne de nouveau froid. Il dormait profondément, sans bouger. Elle le couvrit de son propre duvet et improvisa un brise-vent en plaçant leurs deux sacs entre les rochers qui l'abritaient déjà. Elle ne savait pas s'y prendre avec le feu et n'avait pas réussi à ranimer les braises qui s'étaient éteintes pendant leur longue, très longue étreinte. Ils ne craignaient rien jusqu'au crépuscule. Dans ce ciel d'étain, le soleil leur offrait une chaleur constante.

Elle ne se rassasiait pas de le toucher et trouvait des raisons de poser ses mains sur lui ; elle caressait son front pur de rides et tenait sa main blessée dans la sienne, si petite en comparaison, si pâle contre sa paume brune et calleuse. Elle était heureuse de rester tranquillement auprès de lui, insoucieuse du passage des heures, mais impatiente qu'il se réveille et réponde à ses caresses. Le temps entre l'aube et le matin s'était écoulé si vite ! Elle était devenue insatiable. Son désir semblait croître avec chaque nouvel assaut, et elle aurait continué toute la journée et toute la nuit si elle l'avait pu.

Elle s'était approchée du précipice mortel, avait senti que la terre s'effritait sous ses pieds, et il l'avait retenue. À son tour, elle l'avait sauvé et prenait soin de lui. Elle ne pouvait pas imaginer avoir douté de lui. Il était presque mort pour elle.

Il était presque mort pour elle.

Elle essuya doucement sa poitrine sans pourtant le réveiller, puis roula sur le côté et posa sa cuisse sur la sienne. Il souriait en dormant. Elle passa son doigt sur sa bouche. Elle était jalouse de son sommeil, et seule. Elle avait à nouveau envie de lui. Mais ses yeux restaient fermés, il était loin d'elle.

Le bruit de l'hélicoptère, qu'elle écouta sans respirer jusqu'à ce qu'elle en reconnaisse l'origine, la rappela au présent. Il ne lui avait jamais dit exactement ce qui les menaçait. Il y avait quelque chose, une force maléfique qui conspirait à leur destruction, exigeant de leur part ruse et camouflage. Pour quelle raison l'avait-il entraînée à ramper dans les broussailles ? Pourquoi lui avait-il aussi promis de lui apprendre à se servir d'une arme ? Tout cela prouvait qu'il lui avait pardonné et lui faisait confiance.

Elle pensait ne pas mériter sa confiance, mais ce n'était qu'une vague impression. Ne se souvenant de rien, elle préférait s'aventurer prudemment sur ce terrain et ne pas poser de questions. Jusque-là, il l'avait toujours préservée de tout souvenir qui pourrait la tourmenter. Parfois, cependant, et cela lui paraissait bien étrange, lorsqu'elle était au comble de la félicité, elle prenait peur et devait s'éloigner de lui jusqu'à ce que sa terreur s'apaise.

Il y avait plusieurs choses dont elle était absolument certaine. Personne ne l'avait jamais autant aimée. Personne ne l'aimerait autant. Il ne la quitterait jamais. Il lui avait dit et répété ces vérités au point que ses paroles s'étaient transformées en ritournelle.

Dès qu'elle prenait peur, il les lui répétait.

Bien sûr, elle n'aurait pas permis qu'on lui fasse du mal.

Allongée près de lui, elle entendit l'ennemi qui tournoyait dans le ciel, qui les cherchait. Elle posa la main sur sa bouche pour l'empêcher de crier, préférant laisser partir l'hélicoptère avant qu'il fût complètement éveillé. Puis elle posa sa bouche contre son oreille.

– Réveille-toi.

Ses yeux s'ouvrirent d'un coup, sa poitrine se souleva.

– Qu'est-ce que c'est ? lui demanda-t-il d'une voix si faible qu'elle dut lire sur ses lèvres pour le comprendre.

– On dirait un hélicoptère. Écoute.

– Tu l'as vu ?

– Non. Les nuages sont arrivés juste avant que je l'entende. Je crois qu'il est reparti de l'autre côté, là où nous étions avant.

– Il faut quitter cet endroit. Nous y sommes restés trop longtemps.

– Oui.

– Il faut retourner dans la forêt avant la nuit. Nous ne pouvons pas attendre jusqu'à demain. As-tu peur ?

– Je n'ai jamais peur avec toi, lui souffla-t-elle à l'oreille. Comment te sens-tu ? Assez fort pour prendre la route ?

Il la souleva sans effort, la coucha sur lui et l'embrassa sur la bouche. Il était à nouveau fort. Ses caresses la rassuraient sur sa capacité à survivre à tout. Ils firent l'amour à l'ombre des rochers et des nuages, protégés par leurs duvets qui se confondaient avec le paysage. Le feu éteint ne pouvait signaler leur présence aux intrus qui quadrillaient la forêt de l'autre côté du col.

Leurs ébats finis, encore soudés, ils entendirent à nouveau l'appareil dont les rotors fendaient l'air à des kilomètres. Ils ne virent pas l'engin s'élever jusqu'aux nuages mais savaient qu'il reviendrait. Il regarda le ciel et lui expliqua que les nuages étaient chargés de neige. Ils n'avaient d'autre solution que de descendre et de fuir le danger qui les cernait et planait au-dessus d'eux.

En un quart d'heure, ils avaient rassemblé leurs affaires et laissèrent la prairie telle qu'ils l'avaient trouvée, sauf les cendres du feu qu'auraient pu laisser d'autres campeurs.

– Où allons-nous ?

Elle paraissait si petite sous son chargement.

– C'est important ?

– Non, pas vraiment. Nous sommes ensemble.

– Nous resterons ensemble. Nous l'avons toujours été et nous le resterons toujours. Tu comprends ça ?

– Oui… Mais… j'ai peur. Pas pour moi, mais pour toi. J'ai peur qu'ils essaient de nous séparer, qu'ils te fassent du mal.

– Pourquoi me feraient-ils du mal ?

– Je ne sais pas. Les… les gens qui te recherchent. Tu ne m'as jamais dit pourquoi ils nous suivaient. Si nous avons joué à ces jeux, c'est bien parce que quelqu'un nous cherchait ?

– Ne te fais pas de souci pour ça. Je te protégerai. Tout ce que tu dois faire, c'est m'obéir. Si je te demande de faire ci ou ça, tu dois t'exécuter sans poser de questions.

– Oui.

– Viens là.

Elle s'approcha et il lui prit la main. Il fit glisser sa bague à œil-de-chat et la lui tendit. Elle remarqua l'alliance qu'elle portait à la main gauche et s'en étonna. Elle l'ôta pour faire place à celle qu'il lui donnait. Le soleil qui rougeoyait à l'horizon se réflétait dans ses yeux.

– Par cet anneau, je t'épouse. Je n'existais pas avant toi et tu n'existais pas avant moi. Séparés, nous ne vivons plus. Le crois-tu ?

– Je le crois.

– Si je meurs, tu n'existes plus. Si tu meurs, je n'existe plus. Nos chairs, nos sangs et nos os sont un, pour l'éternité.

– Pour l'éternité.

– Je tuerais pour toi. Tu tuerais pour moi.

Elle trembla.

– Tu tuerais pour moi.

– Et « je tuerais pour toi ».

– Et si nous mourons ensemble, ici, dans ces montagnes, nous serons heureux.

Tandis qu'elle appuyait la tête contre sa poitrine, il contempla la finesse de sa nuque, tendre et pâle, là où les cheveux avaient été arrachés.

– Nous serons très heureux.

– Très, très heureux.

Elle releva la tête pour le regarder et il se mira dans ses pupilles. Il regrettait de devoir partir.

– Je veux dire quelques mots pour lui, dit-il.

– Pour qui ?

– Pour Danny.

– Oh…

Elle tourna les yeux distraitement vers la montagne.

– Donne-moi l'anneau… celui que tu as enlevé, ajouta-t-il rapidement.

Elle le lui tendit d'un air absent et le regarda cueillir trois pâquerettes blanches et glisser l'alliance autour de leurs tiges. Il posa l'anneau fleuri sur un gros rocher et la regarda.

– À la mémoire de Daniel… c'était Daniel ou Danny ?

– L'un ou l'autre. Mais il détestait Daniel. Dis Danny.

– À la mémoire de Danny Lindstrom. Et la cendre redeviendra cendre, la poussière redeviendra poussière.

Il comprit qu'elle ne se rappelait plus vraiment qui était Danny.

La montagne devint noire quand disparut le soleil. Ils remirent leurs sacs à dos sur leurs épaules et s'enfoncèrent dans la forêt. Les arbres se refermaient derrière eux tandis que s'évanouissait le sentier qui descendait en pente raide. Elle garda sa main accrochée à la ceinture de l'homme, par crainte de le perdre.

23

– Je sais qui vous êtes. Mais ce que je ne parviens pas à m'expliquer, c'est ce que vous foutiez sur mes scènes. Vous avez pris mes hommes de haut, mais ne vous figurez pas que vous allez me marcher sur les pieds.

Le capitaine Rex Moutscher lança à Sam un regard furieux et le laissa debout derrière le guichet comme un citoyen venu déposer plainte pour un chien perdu. Il n'était manifestement pas le bienvenu dans les bureaux du shérif de Chelan.

– Puis-je entrer ?

– Vous demandez la permission, maintenant ? C'est un revirement plaisant. Clinton, le grand manitou. Ici, vous êtes dans mon comté, dans mon bureau. Vous seriez le gouverneur de Washington que ce serait la même chose. Vous n'aviez pas à pourrir mes scènes. Ni à donner des ordres à mes hommes. Si vous êtes venu dans l'intention de nous dicter votre loi, prenez la porte.

– J'ai perdu mon coéquipier. J'avais besoin de savoir pourquoi.

– J'en suis conscient. Et je compatis, dit Moutscher, qui s'adoucit à peine. Mais cela ne vous donnait pas le droit de vous comporter comme ça. Que venez-vous faire ici ?

Sam posa les coudes sur le guichet, pris d'une fatigue incommensurable.

– J'ai passé trois jours dans la montagne. Le coucou qui m'a redescendu a essuyé une tempête de neige. Je viens de faire la route de Chelan jusqu'ici. Et je n'ai plus de cigarettes.

Moutscher lui tendit un paquet, et Sam en prit une.

– C'est tout ce que vous voulez ? Une cigarette ?

– Je suis venu pour l'autopsie. Je veux y assister.

– Je n'ai pas encore décidé si j'allais en demander une.

Sam se contraignit à ne pas répondre.

– Entrez, lui dit Moutscher en lui ouvrant la porte de sécurité. Asseyez-vous là et posez les mains sur vos cuisses.

– Je ne vais pas vous piquer vos comptes rendus, rassurez-vous, ni m'enfuir avec.

– J'espère bien que non. Vous étiez dans la police de Seattle, c'est ça ?

– Pendant dix-sept ans, jusqu'en 1977, répondit Sam en soupirant.

– Pourquoi êtes-vous parti il y a trois ans ?

– Raisons personnelles.

– Vous avez eu des problèmes là-bas, m'a-t-on dit. J'en ai connu d'autres, des gars comme vous.

– Qu'est ce qu'ils vous ont raconté ?

– Que vous aviez une bonne descente, dit Moutscher en regardant ailleurs.

– C'est gentil de leur part. Vous venez de les avoir au téléphone, c'est ça ?

– Écoutez, Clinton, je m'attendais à votre visite, sinon, pourquoi je serais resté là un samedi soir ? J'aime bien savoir à qui j'ai affaire.

– Et me voici. J'ai deux têtes, je crache le feu. Un vrai personnage de dessin animé.

– Pourquoi voulez-vous une autopsie ? demanda Moutscher en grognant.

– Je ne crois plus à la thèse du grizzli. Ni d'aucun ours.

– Vous niez l'évidence. Pourquoi ?

– Je le connaissais, je connaissais ses réactions. Il

réagissait vite et ne se serait pas laissé faire sans se défendre bec et ongles. Surtout avec elle. Ont-ils retrouvé quelque chose la concernant ? Ils ne vous ont toujours pas appelé ?

— Ils ne la retrouveront pas vivante. Voyez les choses en face.

— Je vois que vous êtes un grand sensible, n'est-ce pas, capitaine ?

Moutscher détourna les yeux pour regarder dehors.

— Je suis réaliste. Vous vous trompez en affirmant qu'il n'y a pas eu d'ours. Avez-vous observé les yeux de Lindstrom ? Moi, je les ai vus, et je ne suis pas de votre avis. Avez-vous déjà vu quelqu'un qui avait été attaqué par un ours ?

Sam fit doucement non de la tête.

— Moi, si. Et ce que j'ai vu correspond. Je vous propose un marché, comme ça, on sortira tous les deux de cette affaire la tête haute. Vous rendez toutes les preuves matérielles que vous avez soutirées à mon équipe, et le Dr Hastings nous donnera rendez-vous demain matin à 7 heures. Vous aurez votre autopsie.

— Je pense qu'on pourrait donner un coup de fil au Dr Reay, à Seattle. Je le connais, il maîtrise la discipline. Ici, vous fonctionnez avec de simples médecins. Je ne veux pas de votre élu, je veux un légiste assermenté.

— Clinton, si vous pensez qu'il n'y a que sur la côte qu'on soit capable de mener une enquête criminelle, pourquoi n'y êtes-vous pas resté ? Vous voyez ce dossier ? Vous voyez, là ? On a eu huit homicides cette année. Et huit condamnations. Ils font mieux, là-bas ? Je parierais que non. Ils doivent s'estimer heureux d'en élucider soixante-quinze pour cent. Alors ne mettez pas votre nez dans nos affaires. Je suis allé à Louisville. Je suis allé à Quantico, à l'académie du FBI. Et ailleurs. C'est à prendre ou à laisser.

Sam savait pertinemment ce que cachaient ces cent pour cent : des homicides du genre maman-tue-papa ou papatue-maman-et-l'amant-de-maman, des histoires sordides mais faciles à résoudre. Les flics de la côte avaient des inconnus tuant des inconnus, des cinglés tuant des inconnus, des toxicos s'entretuant sans personne pour les pleurer, des meurtriers qui pouvaient disparaître dans la nature. Dans ces conditions, soixante-quinze pour cent, c'était déjà plus qu'honorable. Sam regarda Moutscher et répondit.

– Je prends.

– Où sont mes pochettes bourrées d'indices ?

– Dans ma voiture.

– Alors, par sécurité, vous allez me les chercher, et pendant ce temps-là j'appelle Hastings.

– Où est Albro ?

– À Dallas.

Moutscher le tenait. Moutscher ne l'aimait pas. Sam n'avait respecté aucun des usages de conduite avec un collègue. Moutscher ne l'aimerait jamais, même s'il se jetait dans ses bras. Et tant pis.

Il rapporta les pochettes mais garda la mèche de cheveux et le bout de tissu écossais. Les autres ne savaient rien et n'en sauraient rien. Ils les auraient sûrement jetés, de toute façon.

Sam laissa son pick-up où il était, garé dans la rue derrière l'imposant tribunal, puis se dirigea vers le bar du Cascadian Hotel où il se mêla à la foule des cow-boys du samedi soir accompagnés de leurs petites amies.

Il s'assit au bar et écouta le juke-box. Il commanda un Glenlivet. Il avait descendu trois doubles quand il réalisa que quelqu'un programmait toujours le même morceau, *Woman*, de John Lennon. Après trois heures passées à écouter un homme mort chanter l'amour mort, l'amour impossible, le barman débrancha la prise. Le juke-box clignota et expira lui aussi. La femme près du juke-box se tourna vers Sam et détailla son visage.

– C'est ça qui vous rend si triste ?

– Presque tout me rend triste, m'dame.

– Ça vous dit de monter avec moi ?

Il considéra la proposition et se rappela où il serait dans moins de quatre heures. Il lui prit la main, la retourna et embrassa sa paume.

– Non, merci, m'dame, je conduis.

La femme parut trouver ça logique. Elle se leva solennellement et trouva son chemin vers la sortie tout en essuyant ses yeux humides de larmes. Le barman fit un clin d'œil à Sam.

– Je ne vous blâme pas. Elle est flic.

– Moi aussi.

Il se souvint qu'il n'avait pas appelé Elizabeth Crowder, ni Fletch, ni Fewell, ni personne. Moutscher s'en était peut-être chargé. Aucun intérêt de prendre une chambre. Il ne se rappelait pas quand il avait dormi dans un lit ni même quand il avait dormi.

Il jeta vingt dollars sur le bar et sortit retrouver l'air froid de Wenatchee. Il dormit dans son pick-up, bercé par la chanson de Lennon qui tournait encore dans sa tête.

Il se réveilla avec un incroyable mal de tête et un martèlement dans les oreilles. Moutscher cognait à son pick-up et Hastings l'attendait.

Sam se lava dans les toilettes du tribunal, une pièce caverneuse et haute de plafond demeurée inchangée depuis la construction de l'édifice, des décennies plus tôt, grandiose avec ses sols de marbre et ses cabinets de chêne blond. Il se demanda mollement où ils avaient trouvé l'argent pour bâtir une dépendance si luxueuse. Les radiateurs marchant à fond faisaient ressortir l'odeur des couches de peinture successives, mais il n'y avait pas d'eau chaude. Il se passa de l'eau froide sur le visage dans le vain espoir de laver le whisky qui lui embrumait encore la cervelle. Moutscher le regarda en silence, tirant sur sa pipe.

270

– Auriez-vous une pastille de menthe ? lui demanda Sam en lui adressant un sourire forcé.

– Vous empestez comme une distillerie. Je l'ai senti dès que vous avez ouvert la portière du pick-up. Mais ne vous inquiétez pas, le Dr Hastings ne flaire que le formol. Fewell tolère ça ?

– Je ne bois pas avec Walker, je ne fréquente pas Walker, et Walker n'a aucun pouvoir sur ce que je fais quand je ne suis pas de service.

Moutscher ne dit rien. Peut-être connaissait-il Walker Fewell.

Sam se regarda dans le miroir et eut du mal à reconnaître son image qu'il n'avait pas vue depuis cinq jours. Il découvrit un vieil homme aux poches creusées de nouvelles marques sombres, aux yeux enfoncés dans leurs orbites et injectés de sang. Sa barbe, qu'il n'avait pas rasée depuis des jours, était grise. Jamais il ne l'avait vue grise. Il passa la main dans ses cheveux blond-roux pour les ramener en arrière. Pas étonnant que Moutscher le considère comme une épave : il était une épave.

Il se trouvait que Hastings était encore plus âgé.

– Je vous présente le Dr Wilfred Hastings. Docteur, voici Sam Clinton.

Sam serra la main veinée du pathologiste, sentit les os sous la peau fine, et son tremblement. Hastings le regarda de derrière ses lunettes trifocales qui agrandissaient ses yeux bleu pâle et vagues. Sam lui donnait soixante-quinze, non, quatre-vingt-cinq ans.

– Le Dr Hastings a exercé ici même, dit Moutscher. Quand était-ce, docteur ?

– De 1936 à 1962.

Dieu du ciel ! C'était une plaisanterie.

Ce n'était pas une plaisanterie.

La pièce était trop vivement éclairée, les murs carrelés renvoyaient les lumières dirigées sur le monticule couvert d'un drap au milieu de la pièce. Sam respira l'odeur du formaldéhyde et de la mort réfrigérée et sentit le sol se dérober sous ses pieds. Il ferma les yeux, conscient que le gros flic en chaussons blancs et le vieil homme le regardaient. Il les rouvrit, et son regard s'attarda sur le panneau accroché au mur.

Tous ceux qui ont été étendus sur cette table ont été aimés.
En toute circonstance,
Le mort sera traité dignement,
Avec tout le respect qui lui est dû.
Il est ce que vous serez, vous êtes ce qu'il fut.

Et sous ces mots, en petits caractères,

Don de la société de panneaux publicitaires
d'East Wenatchee.

Apparemment, la chose avait été tirée en quantité. L'entreprise recevait-elle beaucoup de demandes pour ce genre d'homélie ? Chaque foyer voulait peut-être avoir la sienne.

Un éclair perça la lumière aveuglante. Sam se retourna et vit que Moutscher tournait la dent d'entraînement de son Yashica. Le premier cliché montrerait le corps dégradé de Danny attendant les dévotions du Dr Hastings.

On souleva le drap. L'autopsie pouvait commencer.

Il est ce que vous serez, vous êtes ce qu'il fut.

J'espère bien que non, pensa Sam, fixant le numéro inscrit au stylo feutre sur la cuisse de Danny, la référence de la morgue.

Quelque chose bougeait sur le corps. De gros asticots gris-blanc grouillaient dans les plaies noires de la poitrine. Sam attrapa le flacon d'éther. Il en pulvérisa sur les parasites qui se raidirent et roulèrent sur la table, morts. Il eut un haut-le-cœur et avala l'acide qui avait été un whisky cher, puis tourna la tête vers Moutscher.

– Le flacon. Passez-moi le flacon.

– Laissez-les ! Faites-les tomber par terre !

– Donnez-moi ce maudit flacon.

Moutscher lui passa la fiole en plastique. Sam y enferma quelques asticots, la referma et l'étiqueta, et put enfin respirer.

– Je veux savoir quand il est mort. Les mouches arrivent, pondent leurs sales petits œufs qui éclosent, s'envolent et déposent à leur tour leurs œufs. Leur calendrier ne varie jamais. Ces parasites peuvent nous apprendre quelque chose.

Moutscher parut vouloir chercher la dispute, mais soudain son visage changea. Sam en reconnut l'expression : « Ne contredis jamais un fou. »

– Vous êtes prêts ? On peut continuer ?

Hastings, qui ignorait complètement Sam, attendait de Moutscher la permission de couper. Moutscher régla son objectif, prit un cliché, un autre et encore un autre, et fit oui de la tête.

– Attendez ! laissa échapper Sam.

– Quoi encore ?

– Pourriez-vous lui couvrir le visage ?

– Pourquoi n'attendez-vous pas dehors ?

– Il faut que je sois là. Pouvez-vous couvrir son visage ?

– Mettez un drap sur son visage, dit Moutscher au vieil homme. (Et, se tournant vers Sam :) Il ne sentira plus rien, maintenant.

Sam ne parvint pas à décoder ses paroles. Sympathie ? Empathie ? Mépris ?

Le visage de Danny recouvert, les choses étaient tout aussi difficiles mais plus supportables. Sam regarda le vieux docteur se saisir du scalpel d'une main tremblante qui plongea pourtant, avec une adresse intacte, dans la chair pour y découper un grand V depuis les épaules jusqu'au milieu du thorax. Hastings incisa ensuite du milieu du sternum jusqu'au pubis, la découpe formant maintenant une ouverture ressemblant à un Y allongé.

Sam poussa un cri qui fit sursauter le vieil homme.

– Vous avez coupé une de ses blessures ! Vous voyez ce que vous avez fait ?

– Taisez-vous ! hurla Moutscher, si fort que ses mots résonnèrent sur les murs carrelés. Un mot de plus et vous sortez ! Allez-y, docteur.

Manifestement inconscient d'avoir endommagé une bonne partie du corps qu'il devait examiner, Hastings continua son sabotage. Il découpa la cage thoracique aux cisailles et Sam entendit le craquement des os. Les côtes et la chair se déplièrent comme des ailes, mettant à nu les poumons ramollis et le cœur d'un rouge fade.

Sam observa les lésions habituelles que provoque une arme blanche. Il y avait deux, peut-être trois plaies pénétrantes : l'arme avait perforé la paroi thoracique, le troisième espace intercostal, la lingula du lobe supérieur du poumon gauche, le péricarde et le ventricule gauche du cœur. Les blessures infligées semblaient orientées de gauche à droite selon une trajectoire légèrement inclinée vers le bas, causées certainement par quelqu'un de plus grand que Danny – et Danny mesurait un mètre quatre-vingt-neuf. La blessure était profonde de dix centimètres, mais la décomposition avancée rendait pour l'instant impossible l'évaluation de la largeur de l'arme. Une chose était certaine – il s'agissait bien d'une lame : un couteau, voire un poignard, mais en aucun cas d'une dent. Sam jeta un coup d'œil à Hastings, qui semblait troublé.

– Vous avez parlé d'un ours ?

Hastings fixait stupidement Moutscher, qui fit oui de la tête.

– Ça m'a tout l'air d'être un ours, ça, c'est sûr.

Hastings hocha la tête. Sam se tourna vers Moutscher pour protester puis revint vers le corps ouvert. Avant qu'il ait pu l'en empêcher, Hastings avait enlevé le cœur et incisait le péricarde… *Jusqu'au… Non !… jusqu'au cœur, exposant les valves. Le vieux fou venait de ruiner deux nouvelles blessures !*

274

– Vous n'avez même pas mis une sonde, espèce d'idiot ! Ouvrez les yeux et regardez avant d'inciser à nouveau. Vous avez bousillé les trois plaies.

Accablé, Hastings chercha de l'aide auprès de Moutscher.

– Il sait ce qu'il fait, Clinton. Vous ouvrez encore une fois la bouche et je vous fous dehors.

– Il ne sait pas ce qu'il fait, rétorqua Sam.

– Vous allez la fermer ?

Il était trop tard pour sauver l'autopsie. Sam avait affaire à un incompétent. Pas moyen de revenir en arrière. Il était presque navré pour le vieil homme, qui s'était rendu compte trop tard de ce qu'il avait fait. Sam soupira et fit signe à Hastings de continuer sa parodie d'autopsie.

Les organes en décomposition empuantissaient la pièce. Sam ignora l'odeur et nota frénétiquement ses propres observations sur son bloc-notes jaune, négligeant la plupart de celles de Hastings. Il savait que son opinion n'avait aucune valeur et n'en aurait jamais, mais c'était tout ce qui lui restait.

Hastings sortit l'estomac de Danny et l'ouvrit avec son scalpel. Le vieil homme avait peut-être été bon en son temps : il semblait tantôt respecter, tantôt dédaigner la procédure, tour à tour précis et négligent.

– Contenu de l'estomac, annonça Hastings de la voix fluette et haut perchée d'un adolescent : œufs non digérés, matière végétale, sans doute des pommes de terre. Protéine animale, peut-être du jambon ou du bacon. Le sujet a succombé en quinze minutes, une demi-heure après avoir mangé.

Bien, docteur. Très important, maintenant que vous avez ruiné les blessures essentielles.

Sam nota tout de même.

L'un après l'autre, les organes qui avaient maintenu Danny en vie furent enlevés : foie, poumons, rate, reins, vessie. Chacun fut coupé et examiné. Normal.

Danny, si tu n'étais pas mort, tu aurais pu vivre jusqu'à cent ans.

Sam sentit une présence. Il se voyait avec Danny dans cette pièce, tous deux riant de cette mascarade. Danny le poussait du coude et lui disait : « On a affaire à des spécialistes, camarade ! » Sam rit tout seul à cette évocation, sous les regards ahuris des deux vivants qui haussèrent les épaules d'un air entendu. Sam laissa faire.

Hastings replaça pêle-mêle les organes mutilés. Plus tard, quand la main experte d'un chirurgien ne serait plus nécessaire, quelqu'un recoudrait l'ouverture avec du gros fil noir.

Sam eut l'impression d'assister à tout cela de loin. Quand il parlait, sa voix lui revenait en écho. Il supportait.

Même quand le drap fut ôté du visage du cadavre, il supporta. Le visage n'était pas celui de Danny.

– Ça m'a tout l'air d'une ourse, marmonna Hastings. Voyez où les griffes ont arraché la chair. Une ourse.

Moutscher opina.

– Ça n'a pas saigné, dit Sam d'une voix qui lui parut trop forte.

– Pas de saignements post mortem. L'ourse a certainement lacéré le corps après la mort.

Hastings entailla la peau de la nuque puis sépara le cuir chevelu du crâne et le renversa sur le visage. La scie traversa la boîte cranienne, et l'odeur d'os brûlé flotta dans l'air. Sam regarda le vieux médecin ôter la calotte avec un merveilleux détachement.

– Vous voulez une chaise ? dit Moutscher d'une voix presque trop faible pour être entendue.

Sam ne lui prêta aucune attention mais sentit sous lui la solidité d'une chaise en bois et pensa qu'il était remarquable qu'elle se fût trouvée là juste au moment où ses genoux se dérobaient sous lui. Il entendait un bourdonnement incessant dans sa tête. Il présuma que Hastings était encore en train de scier le crâne, mais, quand il leva les yeux, les mains tremblantes aux veines bleues du docteur étaient vides.

– Liquide cérébral, annonça Hastings.

– Allons-y, approuva Moutscher d'une voix qui semblait émerger d'un tunnel.

Sam voulut protester, mais la voix lui manqua.

– Vous vous sentez bien ?

– Qui ?

– Ça va, Clinton ? dit une voix, cette fois beaucoup plus forte.

La tête lui tourna, et la pièce tourna avec elle.

– Sortez un instant, dit à nouveau Moutscher.

Sam se dirigea en chancelant vers la porte et fut reconnaissant que la lourde porte de métal s'ouvre vers l'extérieur. Il respira mieux. L'air sentait la poussière et la cire, pas la mort. Le couloir jusqu'à la sortie était long et son estomac le trahit bien qu'il eût retrouvé ses esprits. Il vomit le scotch, indifférent aux regards de l'équipe de nettoyage qui déchargeait sa fourgonnette. Il se sentit mieux. Pas bien pour autant. Il était peu probable qu'il se sentît bien un jour, mais la buée rouge derrière ses yeux s'était dissipée et il pouvait penser.

Moutscher fut surpris quand Sam revint dans la salle carrelée et réclama sa chaise.

– Tout concorde, Clinton. L'humérus droit présente une fracture en spirale, il est complètement sorti de sa cavité articulaire. Typique d'un ours. Je suis satisfait.

– Pas moi.

– Alors c'était le yéti. Essayez de convaincre quelqu'un de ça. Notre procureur vous rira au nez. Vous n'avez pas besoin de ça. Vous avez déjà eu votre compte. Laissez tomber. Rentrez chez vous. Abandonnez.

Les mains de Danny reposaient sur leurs socles de plastique. Sam dénoua l'attache de la main gauche où brillait l'alliance aux deux cœurs emmêlés, grotesque sur la peau blême. Moutscher pensa qu'il voulait l'anneau.

– Prenez-le. Et prenez aussi la montre.

– Il faut que je prélève sous les ongles.

– Merde. Allez-y. Prenez tout. Et je vous rends vos sachets, qui ne nous seront d'aucune utilité. Je vais conclure à un accident.

Penché sur son ouvrage, Sam ne répondit rien. Il glissa un bâtonnet orange sous les ongles longs et striés, dégagés de leur matrice. Les deux hommes le regardaient et se regardaient en hochant la tête.

C'était fini. Sam quitta Moutscher en emportant ses prélèvements récoltés dans la montagne, les enveloppes, les tubes et les flacons de l'autopsie, le tout tenant dans une boîte en carton marquée Friskies. Voilà ce qui restait de quatre années passées avec Danny. Danny n'était pas ce corps attendant d'être transporté au funérarium de Natchitat. Danny se trouvait dans le carton de Friskies.

Sam n'obtint une chambre au motel qu'après avoir présenté toutes les pièces d'identité en sa possession. L'employé étudia les papiers marqués de sceaux officiels, regarda Sam d'un air soupçonneux et accepta enfin ses quinze dollars.

La preuve matérielle, que Moutscher avait négligée et lui avait rendu, sortait juste du réfrigérateur de la morgue. Elle n'était pas aussi périssable qu'une crème glacée, mais presque. Pour qu'elle reste exploitable, il fallait la conserver au froid et faire vite. Sam rangea la boîte pleine de sacs et de flacons dans le réfrigérateur où les clients du motel mettaient d'habitude des bières, puis sortit en quête d'une droguerie. À sa grande surprise, il se rendit compte qu'il n'avait plus d'argent liquide. Mais avec sa carte de crédit il put acheter des billes de polystyrène, de la ouate, du papier brun et un rouleau de Scotch.

De retour dans sa chambre, il emballa ses prélèvements avec un soin digne d'une mère envoyant des biscuits à son fils à l'université, veillant à ce que rien ne se casse ni ne s'écrase pendant le transport.

Il n'avait évidemment pas les formulaires réglementaires pour le labo mais connaissait les termes. Le papier à lettres du motel portait l'en-tête Holiday Inn. Il le barra d'une croix et inscrivit dessous « Bureau du shérif du comté de Natchitat ». Puis il dressa la liste des vingt-sept échantillons. Vingt-sept questions. Pas très professionnel en apparence, mais précis. Les réponses lui reviendraient soigneusement tapées sur des feuilles de papier pelure jaune, rose et vert. Avec beaucoup de chance, les techniciens du labo parviendraient peut-être à neutraliser les dégâts causés par Hastings et Moutscher. Sam calcula qu'il restait quatre heures avant que le contenu se dégrade. Le colis n'aurait pas le temps d'arriver au labo du FBI à Washington, ni à Rockville, dans le Maryland, ni au labo du Bureau des alcools et tabacs. De toute façon, ces établissements n'étaient pas ses premiers choix : ils laisseraient ses trésors attendre leur tour. Il voulait que ce soit le laboratoire des affaires criminelles de West Washington qui examine le contenu du paquet, bien protégé par les billes de polystyrène.

Sam réfléchit au meilleur moyen de l'acheminer et se décida pour la compagnie d'autocars Greyhound. Les autocars arriveraient aussi vite qu'un avion, compte tenu du temps perdu à l'aéroport.

Il s'engouffra dans la cabine téléphonique de la gare routière, prit une profonde inspiration, espérant que sa voix ne le trahirait pas, qu'il saurait garder le ton calme d'un officiel. Il composa le numéro du labo du comté de Natchitat et demanda le directeur.

— Le directeur ne vient pas le dimanche, lui répondit une voix de femme.

Dimanche. Mais pourquoi était-on dimanche ?

— Inspecteur Sam Clinton, du comté de Natchitat. Notre bureau vous envoie des preuves par Greyhound. Le paquet arrivera à la gare de Seattle à – laissez-moi vérifier – 16 h 02. Il faudrait qu'un officier de police aille le récupérer. C'est très important. Pourriez-vous faire ça ?

– Bien, répondit-elle, apparemment contrariée.

– C'est très important, insista-t-il. Matériel périssable. Il doit être réfrigéré avant 17 heures.

– Entendu. J'envoie quelqu'un.

– Prévenez le directeur que je l'appellerai demain matin.

La communication coupa. Il n'avait plus de monnaie, même pas assez pour appeler l'opérateur.

Sam se demanda s'il allait retrouver sa chambre au motel ou rentrer chez lui, et rien ne lui parut possible. Il pensa que Moutscher devait être chez lui, en famille, en train de regarder du foot à la télévision en buvant des bières. Il ne voulait pas penser à Joanne dans la montagne ni à celui qui avait déchiré sa chemise écossaise. Il comprenait maintenant pourquoi les gens sans domicile s'abritaient sous des couvertures de carton et se cachaient du monde. Sans sa carte magique, il aurait fait la même chose. Il entra au Cascadian Hotel et trouva le paradis dans un verre.

En descendant son premier double, il réalisa avec effroi que cela ne lui faisait plus d'effet. Il lui en fallut trois autres avant que la chaleur de l'alcool l'envahisse. Après six doubles, il trouva le bar aussi doux et réconfortant que le sein d'une mère. Après huit, il n'eut plus besoin de penser à quoi que ce soit.

Sam rêva que Moutscher lui hurlait dans les oreilles. Il sentit un tissu rugueux contre sa joue et renifla une odeur de désinfectant et d'urine. Quelque chose s'agrippait à son épaule et le secouait comme une poupée de chiffon. Il entrouvrit les yeux et aperçut la face fleurie de Moutscher, qui braillait si fort qu'il postillonnait sur son visage.

Tire-toi, Moutscher.

Moutscher ne partait pas. Sam souleva douloureusement les paupières et comprit où il était. En prison. Pas dans la sienne, mais en prison. Il regarda derrière le capitaine du comté de Chelan et vit que les carrés de métal jaune de la porte ne correspondaient pas, que la porte de la cellule n'était pas fermée.

– Vous avez de la chance d'être flic, sinon, on vous gardait ici pendant un mois, bougre d'imbécile. Nous sommes lundi matin, vous avez cuvé. On ne vous doit plus rien. Alors fichez-moi le camp et rentrez chez vous.

Les mots de Moutscher trouvèrent lentement leur place dans le cerveau de Sam.

– C'est lundi ?

– 11 heures du matin. Vous vous êtes saoulé au bar de l'hôtel, vous avez essayé d'assommer le barman et avez vomi dans la voiture de patrouille. Clinton, vous êtes un enfoiré et je n'ai aucune envie de passer ma journée à jouer la baby-sitter avec vous.

– Allez en enfer !

Sa haine de Moutscher, sa colère forte et purifiante lui fit un bien énorme. Si l'homme n'était pas l'ennemi, il en tenait lieu pour l'instant. Sam se leva, plia soigneusement la couverture militaire verte, remonta son pantalon et s'avança vers la porte de la cellule. Arrivé dans le couloir, il se rappela où l'attendait son pick-up, garé sous les érables.

– J'ai appelé Fewell pour lui dire où vous étiez. Il veut vous voir tout de suite.

Moutscher avait de petits yeux porcins. Sam s'étonna de ne pas l'avoir remarqué plus tôt, pas plus que les poils sortant de ses narines et son ventre débordant de sa ceinture. Il se dirigea vers la sortie, se retourna, et abandonna toute retenue.

– Et vous, monsieur, mon cher capitaine, vous avez un cerveau aussi minuscule que votre bite.

24

Au soir de leur deuxième dimanche passé ensemble, Duane regarda la forêt, la déclivité et sut qu'il avait commis une erreur. La route au pied du mont Bowan lui avait semblé la plus facile de toutes celles qu'il avait étudiées. S'il n'en avait pas eu la certitude, ils ne se seraient pas attardés si longtemps dans la prairie. Mais sa maladie l'avait tant affaibli qu'il s'était laissé aller à la facilité, sachant qu'ils se trouvaient à quelques kilomètres seulement de l'autoroute qui leur permettrait de gagner promptement la frontière canadienne, le commencement de leur nouvelle vie.

Son bras entravant sa mobilité, Duane avait étudié pendant des heures la carte du service des forêts qu'il avait trouvée sommaire : le sentier de Pacific Crest les mènerait en deux jours, au pire, trois, au pic Slate, puis à Paysaten, où aucun véhicule à moteur ne pouvait s'aventurer. Ils avaient assez de provisions pour tenir une semaine ou deux, sans compter ce qu'il pourrait pêcher ou chasser. Il construirait pour eux un abri avant les grosses chutes de neige.

Il avait prévu de lui annoncer leur destination quand ils seraient à Paysaten et était contrarié qu'elle le déconcentre en le questionnant sans cesse. Il ne faisait ni froid ni nuit noire : ils avaient laissé derrière eux la fine couche de neige et la lune était à présent aux trois quarts pleine.

Après avoir accommodé leur vision à la faible clarté, ils suivirent le sentier sans difficulté. Mais ce qui leur aurait pris quatre heures en plein jour en demandait le double de nuit. Bien que la plaie eût évacué son poison, son bras le faisait toujours souffrir et l'empêchait aussi de réfléchir. Elle le tenait par la ceinture, mais, malgré cela, craignait qu'il ne la laisse derrière. Elle lui parlait continuellement.

– Tu es là ?

– Tu me tiens. Tu vois bien que je suis là.

– Parle-moi.

– J'essaie de trouver le chemin.

– Alors dis-moi à quoi tu penses. Pense tout haut, comme ça, j'entendrai ta voix.

– Je ne peux pas penser tout haut.

– Alors, chante.

– Si je chante, ça m'empêche d'écouter.

– Alors parle-moi, répéta-t-elle, apeurée.

Il ne répondit pas.

Ils atteignirent Bridge Creek à l'aube et s'autorisèrent un repos de quelques minutes. Ils se trouvaient à une heure de marche de l'autoroute, trop en vue des autres randonneurs. Elle voulut protester quand il lui ordonna de se remettre en marche, mais elle obéit.

Une heure plus tard, il manqua la bifurcation de Fireweed Camp. Ils l'avaient dépassée depuis deux heures quand le doute s'insinua en lui. Lorsqu'il posa son doigt sur la carte froissée, il vit tout de suite son erreur, difficile à corriger. À Fireweed, ils étaient allés vers l'est au lieu d'obliquer vers le nord. S'ils revenaient sur leurs pas, elle comprendrait qu'ils s'étaient perdus. La fierté l'empêchant de rebrousser chemin, il continua, pensant qu'ils pourraient se reposer dans la prairie qu'il apercevait devant eux et revenir par un chemin circulaire sans qu'elle se rende compte de rien.

Une mouche bientôt suivie d'une douzaine d'autres se posèrent sur sa main suintante. Il les chassa et se hâta de trouver un endroit où il pourrait réfléchir à l'itinéraire.

Il était très fatigué. Les mouches qui bourdonnaient et le piquaient exacerbaient la douleur au point qu'il ne savait plus que faire de son bras. Quand il le tenait contre sa poitrine, il le déséquilibrait ; quand il le laissait pendre, le sang affluait et comprimait ses nerfs.

Ils grimpèrent vers le nord et atteignirent une crête où le sentier s'éclaircit avant de déboucher sur un point de vue. Quelqu'un avait voulu un jour bâtir là un abri dont ne restaient que des planches cassées et érodées par les intempéries. Il fut rassuré, personne n'était passé par là récemment.

Il la conduisit ensuite sur un sentier mal tracé qui semblait aller vers l'est et fut récompensé. Un minuscule plateau recouvert d'une magnifique prairie s'étendait à leurs pieds. Il vit un lac et quelques ruisseaux. C'était un endroit idéal pour eux, protégé par des sommets et une ceinture de mélèzes flamboyants.

Elle était ravie. Il prétendit avoir voulu lui réserver la surprise. Quand il serait tout à fait remis, ils reprendraient leur chemin vers Paysaten, mais pour l'instant il n'était pas mécontent de se reposer dans cet endroit idyllique. Il était convaincu qu'une volonté supérieure les avait conduits ici.

Elle s'allongea dans l'herbe et se roula dans la verdure.

– Où sommes-nous ? C'est merveilleux. Comment as-tu trouvé cet endroit ?

– Prairie de Stiletto. Je l'ai choisie pour toi, dit-il, après avoir regardé la carte.

– Je voudrais ne jamais partir. Pouvons-nous y rester pour toujours ?

– Pour toujours, mentit-il.

25

Il posa deux mains légères sur le volant et laissa le pick-up décider. L'engin poussiéreux mit le cap sur l'écurie : Natchitat. Sam n'avait aucune raison de rentrer mais nulle part ailleurs où aller. Il n'était pas le bienvenu à Wenatchee et, seul à Stehekin, il ne servait à rien. Il se berça une nouvelle fois de l'illusion que Danny et Joanne étaient rentrés à Natchitat, que son horrible cauchemar d'alcoolique s'était dissipé au lever du jour. Ce fol espoir lui permit de manœuvrer sans encombre son véhicule sous le midi jaune et bleu vif de Wenatchee, malgré le martèlement incessant dans sa tête. Il aurait préféré laisser tout en plan et fuir là où aucun souvenir n'aurait pu le rattraper. Mais il avait déjà expérimenté cette solution en plaquant Seattle. On ne fait ça qu'une fois dans sa vie. Une seconde fuite à l'aveugle ne lui octroirait aucune rédemption et ferait de lui un clochard. Il n'avait pas de plan mais faisait confiance à sa tête qui, sortie de ses brumes, lui en trouverait un. Car l'urgence de la retrouver n'avait pas faibli : où qu'elle se trouvât, Joanne attendait d'être secourue.

Il roula plus vite, bien que rien ne le pressât de rentrer. Il savait ce qui l'attendait : il allait devoir argumenter avec Fewell, expliquer l'impossible à Elizabeth Crowder et nourrir un chat affamé. Il se passa une main sur le front et essuya la sueur froide dont il était couvert.

Sur le bord de la route, les enseignes au néon bleu des tavernes criaient « Ouvert ! » et semblaient conspirer à vouloir le tenter. Il avait envie de s'arrêter dans l'un de ces bars d'un froid glacial, protégés de la lumière du soleil par d'épais murs et des vitres opaques.

Sam ne pouvait ni s'échapper ni se cacher et n'allait manifestement pas mourir. Son cœur avait résisté à la montagne, à deux montées et à une descente : ce n'était pas une cuite de moyenne envergure qui le tuerait.

Il franchit la frontière du comté. Jusqu'à Natchitat, il restait encore soixante-cinq kilomètres sur l'autoroute qui contournait la réserve indienne et épousait la courbe de la carrière. Sam vit soudain deux verrats décharnés au beau milieu de la route qui regardaient placidement son pick-up approcher. Il écrasa la pédale de frein et jura.

Il reconnut l'endroit où il s'était arrêté. Il était passé cent fois devant le totem délavé de Max Ling et l'arbre clouté de panneaux publicitaires. Walker Fewell ne décolérait pas, car les affaires de Ling, protégées par des réglementations extérieures à sa circonscription, ne relevaient pas de son autorité.

Sur les affiches, on pouvait lire :

Chiots : chiens de gibier à plumes. Chiens de garde
Animaux de compagnie
Cigarettes détaxées : toutes marques
Dahlias : fleurs coupées pour mariages et enterrements
Tubercules
Miel
Voitures d'occasion : modèles classiques
Bouteilles anciennes
Recherches

Il aperçut un nouveau panneau, plus grand que les autres et peint de fraîche date :

Diméthylsulfoxide en vente ici !

Dépêchés par Fewell, Sam et Danny étaient allés une fois ou deux chez Max Ling pour confisquer les cigarettes et rechercher de l'alcool détaxé. Chaque fois, ils avaient été contraints de rendre les cigarettes parce que Max avait un avocat qui connaissait mille fois mieux que Walker Fewell la loi tribale et les traités fédéraux – et Sam avait été ravi de rapporter les marchandises saisies. Il avait de la sympathie pour Ling mais doutait que cet homme aux yeux bleus pût être un Indien.

Il relut les panneaux et s'arrêta sur le mot *Recherches*, se rappelant la réflexion amusée de Danny : « Ce petit chef aux yeux bleus est capable de suivre n'importe quelle piste, pourvu que ça l'intéresse. Il court après tout ce qui bouge, chiens, visages pâles… »

Sam, qui ne pouvait se remémorer aucune des trouvailles de Max, se demanda si Danny ne l'avait pas fait marcher, s'il n'avait pas voulu se moquer d'un vieux flic des plaines. Une chose était sûre : n'importe qui pouvait suivre une piste mieux que lui-même.

Il engagea son carrosse entre la haie de peupliers qui séparait le territoire de Ling de l'autoroute et entra dans sa boutique à ciel ouvert, une jungle de marchandises hétéroclites.

Le champ à droite du chemin de terre était encombré de véhicules dont les tôles brûlantes libéraient des nuages de chaleur : des Packard, des Terraplane, une Ford Edsel, une demi-douzaine de Hudson Hornet et les Nash du début des années 1950. Ce que Ling considérait comme des « classiques » avait toujours amusé Sam. Il semblait ne jamais vendre aucun des mastodontes rouillés qui peuplaient son cimetière.

Les dahlias en fleur qui occupaient le côté gauche de la propriété brillaient de tous leurs feux et aveuglèrent Sam. Entre le carré de dahlias et la maison à la toiture en Fibrociment se trouvaient cinquante à soixante ruches carrées, soigneusement alignées.

Les chiens, les plus affreux clébards que Sam ait jamais

vus – des bâtards et d'une couleur hideuse –, escortèrent son pick-up en jappant. Des dizaines. Il ne pouvait imaginer quelqu'un acheter un de ces « chiots » et supposait que Ling les nourrissait uniquement pour qu'ils éloignent de son empire les visiteurs indésirables. Sam arrêta son pick-up. Les chiens s'assirent sur leur arrière-train, attendant qu'il fasse un mouvement.

Lui attendit que quelqu'un sorte de la maison. Il était impossible de savoir s'il y avait des gens à l'intérieur, car les treillis, les auvents, le chèvrefeuille, la glycine et une étrange carcasse de voiture abandonnée là dissimulaient complètement la façade. Les chiens aimaient toujours Danny parce qu'il les aimait et leur faisait confiance. Sam était un homme à chats, les chiens devaient le sentir. Il klaxonna et écouta. La maison resta silencieuse tandis que les chiens lui montraient leurs dents, langue pendante. Une abeille entra par la vitre et dansa sur son nez. Il lui fallait choisir entre se faire piquer ou se faire mordre.

Il finit par sortir de son pick-up et se dirigea vers la porte, toujours suivi par les molosses, qui se battaient pour lui lécher la main. Ils attendirent avec lui qu'on réponde à son coup de sonnette. Pas de réponse. Sam mit une main en visière et regarda par la moustiquaire. Il aperçut une femme dans le salon plongé dans une obscurité quasi totale. Elle était assise devant un immense écran de télévision et lui tournait le dos.

Il frappa à la porte, mais elle ne bougea pas. Il donna quelques coups sur le mur près de la porte. Elle tressaillit, se retourna et s'avança vers lui avec la grâce d'une danseuse. Elle ouvrit la moustiquaire et lui sourit. Jamais il n'avait rencontré une aussi belle femme. Une Indienne, à l'évidence, mais pas une Indienne du Nord-Ouest car elle avait les traits délicats et caucasiens, une peau couleur d'amande. Elle mesurait au moins un mètre quatre-vingts. Sam remarqua ses seins épanouis, moulés dans un haut de dentelle blanche, et ses longues jambes brunes qui dépassaient de son short en denim. Lorsqu'elle se retourna, ses cheveux noirs et raides, qui lui descendaient jusqu'en haut des cuisses, effleurèrent la main de Sam. Il apprécia en connaisseur sa perfection. Une petite chose, certes, mais un vrai miracle qui venait à point pour combler le vide.

– Max est là ?

Elle ne répondit pas.

– Max est à la maison ?

Elle se tourna vers lui et fixa ses lèvres, attendant. Puis ses mains s'agitèrent comme des battements d'ailes. Il comprit tout de suite qu'elle était sourde et muette.

Il articula lentement, afin qu'elle puisse lire sur ses lèvres. Elle hocha la tête et lui sourit. Ses mains et ses doigts agiles se remirent en mouvement.

Sam hocha la tête et lui toucha légèrement l'épaule puis pointa ses propres lèvres.

– Je ne comprends pas. Je ne connais pas le langage des signes.

Elle lui prit doucement la main et l'entraîna dans la pièce obscure. La maison de Ling se composait d'une succession d'ajouts, chacun posé un peu plus haut ou un peu plus bas que l'autre, de sorte que rien n'était au même niveau. Sam, encore aveuglé par son long trajet sous le soleil, dut faire attention aux marches. L'une des pièces était soulignée d'étroites étagères où s'alignaient des bouteilles bleues, vert d'eau, améthyste, blanches, au verre imparfait et épais, soufflées avant le tournant du siècle. Jadis rebuts, elles avaient aujourd'hui de la valeur.

La pièce suivante, manifestement l'atelier de la femme, était remplie de natures mortes et d'études de mains. Des mains jointes, implorantes, gracieuses ou noueuses. Les mains avaient de l'importance pour elle. Sam toucha le coude de l'Indienne, pencha la tête vers ses toiles et lui sourit. Elle hocha la tête.

Ils arrivèrent enfin dans la dernière pièce, la cuisine. Max Ling, torse nu et en pantalon de peintre, siphonnait un liquide clair pour en remplir ce qui ressemblait à des pots de mayonnaise. Il fit la grimace en reconnaissant Sam, sans toutefois interrompre sa tâche. Son travail achevé, il s'adressa non pas à Sam, mais à sa femme – dans sa langue. Ling montra Sam du doigt et lui expliqua quelque chose. Le visage de la femme devint grave et elle regarda Sam, alarmée.

– Dites-lui que je suis venu en paix.

– Il n'est pas nécessaire de parler indien, dit Ling en rigolant. Elle ne peut pas vous entendre.

– Je sais. Dites-lui que ma visite n'a rien d'officiel.

Ling posa amicalement son bras sur l'épaule de Sam, et la grande femme se rassura.

– Sam, voici Marcella, mon épouse. Marcella (il lui parlait directement et elle étudiait sérieusement ses lèvres), c'est Sam Clinton, un bon ami à moi. Il dit qu'il ne vient pas de la part du shérif. Pas aujourd'hui. Tout va bien.

Son merveilleux visage se fendit d'un grand sourire, puis elle les laissa seuls.

– Sam, tu sais que j'ai le droit d'en faire commerce. La réserve Nisqually en a vendu pendant des mois. Je n'ai mis le panneau qu'hier. Votre shérif adjoint a dû le sentir.

Les pots portaient des étiquettes noir et blanc : « DMSO, solvant ». Sam ne comprenait pas du tout de quoi lui parlait Ling.

– Je ne te suis pas. Qu'est-ce que c'est ?

– Qu'est-ce que c'est ? Un élixir pour soigner tous les maux de l'humanité : ecchymoses, coupures, entorses, arthrite, rhumatismes, maux de gorge, brûlures, et même l'herpès. Un médecin de Portland vient d'en parler dans l'émission *Soixante minutes*. Son cabinet ne désemplit pas. Ses patients font la queue et se battent pour s'en procurer – onze dollars quatre-vingt-quinze la pinte. Moins cher que l'aspirine.

– Un solvant ?

– Pour rassurer la police, mon vieux. Ce que mes clients font avec ne me regarde pas. Ils l'achètent pour du solvant, et ça devrait suffire pour calmer ton M. Fewell. Ça vient des arbres, de tous ces arbres qui appartenaient à mes frères de sang et que vous leur avez volés. Un dérivé jusqu'ici inexploité. Un remède naturel, expliqua Ling en se tournant brusquement vers Sam. Dont tu vas avoir besoin. Tu fais pitié à voir.

– Merci.

– Sérieusement, laisse-moi t'en donner un échantillon. Tu as certainement des points douloureux, de l'arthrite due à ton âge avancé et à une vie d'excès ? Choisis un endroit. Tu me dis quand ça fait mal. Le bas du dos. C'est toujours là que ça déconne. Tourne-toi et relève ta chemise.

– Arrête, Max. Je ne suis pas venu pour t'arrêter, ni pour saisir ta marchandise, ni pour avoir les conseils d'un guérisseur.

– Relève ta chemise.

Sam laissa Ling passer son liquide huileux le long de sa colonne. En quelques secondes, le dos lui brûla, et il fit un bond. Un goût d'ail et d'huître lui remonta à la bouche.

– Mais qu'est-ce c'est que ce truc ?

– Du diméthylsulfoxide. Tu l'appliques trois fois par jour et tu trotteras comme un lapin.

– Seigneur ! Mais personne ne voudra plus m'embrasser. C'est dégueulasse !

– Tu en as déjà le goût ? Ça te montre à quelle vitesse il se répand dans l'organisme. Les grandes compagnies pharmaceutiques font tout pour le discréditer. Trop efficace et trop bon marché. Mais toutes les grandes ligues sportives l'emploient, y compris le grand stade de Seattle. Résultat, leurs athlètes n'ont plus mal nulle part.

– J'espère que ça se vend mieux que tes élégantes voitures. Tu ne renouvelles pas beaucoup ta flotte.

– Ma flotte va se renouveler, dit Ling en levant ses yeux bleu clair. Où est passé ton équipier ? Où est ce bon vieux Danny ?

Sam ne put pas répondre. Pas maintenant. Il rentra sa

chemise dans son jean et sentit la brûlure du produit sur son dos.

– Tu sais que je n'arrive toujours pas à croire que tu es un Indien, Max. En fait, ton nom est Abraham Stein. Tu t'es réfugié dans cette réserve pour échapper aux trois ex-épouses que tu as laissées dans le New Jersey.

– Le nom de mon père était Blum. Morris Blum. Mais ma mère s'appelait Mary Toohoolzote Ling, une Cœur d'Alène. Un quart de sang, c'est assez. Vous nous avez décimés. Les juifs n'ont pas besoin de moi, la tribu, si. Marcella est une Tuscarora de Niagara Falls. Un peuple magnifique.

— Pour ça, elle est beaucoup plus jolie que toi, j'ai pu en juger.

Max Ling, compact au point d'être presque carré et musclé comme un lutteur, mesurait bien quinze centimètres de moins que sa femme. Sam ne parvenait pas à lui donner un âge. Il pouvait avoir entre vingt et quarante ans. Ses cheveux d'Indien, fins et d'un noir de jais, contrastaient avec ses yeux clairs.

– Où est Danny ? répéta Ling, qui ne lui permettait pas d'esquiver de nouveau la question.

– Mort.

Ling referma le pot de solvant et resta silencieux si longtemps que le mot flotta dans l'air, résonna dans la pièce et revint vers Sam dans toute sa puissance. Le petit Indien releva enfin la tête, le visage sans expression mais le regard assombri.

– C'était donc lui ? J'ai entendu quelque chose ce matin à la radio, mais je n'en ai eu qu'une partie, quelque chose à propos d'un inspecteur retrouvé mort à Stehekin. J'ai pensé que c'était un type du comté de Chelan.

– C'était lui.

– C'était un type bien. Je l'ai toujours préféré… à vous autres.

– Tout le monde.

– Qu'est-ce qui s'est passé ?

– Je peux te donner ma version des faits, celle des sauveteurs, celle des gardes forestiers et celle des flics de Chelan, mais je pense qu'aucune interprétation n'est complète. J'ai une préférence pour ma version.

– Alors, raconte…

– Qu'est-ce qui te fait penser qu'elle est en vie ?

La voix de Ling ne trahissait aucun doute, il écoutait.

– J'ai déjà répondu à ça, et personne n'a suivi mon raisonnement.

– Mais encore ?

– Je peux expliquer certaines choses, pas d'autres. Danny a été poignardé. J'ai observé ses blessures avant que le légiste les détruise. Joanne est partie avec son sac à dos et son sac de couchage. Et… elle n'était pas seule. J'ai trouvé un morceau de chemise en haut d'un arbre qui n'était ni la sienne ni celle de Danny. Quelqu'un l'a emmenée. Il n'y a jamais eu d'ours, sauf dans l'imagination de quelques crétins.

– Qu'attends-tu de moi ? demanda Ling en le regardant, pensif.

– Tu as marqué *Recherches* sur ton écriteau. Danny disait que tu pouvais trouver des choses. Et, franchement, tu es ma dernière chance. Je me suis fait jeter ce matin par les flics de Chelan, et je vais sûrement être sanctionné par ceux de Natchitat parce que je suis parti sans leur demander la permission. Je suis ce qu'on appelle quelqu'un de peu crédible et je ne suis absolument bon à rien dans la nature. Incapable de me rendre d'un point A à un point B.

– Ça, je veux bien le croire.

– Je veux que tu viennes avec moi.

– Tu as de l'argent ?

– Je ne te savais pas mercenaire, dit Sam en le regardant avec réprobation.

– Regarde autour de toi, dit Ling en riant. Regarde tout

ce qui est à vendre et dis-moi que je ne suis pas un mercenaire.

– Tu en es un ?

– Dans ce cas, non, mais tu viens de me dire que tes copains flics ne t'appréciaient pas beaucoup. Ça signifie qu'il est peu probable que le comté mette à ta disposition un hélicoptère ou le matériel dont nous pourrions avoir besoin. C'est pour ça que je te demande si tu as de l'argent.

– Je dois avoir dans les deux mille dollars d'économies.

– Tu es prêt à les sortir ?

– Bien sûr que je vais les sortir.

– Tu crois que je peux la retrouver ?

– Je n'en suis pas certain.

Max frappa un grand coup sur la table qui fit sursauter Sam.

– Pour ça, je t'applique mon tarif habituel de guide indien, soit cent dollars par jour, payables si on la retrouve. Tu sais pourquoi mes tarifs viennent juste d'augmenter ? Parce que si je te fais un prix d'ami tu ne croiras pas en moi. Si tu me paies, c'est que tu es convaincu d'avoir trouvé quelqu'un d'exceptionnel !

– J'ai confiance en toi, dit Sam en faisant la grimace.

– Trop tard. Douter de moi va te coûter cher. Chaque fois que ta confiance faiblit, mon prix augmente de vingt-cinq dollars par jour. Te traîner là-bas ne va pas être du gâteau. Tu n'es pas dans une forme olympique.

– J'y arriverai. Si je meurs pendant la montée, tu me recouvriras de pommes de pin et appelleras l'ambulance ou le traîneau, ce que tu veux. Et tu réclameras mes biens, mon beau salaud, en paiement de tes honoraires.

– On boit pas, là-haut.

– Qu'est-ce qui te fait croire que je bois ?

– Tu sentais déjà la vieille picole en arrivant, maintenant, tu sens la vieille picole, l'ail et les huîtres.

– Comme ça, tu n'essaieras pas de me serrer dans tes bras.

– Il est même possible qu'il te manque quelques dents.

– Plusieurs.

– Marcella ne va pas être contente. Elle n'aime pas que je la quitte.

– Et tu ne vas pas être content de la quitter. Est-ce qu'elle est en sécurité, seule, ici ?

– Les chiens ne laisseront personne s'approcher d'elle.

– Ils m'ont bien laissé entrer.

– Shérif Sam, crois-le ou non, c'est l'une des principales raisons qui font que je m'embarque avec toi. Ces chiens ont manifestement vu chez toi ce que ta propre mère n'y verrait même plus. Je t'observais pendant que tu approchais avec la voiture, j'ai vu les chiens japper, sauter et te lécher la main. Je fais confiance aux chiens.

– Alors tu ne t'es jamais fait mordre les fesses ?

– Non. Quand as-tu mangé la dernière fois ? demanda Max en se levant.

– Quel jour sommes-nous ?

– Lundi.

– Vendredi. Peut-être samedi. J'ai oublié.

– Alors tu vas manger et continuer à manger. (Il se dirigea à grands pas vers la cuisinière et souleva le couvercle d'une casserole où mijotait quelque chose.) Voilà ! Soupe de poulet.

– Tu plaisantes.

– C'est un ragoût d'agneau, rectifia Max en riant.

– Il faut que je passe quelques coups de fil.

– Quand tu auras fini de manger. Je vais prévenir Marcella que nous levons le camp cet après-midi. Elle ne te pardonnera peut-être pas tout de suite, mais elle te pardonnera.

Tandis qu'il mangeait, Sam regarda ses hôtes dans le salon obscur. Penché sur le canapé où sa femme était assise, Max passait tendrement les mains sur son visage pour la rassurer. Elle secoua la tête, et Max lui posa un doigt en travers des lèvres. Puis il agita les mains. Après une longue conversation silencieuse, elle hocha la tête et la baissa.

Marcella se leva et revint dans la cuisine. Sam leva la tête et lui sourit. Son visage à elle était troublé et elle retourna dans son atelier. Quand, quelques minutes plus tard, il dépassa l'atelier pour aller dans le salon où se trouvait le téléphone, il l'aperçut à son chevalet, ajoutant des pâquerettes blanches à son paysage de montagnes violettes. Ces sommets dentelés lui paraissaient familiers.

La voix de Fletch à l'autre bout du fil, affaiblie par le choc et le chagrin, avait perdu toute sa jovialité, et Sam éprouva un regain de détresse. Il perçut l'incrédulité de son interlocuteur dans les réponses floues qu'il faisait à ses questions, et essaya de ne pas se laisser déborder par son émotion. Il avait appelé Fletch chez lui, préférant différer le moment où il devrait subir les foudres de Fewell. Il entendit Mary Jean dans le fond qui soufflait des questions à Fletch. Un chut, le silence, puis d'autres questions.

– Ils l'ont ramené ce matin, dit Fletch sur le même ton étouffé. Mme Crowder s'occupe des formalités. Elle partira ensuite avec Sonia Kluznewski au gîte de Stehekin.

– Elle n'a rien à faire là-bas !

Sam était en colère, puis se radoucit. Elizabeth Crowder avait droit à cette veillée inutile.

– Nous ne fixerons pas la date de l'enterrement avant… avant d'avoir retrouvé Joanne.

– Oui, c'est bien. Elle voudra y assister.

Il y eut une interruption douloureuse sur la ligne.

– Jésus ! Sam, je pensais qu'elle était mor… qu'elle était partie, elle aussi.

– On n'en sait rien, Fletch. Rien n'indique qu'on ne la retrouvera pas vivante.

Il ne pouvait pas convaincre Fletch de quelque chose dont il n'était pas lui-même convaincu.

– Fletch, je voudrais que tu fasses un truc pour moi. Personne ne doit être au courant, personne, surtout pas Fewell. Tu as de quoi noter ?

La voix de Fletch était meilleure : il était investi d'une mission.

– Vas-y. Je serai muet comme une tombe.

– Premièrement, j'ai envoyé des pièces à conviction au labo de Seattle. Je voudrais que tu surveilles s'il arrive des réponses. Si c'est le cas, tu les emportes chez toi et tu les gardes. Je les examinerai avec toi. Deuxièmement, j'ai deux noms ici… attends, je voudrais que tu les entres dans l'ordinateur… le fichier criminel du FBI, celui de l'État de Washington. Quoi que tu trouves, efface ta recherche et note les infos que tu as récoltées. Ensuite, je veux que tu prennes ces deux noms et – c'est un peu fastidieux, Fletch – que tu épluches tous les fichiers fiscaux du comté depuis le 1er août et que tu regardes s'il y a quelque chose. Si rien ne correspond précisément à des noms ou à des véhicules, je veux que tu regardes ce qui s'en approche. Mets-moi de côté tout ce que tu trouveras. N'en parle même pas à Mary Jean.

Fletcher était aussi transparent que de la Cellophane. Il baissa la voix pour murmurer :

– D'accord, c'est notre secret.

Immédiatement, la voix suspicieuse de Mary Jean se fit entendre. Il entendit Fletch couvrir le récepteur de la main et lui parler pour la rassurer. Puis il reprit le combiné.

– Fewell a dit quelque chose à mon propos ?

– Oh, Sam, il est enragé. Il écume. Tu vas passer un sale quart d'heure. Il te réclame comme un bébé réclame son lait. Un gradé de Chelan t'a dans le collimateur. Qu'est-ce que t'as foutu là-bas ?

– Rien d'important. Je te raconterai quand on se verra.

– Où es-tu ?

– Nulle part. Tu es prêt pour les noms ?

– Vas-y.

297

– D'accord. Numéro un : Steven ou Stephen Curry. Date de naissance entre 1958 et 1963. Homme adulte blanc. Entre un mètre soixante-dix et un mètre quatre-vingts. Blond. Pas de couleurs d'yeux. Lieu de naissance possible : Californie.

– L'ordinateur ne nous donnera rien sans une date de naissance précise.

– Il peut calculer avec quelques années de plus ou de moins. Essaie. L'autre, maintenant : David Dwain. Pas de date de naissance. Adresse : Portland, Oregon.

– Merde, Sam, tu rêves !

– Essaie. Essaie l'administration fiscale fédérale. Tu récolteras peut-être des informations que tu pourras entrer dans l'ordinateur.

– Entendu. Pourquoi veux-tu tout ça ?

– Je ne suis pas sûr de pouvoir te le dire. Un pressentiment. Peut-être rien du tout.

– Bonne chance. Tu as besoin d'autre chose ?

– Oui. Que tu donnes à manger à mon chat.

26

Duane n'avait pas pensé qu'il puisse être en colère contre elle. Dans leur parfait compagnonnage, il n'y avait de place pour rien de négatif : ni colère, ni jalousie, ni doute, ni rejet, ni ennui. Elle lui avait enfin ouvert son âme et permis de s'y faufiler. Il l'avait ensuite ramenée dans la sienne. Elle était en lui, faisait partie de lui.

Mais elle avait égaré cette maudite carte !

C'était forcément sa faute à elle. Il l'avait à portée de main quand il s'était assoupi, il s'en souvenait bien. Et elle avait disparu.

— Ne pleure pas. Essaie de réfléchir. Essaie de te rappeler ce que tu en as fait.

— Je ne peux pas. Je ne l'avais pas, dit-elle en pleurant.

— Mais tu as vu comment elle était ? Une grande feuille bleu, vert et rouge, toute froissée.

— Je m'en souviens, mais je ne sais pas où elle est passée.

— Si tu t'éclaircis les idées et que tu te concentres, tu peux t'en souvenir. Ferme les yeux et repasse-toi le film.

— Je ne la vois pas, dit-elle après avoir fermé les yeux.

— Réfléchis, bon Dieu !

— Tu es furieux contre moi.

Elle était une enfant. Elle avait toujours été une femme-enfant. Il voulut lui toucher l'épaule, mais elle tressaillit et recula. Il n'aurait pas dû lui faire confiance pour les choses importantes. Mais il se fatiguait très vite et tombait soudainement dans des sommes éclairs dont il attendait qu'ils lui redonnent sa vigueur habituelle. Chaque amélioration était de courte durée. Il avait dormi presque toute la journée. Le sang coulait au ralenti dans ses veines, comme privé d'oxygène. Il lui avait fait l'amour à nouveau jusqu'à l'aube et avait ensuite sommeillé par intermittence. Elle l'épuisait.

– Nous sommes perdus ? l'interrogea-t-elle d'une voix qui ne sonnait plus comme celle d'une enfant.

– Non.

– Tu es sûr ? J'ai regardé et tout se ressemble. Tout se ressemble, les rochers, les montagnes et les arbres. C'est facile de se perdre, ici.

– Nous ne sommes pas perdus. Il me faut simplement la carte pour que je trouve le meilleur moyen d'en sortir.

– Je me sens perdue.

– Tu es avec moi, tu ne peux pas être perdue.

Il ferma les yeux et se remémora la carte, vit tous les sentiers devant lui, les artères et les veines qui les mèneraient vers la sortie. Il se souvint du col Copper, du mont Stiletto, de Twisp et du col McAlester. Mais ils ne se plaçaient pas au bon endroit ; ils s'enroulaient tels des serpents et dessinaient un labyrinthe. Sans carte, il devrait s'en remettre au hasard.

Elle s'approcha de lui et lui massa la nuque, le bout de ses doigts glissant doucement autour du cartilage de son oreille. Elle lui rendait la tâche difficile, l'empêchait de réfléchir.

– J'ai fait du feu, murmura-t-elle. Je ne voulais pas que tu aies froid à ton réveil. Il fait si beau et chaud la journée. La nuit tombée, le froid s'abat d'un seul coup.

– C'est gent…

Avant d'achever sa phrase, il eut un terrible pressentiment. Il se releva, la repoussa et partit examiner le feu et ses flammes bleu et orange qui léchaient les bûches noircies. Il aperçut un petit triangle de papier prisonnier d'une branche non calcinée. Il reconnut la marge blanche, le bleu et le vert de la carte.

Elle cria quand il donna un coup de pied dans le feu. Il s'était mis à quatre pattes, s'efforçant d'en récupérer des morceaux sans se brûler. Puis il se tourna vers elle et lui jeta un regard qu'elle ne lui avait encore jamais vu. L'homme et l'enfant avaient disparu, tous deux détruits par la rage animale qui déformait son visage. Elle attendit, désespérée, de voir ce qu'elle avait fait de si épouvantable.

– Tu as brûlé la carte. Tu as brûlé cette maudite carte.

Elle méritait une punition. Il la laissa près du feu détruit et s'enfonça dans les bois. Il l'entendit gémir, le supplier de ne pas la laisser seule. Elle l'avait laissé si souvent, ça suffisait. À son tour de goûter à l'abandon. Il savait qu'elle ne le suivrait pas : elle avait trop peur de la forêt la nuit venue.

La sortie ne devait pas être si difficile à trouver. Il se débrouillerait sans carte mais devait se dépêcher avant que le soleil se couche de nouveau. Il monterait sur la crête, regarderait en bas et trouverait le chemin. Ensuite seulement il pourrait lui pardonner. Le sentier était difficile, et la nuée de moustiques qui l'assaillaient et bourdonnaient le rendaient fou et couvraient sa voix lointaine.

Sans rien entendre que le bourdonnement des insectes, il eut conscience, cependant, que quelque chose le regardait. Il s'arrêta et regarda derrière lui. Elle ne l'avait pas suivi. Le sentier noir semblait disparaître dans le ciel. Même spectacle devant lui. Pourtant, il sentit une présence indéfinissable qui l'obligea à poser un genou à terre pour ne pas tomber dans le vide.

Il aperçut d'abord des yeux, huit orbites d'or fluorescent, qui ne cillaient pas. De gros félins. Des couguars. Leurs gueules paraissaient aussi inoffensives que celles de chatons, mais leurs queues épaisses et longues de deux mètres fouettaient l'air. Ils le fixaient avec intérêt et il savait qu'en deux ou trois bonds ils pouvaient fondre sur lui. Il attendit quelques minutes dans sa position instable – les félins restèrent immobiles.

Il n'aurait pas dû la laisser. Après ce qui lui parut un très long moment, ses jambes tremblantes se raidirent et il se leva avec précaution. Les couguars, inertes, paraissaient empaillés. Puis il vit les pâles membranes glisser sur leurs yeux jaunes. Ils étaient bien vivants.

Il revint sur ses pas, se figurant qu'ils le suivaient, croyant sentir leur souffle sur sa nuque. Arrivé au bout de la crête, il se retourna, prêt à tirer s'il le fallait, mais il n'y avait rien. Les couguars avaient déserté le rocher où ils s'étaient perchés.

Il la tuerait lui-même avant qu'elle se fasse prendre par un animal. Il la tuerait de ses propres mains avant de laisser quoi que ce soit ou qui que ce soit la lui prendre. Elle était son bien, sa possession, et aucun félin, aucun homme ne la lui prendrait. Il la vit près du feu qu'elle venait de ranimer, recroquevillée sur son malheur. Elle l'attendait.

L'idée de la tuer, qui ne le quittait jamais, serait leur dernier échange. Pas comme avec les autres. Elles étaient mortes parce qu'elles étaient fausses, qu'elles avaient montré dès le début qu'elles ne le reconnaissaient pas. Il était persuadé qu'elle l'avait enfin reconnu, elle lui en avait donné les preuves. Pourtant, il ne pouvait pas oublier certaines choses. De mauvais souvenirs. S'ils avaient du temps et s'ils étaient libres, il aurait pu lui pardonner. Il souhaitait ardemment ne pas avoir à la tuer. Elle avait juré de tuer pour lui comme il avait juré de tuer pour elle, mais elle n'avait pas compris ce que cela impliquait.

27

L'hélicoptère affrété tournait au-dessus de la région du Rainbow Lake. Sam reconnut le petit lac, dont la couleur semblait aussi changeante que les yeux d'une femme qui ment. Aujourd'hui, le vert clair innocent qui reflétait le soleil effaçait tout souvenir des patrouilleurs frigorifiés. Là-haut, le temps et le paysage changeaient continuellement, et Sam ne se fiait ni à l'un ni à l'autre.

Sam se tourna vers Ling et se demanda pourquoi il faisait confiance au petit Indien, et surtout pourquoi Ling s'était embarqué dans cette aventure avec lui. Il avait déjà eu tellement de mal à se convaincre lui-même. Ni « Curry » ni « Dwain » n'avaient donné de résultat sur l'ordinateur, et Fletch rechignait à éplucher tous les dépôts de plaintes. Sam se demandait ce que Moutscher avait dit à Fewell au téléphone. Si ce type avait laissé entendre qu'il avait disjoncté, c'était assez pour effrayer Fewell. S'il y avait une chose qui fichait la frousse aux flics, c'était la folie. À trop la côtoyer, on devient fou soi-même.

Sam détestait les hélicoptères. Un jour, à Seattle, il avait été obligé de photographier les corps décapités et le fuselage d'un hélicoptère de la police qui s'était écrasé. Il respira mieux quand il retrouva la terre ferme.

— Attention à vos têtes ! cria Ling, malgré le bruit infernal des pales du rotor.

Le pilote leur promit de survoler chaque après-midi les zones que Ling lui avait indiquées et d'attendre leur signal pour venir les cueillir. Joanne ne serait certainement pas en état de marcher.

Le calme revint après le départ de l'hélicoptère. Les sauveteurs, qui avaient abandonné les recherches, avaient laissé des rubans dans les arbres et les buissons pour indiquer les zones déjà ratissées. Partout flottaient ces bouts de plastique d'un bleu électrique, ironiques et inutiles.

Perdu dans ses pensées, Ling marchait de long en large sur le bord du lac. Sam l'observa en silence, fuma une cigarette, puis une autre, et en allumait une troisième quand Ling revint vers lui.

— Ils ne sont plus ici, dit-il enfin.

— Je pensais que c'était un fait acquis.

— Ils auraient pu revenir après le départ des patrouilles. Mais ils ne sont pas revenus.

— Tu as dit « ils ». Pourquoi ? À cause de ce que je t'ai dit ? Oublie tout ce que j'ai pu te dire.

— J'ai déjà oublié. (Ling se planta devant lui et ses narines frémirent.) J'ai reniflé deux personnes.

— Arrête, Max. Comment peux-tu renifler quelqu'un ?

— Parce que si j'avais dit « senti » tu te serais énervé. Personne ne comprend mes méthodes. Tu dois me croire. L'endroit est saturé d'odeurs humaines. Les hommes et les chiens ont tout piétiné et tout écrasé ici. D'accord ?

— Il est trop tard ?

Ling hocha la tête et reprit son inspection, l'oreille dressée.

— Les sauveteurs ont laissé des traces de leur passage. On peut déjà éliminer ça. Poursuivons. Tu m'as dit que la femme n'était jamais venue dans ces montagnes. Disons qu'elle était seule, qu'elle avait une frousse terrible. Elle n'aurait jamais dépassé le périmètre de ces rubans. Et ils n'ont pas trouvé la moindre bricole. On peut supposer qu'elle est allée plus loin, mais pas seule. Tu me suis ?

– J'ai toujours pensé que ça s'était passé comme ça.

– Si elle était redescendue par le sentier, tu l'aurais croisée en montant.

– Oui.

– Elle a donc continué à grimper. Je ne la vois pas s'enfoncer dans les bois de sa propre volonté, et, quoi que les gars aient pu te dire, les ours n'emportent pas leurs victimes très loin de leur lieu d'attaque. Ils s'en désintéressent quand elles sont mortes. Les ours tuent pour les mêmes raisons que les hommes : quand ils ont peur, pour protéger leurs petits ou parce qu'ils se sentent pris au piège.

– Mais ni par jalousie ni pour l'argent.

– Les ours sont un peu plus gentils que l'homme moyen. Cette femme ne représentait pas une grande menace pour un ours, dit Ling en souriant.

– Non.

– Dis-moi à quoi elle ressemble.

– Pourquoi ?

– Ça m'aidera d'avoir un portrait de celle que je recherche. Parle-moi simplement d'elle.

– Petite. Pas vraiment petite, mais… disons un mètre soixante, cinquante-deux kilos. Cheveux bruns, yeux bleus.

– Jolie ?

– Oui. Une très jolie jeune femme.

– De quelle couleur ?

– De type caucasien.

– Je ne te demande pas un signalement de flic. J'essaie de me faire une idée générale. Chacun a une couleur particulière. Toi, par exemple, c'est terre de Sienne brûlée. Moi, je suis vert foncé. Marcella lavande pâle…

– Max…, l'interrompit Sam, exaspéré.

– On joue selon ma règle du jeu. Alors, quelle couleur ?

– Rose, un rose très pâle.

– Tu en pinces pour elle, non ?

305

– Non, merde, Max ! Tu me poses une question stupide. Je te donne une réponse tout aussi stupide, pour te faire plaisir, et voilà que tu te prends pour le Dr Freud. C'est la femme de mon équipier.

Ling se dirigea instinctivement vers l'arbre où Joanne s'était réfugiée et tourna autour.

– Comme tu veux, inspecteur. Considère les choses de cette façon : tu as certains dons, j'ai certains dons. Tu ne crois pas à mes ruses de Sioux qui, pour ta gouverne, ne sont qu'une infime partie de mes talents. Tu m'as dit toi-même qu'au moins trois douzaines d'hommes sensés ne te suivaient pas dans tes déductions. Une bonne part de la rage qui te consume découle de ce que tu as senti dans l'air. Toi aussi, tu as des vibrations. Tu les associes à des preuves matérielles. C'est pas comme ça que ça se passe à la télé ?

– Ouais.

– Et dans la vraie vie en noir et blanc aussi ?

– J'imagine que oui.

– Bon. Je vais te montrer bientôt ce que je peux voir dans la terre, les feuilles et les branches cassées. Ce sont mes preuves matérielles. Le reste, ce sont mes tripes. On mélange tout ça avec tes intuitions et on retrouvera ta petite femme rose. (Il leva les yeux vers les branches maîtresses.) Elle a grimpé là-haut, non ?

– Je pense que oui. Et je pense qu'elle n'y était pas seule et que ce quelqu'un n'était pas Danny.

– Un homme grand. Plus grand que toi.

– Comment sais-tu ça ?

– Je ne peux pas te le dire, mais je le sais.

– Quelle est sa couleur ? dit Sam, sans aucun humour.

Mais Ling prit sa question au sérieux et toucha le tronc de l'arbre.

– Chaud. Une couleur chaude.

– Max, dit soudain Sam, où est ton arme ? Tu as apporté un pistolet, n'est-ce pas ? Tu me parles de l'incroyable Hulk, et...

– Je n'ai pas de pistolet, répondit tranquillement Ling. Et si j'en possédais un je serais incapable de tirer. Je suis ce qu'on appelle un non-violent.

– Merde !

– Commençons par la partie visible, inspecteur. Donne-moi ton pied.

– Pour quoi faire ?

Ling tira un couteau de sa ceinture et se pencha sur la semelle de Sam.

– Sam, je vais te marquer, dit l'Indien en traçant de sa lame une diagonale sous ses deux talons. Si je tombe sur la trace de quelqu'un, je veux être certain que ce n'est pas toi. Comme ça, je saurai que ce ne sont pas tes empreintes. À toi de jouer, maintenant. Fais-moi une marque.

Sam prit le couteau et grava une marque sur les chaussures du pisteur. Il comprenait ça bien mieux que les couleurs. Il était rassuré.

– Qu'est-ce que c'est que ce bazar autour du feu de camp ?

– La cafetière, le réchaud et la ferraille sont à eux, à Danny et à Joanne. Les bouteilles de bière, je ne sais pas.

– Où as-tu trouvé Danny ?

– En bas du sentier.

– Je peux aller voir ?

– Il n'y a plus rien, maintenant.

– C'est toi qui le dis.

– D'accord, viens.

Ils marchèrent sur le sentier, si sec qu'il était difficile d'imaginer que la neige le recouvrait trois jours plus tôt. Elle s'était évaporée, telle la brume marine que dissipe le chaud soleil d'août. Entre les arbres où le corps de Danny avait reposé étaient tendus des rubans de plastique bleu. Plus rien n'était visible, toutes les feuilles s'étaient envolées, mais les lieux s'étaient gravés dans la mémoire de Sam. Ling avança sans hésitation vers l'endroit où le cadavre avait séjourné, à côté du tronc tombé. Il remarqua

307

deux minuscules brindilles pointues mêlées à la terre pourrissante, puis des feuilles récemment tombées et tassées.

– C'est là que tu l'as trouvé ?

C'était davantage une affirmation qu'une question, et la bonne opinion que Sam se faisait du savoir du petit pisteur se confirma.

– Exactement à cet endroit.

Ling arpenta le site, toucha, écouta, huma, mais ne trouva rien de plus.

– Tu avais raison, inspecteur. Tu connais ton affaire. Il ne reste rien ici.

Ils retournèrent en silence au campement près du lac. Ling semblait absorbé dans ses réflexions, il se concentrait et refusait toute conversation. Il restait indifférent à l'agitation de Sam, pressé de faire quelque chose. Malgré la chaleur trompeuse de la journée, le crépuscule était plus proche qu'il ne l'avait pensé.

– Le chemin a disparu ?

Ling lui avait déjà assuré que non, mais Sam prit la réserve de l'Indien pour l'absence de motivation qu'il avait perçue chez les sauveteurs.

– Ils l'ont effacé pour nous, on dirait, ajouta Sam

Ling le regarda, contrarié d'avoir été distrait.

– J'essaie de trouver mon point de départ. Je préfère prendre le temps de trouver les dix bons premiers pas que me lancer tout de suite à l'aveuglette. Avant de commencer, j'élimine d'abord une foule de parasites. Je suis un chasseur de signes. Tu sais ce que ça veut dire ?

Sam fit non de la tête.

– Ça veut dire que nous allons prendre la direction la plus plausible, qu'ensuite nous allons repérer des signes au sol qui confirmeront que nous avons vu juste. N'est-ce pas comme ça que font les enquêteurs ?

– Si. C'est comme ça que j'ai trouvé le tissu écossais vert.

– Exactement, Sam, tu es déjà entraîné à ça. Mets juste de côté ta partie aveugle et interroge-toi davantage.

Regarde tout deux fois et, si quelque chose te chiffonne, braille. Inspecteur, pour moi, tu es un enquêteur-né. Tu souffles comme un bœuf et tu traînes la patte, mais je vais quand même te considérer comme un frère de sang. Je vais peut-être même t'apprécier. Tu vas chercher des signes jusqu'à ce que tes mirettes n'en puissent plus. Si je te dis d'y retourner et de recommencer, tu obéis. N'espère pas trouver des empreintes de pas qui pourraient nous conduire jusqu'à elle : pas de neige, pas de sable, pas de boue. On aura de la chance si on trouve un morceau d'empreinte quelque part. Choisis un sentier.

Sam soupira et regarda la jungle d'arbres et de végétation.

– D'accord. Je vais commencer par le commencement. Elle n'est pas, enfin, je pense qu'elle n'est pas revenue, ce qui signifie qu'elle… ou eux ont continué leur chemin.

– Ça semble logique.

– Mais continué vers où ? Tout me semble identique.

Ling déplia la carte du service des forêts dont les cercles concentriques rappelèrent à Sam les spirales et les crêtes des empreintes digitales. Rien à voir avec les cartes Texaco auxquelles il était habitué. Ling arrêta son doigt sur une ligne rouge.

– Après le mont Bowan… là. C'est peut-être à dix kilomètres du sentier du Pacific Crest ou de la sortie vers l'autoroute des Cascades. Absolument impossible d'y arriver avant la nuit. Je suis bon, mais pas à ce point.

– Nous allons les perdre.

– Et vingt-cinq dollars de plus par jour, dit Ling en repliant la carte. Si tu penses comme ça, nous les avons déjà perdus. Ils ont quoi ? Neuf jours d'avance sur nous ? Mais ils ne sont pas encore ressortis de l'autre côté. Et si je ne peux pas me déplacer de nuit, eux non plus. Si tu continues à douter et à te lamenter, tu ne verras pas ce que tu es supposé voir. On lèvera le camp à l'aube. En attendant, nous allons manger et dormir un peu. Ça te va ?

– Je n'ai pas le choix, tes tarifs sont exorbitants. Tu sais, Ling, tu dois vraiment manquer de confiance en toi pour supporter si mal la critique, ajouta Sam en riant.

– Ma mère m'a abandonné. Les loups de Spokane qui m'ont élevé ne m'ont jamais compris. Va donc me faire un feu.

Sam se réveilla au beau milieu de la nuit, habitué désormais à devoir faire un effort pour se rappeler où il se trouvait. Il avait dormi dans la forêt, dans son pick-up, en cellule, chez Ling et de nouveau dans la forêt. Il resta allongé, se demandant ce qui l'avait réveillé. Il entendit le ronflement de Ling, un souffle de vent agitant les trembles, un hibou, et autre chose. Il sentait une présence.

Il tendit l'oreille et, sans bouger, essaya de distinguer un bruit dans l'obscurité. Il entendit un murmure furtif qui lui sembla d'abord humain, puis non, comme un doux sifflement échappé d'amples poumons, suivi d'un grognement de déplaisir. Ce n'était pas le ronflement laborieux et régulier de Max.

Sam comprit que quelque chose bougeait à cinq ou six mètres de lui, qu'un être vivant le regardait. La peur le glaça. Il sortit doucement un bras après l'autre de son duvet, toujours incapable de voir ce qui était venu les observer pendant leur sommeil. La chose était lourde. Un bruit sourd et amorti – des pas écrasant l'humus – semblait venir du pin où Ling avait suspendu leur nourriture.

Sam arma son pistolet et le pointa vers la masse indistincte, attendant que ses pupilles accommodent. Il aperçut une silhouette devant lui, pourtant certain d'entendre un bruit dans son dos, derrière la ligne des arbres. Il raidit les épaules et se prépara à tirer.

Le coup ne partit pas. Le nuage qui masquait la lune s'étant dissipé, ses yeux s'étaient habitués à l'obscurité, et Sam distingua les contours de la masse sombre.

Leur sac de nourriture, suspendu sur sa corde, ballottait d'avant en arrière comme un punching-ball. Sam vit alors l'animal dressé sur ses pattes de derrière, une patte avant tendue. Une masse de muscles recouverte de fourrure. Sam bougea à peine mais fit malheureusement craquer une brindille. La créature se figea et tourna la tête dans sa direction. En voyant le blanc de ses yeux et la grosse goutte de son museau, Sam comprit son erreur. Il avait eu tort. Complètement tort. Quel idiot, quel entêté ! Il y avait un ours.

Il donna un coup de coude à Max, qui se réveilla instantanément sans faire le moindre bruit. En apercevant l'ours, Ling parut cesser de respirer. Il sortit une main de son duvet, et Sam entendit le bruit de la fermeture Éclair résonner dans la nuit.

Avant que Sam ait réalisé ce que Ling s'apprêtait à faire, le petit homme était debout. Il attrapa la casserole posée sur les braises éteintes de leur feu et se précipita vers l'ours en la frappant avec un objet métallique. Le fracas était plus fort qu'un coup de pistolet.

La fermeture Éclair de Sam était coincée. Il s'acharna sur elle pour finalement abandonner, préférant s'extirper du sac comme un maïs de son épi. Enfin debout dans l'air glacé, il entendit un nouveau bruit : le rire de Max.

L'Indien vint vers lui, et Sam vit que la silhouette entre les arbres avait disparu tandis que le sac se balançait toujours sur sa corde.

– Un vieil ours aime pisser tout seul, dit Ling, qui continuait à rire.

– Tu es fou, grommela Sam. Si tu n'avais pas réussi à l'effrayer, tu aurais pu prendre une balle.

– Non, mon ami, dit Ling. C'est toi qui es fou. Tu sais ce que c'était ? Un pauvre ours brun, inoffensif et affamé. Pas même complètement développé. Et aucun homme, encore moins une frêle jeune femme – n'aurait pu l'effrayer par un coup de feu.

– Tu le savais avant de t'élancer vers lui ?

– J'avais vu que c'était un petit.

– Il m'a paru grand.

– L'homme blanc est un trouillard. Il s'imagine que les forêts ne sont peuplées que de bêtes nuisibles. Sam, ce petit ours brun ne serait pas venu ici si un grizzli géant rôdait dans les parages.

– Alors, tu me crois, maintenant. Avoue que tu ne serais pas venu si tu ne m'avais pas cru ?

Ling se glissa dans son sac de couchage.

– Tu sais bien que personne ne résiste à ton charme, inspecteur. Va dormir. Demain matin, je ferai de toi un chasseur de signes.

28

Il n'avait pas pris de pénicilline depuis des jours et se réveillait chaque matin avec une fièvre qui l'affaiblissait et le faisait transpirer dans son sac de couchage. Sa main et son bras ne guérissaient plus, ses blessures suppuraient à nouveau. Pour purifier son bras et l'engourdir, il le plongeait régulièrement dans les eaux glacées du petit lac qu'ils avaient repéré. Mais la douleur lancinante revenait sitôt que son bras blessé s'était réchauffé. Au début, cette blessure qui le mettait au défi et ne guérissait pas le contrariait ; mais, à mesure que les jours passaient sans apporter aucune amélioration, l'agacement cédait la place à l'inquiétude. Il se voyait dans une chambre de motel propre, dans un lit propre aux draps repassés qui l'auraient rafraîchi. La nuit, quand il ne parvenait pas à se réchauffer, il rêvait d'un bon feu de grosses bûches qui ne s'éteindrait pas. Il avait maintes fois connu l'inconfort dans sa vie, dormi dans des champs, des aéroports et des gares routières ; mais son corps en parfaite santé et ses idées claires lui avaient toujours permis de trouver une solution. Aujourd'hui, il se sentait pris au piège.

La femme qui se cramponnait à lui l'agaçait de plus en plus. Il la trouvait collante et fausse, la communion entre leurs esprits se défaisait lentement. Elle lui parlait au lieu de l'écouter.

Il ne pouvait rien construire, dans cette prairie. Les arbres, rabougris à cause de l'altitude, ne pouvaient leur offrir qu'un abri précaire que balaieraient les premiers coups de vent sérieux. Pis encore, ils étaient isolés mais pas à l'abri des intrus. Un groupe de randonneurs pouvait à tout moment passer par là.

Et il y avait les couguars. Il avait descendu le sentier à trois reprises, à la recherche du passage vers Paysaten, et chaque fois les gros félins lui avaient barré la route. Tantôt un ou deux, tantôt une demi-douzaine.

Il avait la phobie des félins, quels qu'ils fussent. Un été, Loreen l'avait laissé seul dans la caravane avec un gros vieux matou qu'elle avait recueilli sur la route. La chaleur aidant, l'animal était devenu enragé. L'horrible monstre rugissait, sifflait, bondissait et avait fini par sauter dans son petit lit. Il avait crié jusqu'à ne plus avoir de voix, était resté seul avec le chat pendant des heures avant que quelqu'un le délivre enfin. Il se rappelait les mains graisseuses et poilues qui, sous ses yeux, avaient étranglé le chat. Après cet épisode, il ne s'était plus jamais approché des cages des lynx mais n'avait jamais eu peur des autres animaux de la ménagerie famélique. Adulte, chaque fois qu'il croisait un chat, son ancienne terreur se réveillait.

Il savait que les couguars sentaient son odeur et l'aimaient.

Le mercredi matin, il se disputa avec elle.

– Qu'est-ce que tu viens de faire ? lui demanda-t-il méchamment en voyant son air effrayé, qui ne lui était que trop familier.

– Comment ?

– Tu viens de jeter la moitié d'un jour de nourriture. On aurait pu la manger plus tard.

– Elle aurait tourné avec la chaleur. De toute façon, tu

n'as rien mangé depuis hier. Tu n'aimes rien de ce que je te prépare.

– Nos réserves ne sont pas illimitées. Nous ne pouvons pas descendre nous ravitailler au supermarché. Tu as jeté plus que ce que nous avons mangé.

Il plongea la main dans son sac et en retira quatre sachets.

– Où est le reste ?

– C'est tout ce qui reste. Certains étaient déchirés et devaient être avariés, alors je les ai jetés. Tu as dit que tu pouvais chasser. Regarde, j'ai trouvé des baies, plein de baies, ajouta-t-elle en souriant. Et puis j'en ai assez de la nourriture lyophilisée. Tu ne peux pas nous trouver un poisson, un dindon sauvage ou autre chose ?

– « Tu ne peux pas nous trouver un dindon sauvage ou autre chose ? » répéta-t-il sur un ton sarcastique. Je suis fatigué, et il n'y a pas de dindons sauvages. Tais-toi ! Tais-toi ! Tais-toi !

– Tu es encore malade, c'est ça ? Pourquoi tu ne m'as pas dit que tu ne te sentais pas bien ?

– Je ne suis pas malade, seulement fatigué. Tu ne me facilites pas la tâche.

Il se força à lever ses deux bras, qu'elle s'empressa de venir caresser. Il lui prit une main pour l'empêcher de bouger.

– Tu dois m'écouter. Tu te souviens de ce que nous avons vécu il y a très, très, très longtemps, quand tu étais ma mère ? Tu rendais les choses difficiles parce que tu ne comprenais jamais rien. Tu n'en faisais toujours qu'à ta tête, c'est pour ça qu'ils t'ont arrachée à moi.

Elle réussit à se dégager et le regarda sans comprendre.

– Je ne sais pas ce que tu veux dire. Je ne te connaissais pas. Je n'étais pas ta mè…

– Tu t'en souviens. Dis-moi que tu t'en souviens.

– Tu me fais peur.

– Quand tu m'as vu, tu m'as reconnu. Je sais que tu

315

m'as reconnu. Tu avais trop peur pour dire quoi que ce soit, mais tu m'avais reconnu.

Elle avait oublié quand elle l'avait vu pour la première fois. Elle pensait qu'elle était avec lui depuis plusieurs mois, qu'elle l'aimait, mais ne le comprenait pas. Ses jeux étaient si déconcertants et avaient tellement d'importance pour lui !

– Tu m'avais reconnu, n'est-ce pas ?

Sa main, qu'il serrait comme un étau, commençait à la faire souffrir.

– Oui, mentit-elle. Je t'avais reconnu.

– Je préfère ça. Ne me fais plus jamais de coups comme ça, lui dit-il, soulagé, en la lâchant.

– J'essaie d'être ce que tu veux que je sois.

Elle pensa percevoir une ouverture, une brèche qui l'autoriserait à lui dire ce à quoi elle pensait continuellement.

– Tu sais quoi ? dit-elle tandis qu'elle lui massait la cuisse.

– Quoi ?

– Je veux rentrer.

Il se figea. Elle sentit ses muscles se raidir sous son jean.

– On ne peut pas rentrer. Nous n'avons pas de maison.

– Je veux être dans une maison. Je veux un toit et des murs.

– Tu cherches à m'échapper. Tu veux toujours m'échapper.

– Non ! Non... Je veux être avec toi. Tu as dit qu'on aurait un endroit à nous, moi aussi je veux qu'on ait un endroit à nous. J'ai froid, j'ai faim, j'ai besoin d'un bain et de gens à qui parler.

– Tu m'as, moi, pour parler. Tu n'as besoin de personne d'autre.

– C'est vrai, mais tu n'aimerais pas dormir au chaud ? Si nous descendions maintenant de la montagne, on pourrait trouver un endroit ? Je te préparerais de bons petits plats et nous pourrions prendre une douche ensemble. Tu aimerais ?

Elle n'avait pas changé. D'horreur, sa gorge se noua. Il eut l'impression que son cœur était devenu dur comme de la pierre. Elle lui avait fait croire qu'elle l'avait reconnu, l'avait affaibli avec ses besoins constants. Elle ne cherchait qu'un moyen de l'abandonner encore. Il avait toujours su qu'il la trouverait un jour. Il l'avait trouvée. Et elle ne l'aimait pas.

– Chéri ?

Il se tourna pour la regarder de ses grands yeux verts, presque calmes.

– Quoi ?

– Allons dans le lac. L'eau est fraîche.

– Tout ce que tu veux. Tout ce qui peut te faire plaisir.

Elle rit, pensant avoir gagné. Il la suivit sur le bord caillouteux du lac, la laissa le déshabiller et lancer dans le lac sa chemise et son jean. Ils entrèrent dans l'eau jusqu'à la ceinture. Son excitation se réveilla sous ses incitations. Mais, il se souvint qu'il ne pouvait plus lui faire confiance. Elle s'accouplait avec lui parce qu'elle n'avait personne d'autre. Elle le trahirait avec le premier mâle venu. Elle l'avait toujours trahi. S'il lui laissait la vie sauve, elle le quitterait.

Elle le suivit jusqu'à leur campement, sans se douter de ce qu'il avait vu en elle. En bavardant, elle leur prépara à manger avec leurs dernières provisions. Quand le soleil commença à décliner, il sut que ce serait leur dernière nuit ensemble. La fièvre qui l'étouffait émoussait à ce point ses forces qu'il comprit qu'il ne pourrait pas la garder si quelqu'un venait la lui enlever. Il préférerait la savoir morte. Morte, elle lui appartiendrait toujours. Elle avait été presque parfaite mais s'était comportée, finale-ment, exactement comme les autres.

– Danse pour moi, lui ordonna-t-il.

– Je suis fatiguée. Je danserai pour toi demain.

– J'ai dit que je voulais que tu danses, comme tu dansais pour les autres.

– Je ne te comprends pas...

– Tu comprends très bien, au contraire. Ne me mets pas en colère.

Elle s'avança lentement vers le feu en remuant maladroitement les hanches, pour le taquiner.

– Pas comme ça. Enlève tes vêtements.

– J'ai froid.

– Enlève tes vêtements et fais-le pour moi, rien que pour moi cette fois.

Elle ôta son jean et son chemisier et attendit qu'il lui dise quoi faire, prétendant avoir oublié.

– Il te faut de la musique, pas vrai ? Je vais fredonner un air et tu pourras te trémousser. Danse.

Il fredonna *The Steel Guitar Rag* tandis que, de sa main valide, il tapait sur un tronc avec un bout de bois pour lui donner le rythme. Mais elle faisait seulement bouger ses pieds et se cachait la poitrine.

– Laisse-moi les voir. Tu les as bien montrés à tout le monde. Fais-les bouger comme tu sais faire et remue-toi. Vas-y. Da da-da dah. Da da-da dah !

C'était un peu mieux, elle se tortillait et remuait le bassin d'avant en arrière.

– Fais-les bouger.

– Bouger quoi ?

– Tes seins. Fais-les bouger pour moi.

Elle s'exécuta, sans parvenir à reproduire le mouvement qu'elle faisait jadis. Voyant qu'elle n'y mettait aucune bonne volonté, il eut du mal à contenir sa fureur.

Il accéléra la cadence. Elle continua de tourner et de marteler le sol, mais sa danse était devenue pataude. Elle le faisait exprès. Il ne lui suffisait pas.

– Sale pute, tu as couché avec combien de flics ?

Elle s'immobilisa et se couvrit de ses bras.

– Quoi ?

– Tous ces flics excités de Natchitat. Ils y sont tous passés, pas vrai ? Les jeunes, les gros, et même le grand – le vieux, ce Sam.

– C'est horrible. Ne dis pas ça.

– Avoue que tu as couché avec eux !

– Je n'ai couché qu'avec mon mari. Tu le sais. Je n'ai couché qu'avec toi.

– Menteuse ! Rhabille-toi. Je ne veux plus te voir danser. Tu me donnes envie de vomir.

Elle pleura longtemps, jusqu'après le coucher du soleil. Elle le supplia de lui pardonner. Deux heures plus tard, il accepta enfin qu'elle s'allonge à côté de lui, mais il demeura inflexible dans son duvet.

– Je t'aime. Tu sais que je t'aime. Je ne sais pas ce que j'ai fait qui t'a mis en colère.

Il n'y aurait plus d'autres nuits, et seulement une partie du lendemain. Son bras était déjà mort. Il sentait l'infection gagner lentement sa poitrine et les ganglions de son cou. Cette femme l'avait épuisé et quasiment tué. Il serait presque soulagé d'en être débarrassé.

La seule liberté qui lui restait était de choisir l'heure à laquelle il l'éliminerait. Peut-être que cette fois il partirait avec elle et quitterait ce soleil trompeur qui promettait la vie mais ne donnait rien. Ils tomberaient ensemble dans le grand trou noir, traverseraient cette ultime épreuve avant de pouvoir se retrouver.

29

Sam trouva en Ling un professeur peu exigeant. Comme la plupart des hommes dotés d'un don particulier, Ling exigeait la perfection de lui-même mais avait assez confiance en ses capacités pour ne pas avoir besoin de critiquer les autres. Sam percevait parfois une certaine impatience chez le petit homme, mais elle se dissipait vite. Il comprit que c'était sa propre précipitation qui le poussait à brûler les étapes. Occupé à échafauder des hypothèses, à parcourir des kilomètres, il était parvenu à faire taire son inquiétude pendant des jours. Maintenant qu'ils touchaient au but, et pouvaient tomber sur elle au prochain détour du sentier, son angoisse reprenait le dessus. Il se rappela tous ceux pour qui ils étaient arrivés trop tard, de justesse, certes, mais trop tard : les enfants entassés dans une chambre froide désaffectée où l'air venait juste de s'épuiser ; les indigents retrouvés morts à moins de quinze mètres d'une rue passante ; les vieilles dames solitaires qui n'avaient pas eu la force d'appeler à l'aide ; les jeunes drogués qui venaient de s'injecter la dose de trop... Tous auraient pu être sauvés s'ils étaient arrivés à temps. Il ne put se rappeler ceux qu'ils avaient sauvés, ni même s'il y en avait eu.

– Patience, patience, lui soufflait Ling. Concentre ton esprit sur ce que voient tes yeux.

– Mais comment je saurai si ce que je vois est intéressant ou pas ?

– Écoute ! Commence par ce que tu as l'habitude de chercher : mégots de cigarettes, papiers, boutons, vieux lacets, tout ce que l'on jette ou que l'on égare. Ce devrait être plus facile ici, car nous sommes sur une terre sauvage. Ils ont interdit toute la zone aux randonneurs pendant les recherches. Donc, personne n'a dépassé ces banderoles bleues, sauf ceux que nous recherchons. S'ils ont jeté quelque chose, c'est forcément récent. D'accord ?

– Admettons.

– Tu viens de passer à cinquante dollars de supplément par jour, inspecteur.

– D'accord, d'accord, d'accord. Tu vois tout et tu sais tout.

– Cherchons des petits morceaux d'eux.

– Tu pourrais t'exprimer un peu mieux, Max, mais je t'ai compris quand même.

– Après ça, nous examinerons les montagnes, là où les branches ont cassé, là où les feuilles ont été écrasées, là où l'herbe a été aplatie…

– Comment saurons-nous si ce sont des traces humaines ou animales ?

– Si c'étaient des cerfs ou des bouquetins, on ne verrait presque rien. Leurs sabots sont fendus, ils n'écrasent pas la terre comme les hommes, dit Ling en entraînant Sam un peu plus loin.

Ling fit quelques pas sur une étendue sableuse du sentier, puis sur l'humus de la forêt.

– Regarde. Tu vois les petites empreintes en relief laissées par mes chaussures que tu as toi-même marquées ? Regarde l'inclinaison de cette pensée sauvage, elle ne s'est pas redressée tout à fait. Nous allons procéder par tronçons de cinq mètres, pas plus. Si tu fais plus de cinq mètres sans voir de marques en relief, c'est que tu as perdu la trace. Alors tu reviens sur tes pas et tu recommences.

– Cinq mètres, mais il y a des kilomètres devant nous !

– Cinq mètres à la fois, mais si on se débrouille bien on peut les faire au trot.

– Vas-y au trot, moi, je marche.

– Décide-toi, dit Ling en souriant. Tu n'es pas en aussi mauvais état que tu le prétends, inspecteur. Tu as même les joues roses. Tu vas partir en avant en éclaireur, moi je te suivrai, le nez collé au sol. Si nous n'avons plus d'empreintes, ça voudra dire ou bien que nous les avons perdus, ou bien que nous sommes sur une fausse piste. Maintenant, donne-moi quelques minutes. J'ai besoin de méditer.

Ling tourna son visage vers le soleil et ferma les yeux comme s'il voulait puiser dans le ciel une nouvelle force psychique – un rituel incompréhensible pour Sam.

Il fallait faire avec.

Le sentier était rude, et Sam enviait la constitution de Ling, son centre de gravité très bas qui lui facilitait la montée. Pourtant, sa propre endurance semblait s'être renforcée, car il ressentit moins la fatigue et la douleur musculaire que lors de ses précédentes montées. Il ne le méritait pas : il avait maltraité son corps et abusé de ses poisons, alcool et cigarettes. Mais l'alcool s'était dissipé, et Ling ne lui laissait pas beaucoup de temps pour fumer et le faisait manger.

Ils furent tout de suite gratifiés de nombreux indices, si nombreux que la tâche leur parut un jeu d'enfant. La chemise écossaise verte, le devant imprégné de sang séché, était à peine cachée entre deux rochers. Sam la plia soigneusement et la fourra dans une poche vide de son sac.

Mais le summum fut le mégot de cigarette et l'emballage d'une barre protéinée. Ils continuèrent leur jeu de piste à travers les forêts de pins et de mélèzes. Ling criait vers Sam chaque fois qu'il découvrait un indice validant leur direction.

La prairie confirma la présence récente d'au moins deux personnes. Ils trouvèrent çà et là des papiers d'emballage que le vent avait déplacés, des sachets de nourriture lyophilisée, des bandages tachés de sang – qui inquiétèrent Sam, même si ces taches ne semblaient pas indiquer une sérieuse hémorragie. La quantité de cendres prouvait que les randonneurs avaient fait plusieurs feux.

Sam se tourna vers Ling.

– Ils sont restés là plusieurs jours.

– Longtemps. Et ils sont peut-être encore là.

Ils examinèrent la clairière mais ne virent rien. Sam, qui sentait le danger, regretta que Ling soit si intransigeant sur le chapitre des armes. Il avait la chair de poule. Il jeta un regard rapide alentour, balayant méthodiquement chaque portion de forêt et ne perçut aucun mouvement hormis le frémissement du vent.

Il remarqua quelque chose qui brillait au soleil. Probablement du mica emprisonné dans une pierre ou de la pyrite. Il s'approcha pour examiner les rochers.

– Qu'est-ce que c'est ? demanda Ling.

– Je ne sais pas. On dirait la languette d'une canette de bière.

Il plongea la main dans l'anfractuosité et ressortit une bague dans laquelle on avait passé un petit bouquet de pâquerettes. Il regarda l'anneau, perplexe. C'était celui de Joanne, la réplique plus petite de celui qu'il avait mis dans sa poche de chemise avec la montre de Danny. Ling s'approcha et étudia l'anneau d'or et les fleurs fanées.

– C'est à elle ?

– Oui. Pareille à celle de Danny.

Sam repêcha l'alliance dans sa poche et la posa à côté de celle de Joanne, se demandant pourquoi il se trouvait dans ce coin perdu avec deux alliances ne lui appartenant pas.

– Elle l'a abandonnée là en pensant que quelqu'un la trouverait. Elle a voulu laisser une indication.

Ling prit les fleurs dans sa main et les regarda.

– Depuis quand ? demanda Sam. Combien de temps ?

– Elles ont été cueillies il y a trois ou quatre jours. Pas plus. Sam, ils sont peut-être au ciel ou à Spokane, à l'heure qu'il est.

– Que te disent tes tripes ?

– Donne-moi les alliances. Laisse-moi les tenir.

Sam les fit glisser dans la paume de Max et regarda le pisteur refermer la main sur elles, ralentir sa respiration et s'absorber dans sa méditation. Quelques minutes plus tard, Ling lui rendit les bagues.

– Alors ?

– L'alliance de Danny est froide, mais ça, on le sait. Celle de Joanne est encore chaude. Joanne n'est pas loin. Pas près, mais entre ici et les arbres avant l'autoroute. Et…

– Quoi ?

Ling se taisait.

– Dis-le quand même.

– L'anneau de la femme est en train de refroidir. Je n'aurais pas pu le tenir plus longtemps, ça m'aurait rendu malade. Elle a des problèmes.

Ling scruta la forêt et finit par repérer le sentier. Il remit son sac sur son dos.

Les empreintes en relief étaient difficiles à détecter, mais Ling y parvint. Ils sortirent de la forêt en début d'après-midi et arrivèrent sur le versant limé par une avalanche. Fidèle à sa parole, le pilote de l'hélicoptère les repéra et tourna à basse altitude jusqu'à ce que Max agite les bras et lui fasse un signe avec le pouce et l'index. L'oiseau glissa obliquement sur son courant d'air et disparut au-dessus des arbres derrière eux.

À Fireweed Camp, ils furent pris par la nuit. Nerveux, mais vidé de toute énergie, Sam considéra le campement. Ling le laissa seul un moment. C'était un campement précaire n'offrant rien d'autre que de l'eau et du bois pour faire un feu.

Après un dîner de viande séchée et de crackers, Ling s'endormit d'un seul coup. Sam resta longtemps à regarder le feu, essayant de calculer quel jour et quelle heure il était. Dans la nature, le temps se dissout, ne restent que le jour et la nuit. Ne pouvant lutter plus longtemps, il s'endormit profondément, sans entendre les ronflements de Ling ni le crépitement du feu, ni même les couguars qui avaient commencé à feuler une heure après minuit et ne s'étaient arrêtés qu'à l'aube.

Les deux hommes se mirent en route au petit matin, sous un ciel couleur de gentiane. Sam trouva Ling étrangement silencieux, hâtant sa marche, contrairement à la veille, mais repérant toujours des signes positifs.

Les empreintes de chaussures qui leur étaient devenues familières apparaissaient régulièrement sur le sentier et Max Ling prit sans hésiter la direction du Stiletto. Aucun des deux ne prononçait un mot. Ils marchaient sur une crête quand Max remarqua un tas d'excréments.

– Un couguar.

– Ils attaquent ?

– Non. Les vieilles histoires de couguars qui enlèvent des bébés ne sont que des inventions, des âneries pour faire peur. Sam…

– Oui ? répondit Sam en prenant machinalement une cigarette.

– Ne fume pas.

– Pourquoi ?

– Parce que nous sommes tout près de ce que nous cherchons. Nous avions les empreintes de deux personnes. Et, là, nous avons les empreintes d'une seule personne – de grande pointure –, des pas qui s'éloignent et reviennent. L'homme n'est pas allé au bout du chemin et elle n'est pas partie du tout.

Le sang de Sam se figea. Il eut à nouveau envie d'une cigarette mais s'abstint.

– Qu'est-ce que ça veut dire ?

– Je ne sais pas. Ils sont probablement toujours dans les parages.

– Alors, allons-y.

Le pire serait de la trouver morte, gisant quelque part dans son sang. Mais au moins il saurait. Le mieux ? Elle était vivante, peut-être blessée, probablement captive, sous la coupe d'un homme sans visage qui avait porté une chemise verte ensanglantée, d'un homme assez fort pour faire sortir le bras de Danny de son articulation, d'un homme dont la chaussure mesurait trente-cinq centimètres et demi. Sam était flic et s'attendait toujours au pire. Danny était mort, il l'avait su très vite. Et maintenant c'était sans doute le corps de Joanne qu'ils trouveraient.

Ling avançait au trot, plié en deux, sur la prairie d'herbe tendre. Sam tenta de ployer son grand corps et d'imiter le pas furtif de l'Indien. Il ne voulait pas voir le corps de Joanne, celui de Danny lui avait suffi. Il retenait inconsciemment sa respiration, redoutant l'odeur douceâtre et nauséeuse qui s'élèverait bientôt.

Ling se laissa tomber sur le ventre, puis tous deux rampèrent jusqu'au bord du ravin. De là, ils pourraient observer à loisir, invisibles derrière les mélèzes. Max regarda en bas, vers le plateau, et poussa un cri d'étonnement.

– Qu'est-ce que c'est ?

Le pisteur grogna de nouveau sans que Sam puisse rien en déduire. Ling fit signe à Sam de le rejoindre. Le dernier mètre de leur recherche lui parut plus long que tous les autres.

Sam regarda à son tour et détourna les yeux, à la fois choqué, gêné et déçu d'avoir suivi le mauvais chemin, d'avoir chassé non pas Joanne et son ravisseur, mais les amants nus qu'ils voyaient plus bas. Ling l'avait entraîné sur une mauvaise piste, ils avaient chassé le mauvais gibier.

– Bon sang ! cria Ling

Sam regarda de nouveau. La femme était nue et bronzée au point que Sam la prit une seconde pour une métisse. Elle ressemblait à une sauvage avec ses cheveux détachés, emmêlés et électriques, son corps gracile aux seins toniques et beaux à leur manière primitive. De l'homme, il n'apercevait que l'arrière de la tête et les épaules qui dépassaient de son duvet.

Sam se tourna vers Ling et fut incapable de déchiffrer l'émotion peinte sur le visage de l'Indien.

– Une si longue traque pour trouver ça !

Toujours occupé à regarder en bas, Ling se contentait de pousser des grognements.

La femme brune était penchée sur l'homme allongé. Quand elle rejeta la tête en arrière, il la reconnut.

– Oh, mon Dieu, mon Dieu, Max...

– Sam ?

Sam allait s'élancer vers le couple, mais Ling l'arrêta.

– Quelle pute !

– C'est elle ?

– Je ne peux pas le croire. ça ne peut pas être elle. Regarde-la...

– Ferme-la. Ferme ta stupide bouche, Sam. Ils vont t'entendre.

– Quelle pute...

– Tais-toi. Tu le connais ?

L'homme s'extirpa de son duvet et se leva. Le soleil éclaira ses cheveux roux. Il tourna la tête dans leur direction et eut l'air de les flairer telle une bête sentant le danger. Mais son regard était sans expression : il ne les avait pas vus.

– Tu le connais ?

Sam regarda attentivement l'homme, qui n'éveilla aucun souvenir en lui. Il était très grand, si grand qu'il aurait été difficile à oublier s'il l'avait croisé.

– Non. Je ne le connais pas. Jamais vu. Je descends.

Sam fut debout avant que Ling puisse le retenir et dévala le sentier aux cailloux brûlants, toujours caché aux regards par les arbres. Il n'avait pas conscience du pistolet qu'il tenait à la main. Il n'avait pas de plan, avait oublié toutes les règles de l'approche furtive et n'entendait pas les avertissements de Max. Il ne pensait qu'à l'homme et à la femme nue, qui se tournèrent vers lui avec une promptitude qui lui sembla ralentie à cause du bourdonnement dans sa tête.

Sam vit les yeux écarquillés et la bouche ouverte de Joanne : elle l'avait reconnu. Elle leva une main vers lui puis se laissa tomber dans l'herbe, hors de son champ de vision.

Il remarqua le fusil de l'homme roux et fut heureux d'avoir une raison de tirer. L'homme hésita. Il baissa son .22 et le pointa sur elle, puis parut hésiter à nouveau tandis que Sam se précipitait vers lui. Tous leurs mouvements étaient au ralenti. Sam était stupéfait d'avoir autant de temps pour réfléchir, décider. Le temps que le grand rouquin se retourne vers lui et lève sa carabine, Sam était déjà accroupi en position de tir. Il vit les yeux verts et le filet de salive sur la lèvre de ce pourri. Il visa tranquillement, sans crainte du canon pointé sur son propre cœur. Lorsqu'il pressa sur la détente de son .38, celle-ci céda si doucement qu'elle lui sembla ne pas fonctionner.

Le bruit l'assourdit. Deux détonations, puis une troisième, se répercutèrent sur les rochers alentour. Toujours accroupi, il se prépara à presser de nouveau sur la détente, mais sa cible avait disparu. Il fit un pas à gauche puis à droite, sans trouver l'homme.

Mais il vit Joanne et n'en crut pas ses yeux. Le pistolet paraissait totalement incongru dans ses petites mains. Elle ne pouvait pas tirer, elle n'avait jamais tenu une arme. Elle pointait pourtant le .38 vers lui.

– Non ! hurla Sam, surpris par sa propre voix. Joanne ! Non !

Il la fit tomber et le pistolet lui glissa de la main. Mais elle réussit à se relever et se jeta sur lui, l'attaquant à coups de griffe et de pied. Sam tenta de la maîtriser avant que le rouquin ait l'occasion de tirer, mais elle s'était agrippée à lui et ne le lâchait pas.

– Tu l'as tué ! Tu l'as tué !

Elle voulut s'attaquer à ses yeux, mais ses mains, mouillées, glissèrent sur son visage. Elle perdit l'équilibre et revint à la charge. Ce n'était pas Joanne, mais un animal enragé, la bouche déformée par les hurlements. Comme un bélier, elle fonça tête baissée sur Sam, mais elle faiblissait, et ses cris se muèrent en râles.

– Tu l'as tué, ordure. Lui qui m'a sauvé la vie. Il voulait m'aider et tu l'as tué. Espèce de sale pervers !

Il la repoussa, mais elle parvint à se retourner et à le griffer encore. Il lui attrapa un poignet et la plaqua contre lui tandis qu'elle sanglotait et se débattait en lui crachant des obscénités. Quand il la sentit fléchir, il la laissa s'affaisser dans l'herbe, à bout de souffle.

– Fils de pute ! Assassin !

Elle n'avait pas conscience de sa nudité, ou peut-être s'en fichait-elle. Il se tourna, prêt pour un nouvel assaut, mais elle se tenait tranquille.

Sam chercha le géant aux cheveux roux, sentit que quelqu'un se trouvait juste derrière lui, fit volte-face, et ne vit que Joanne.

– Où est-il ? Où est-il allé ?

Elle se mit à sangloter à nouveau.

– Où est-il, bon Dieu ?

– Là-bas. Il est là-bas. Va voir ce que tu as fait !

Sam passa derrière un rocher qui lui arrivait à la taille et vit l'homme allongé dans l'herbe, face contre terre. Il resta sur ses gardes.

– Lève-toi.

Tel un opossum, l'homme gardait la tête enfouie dans l'herbe.

– Lève-toi, ordure ! La partie est finie.

Il n'eut pas de réponse. Une cohorte de fourmis s'enfonçait dans la chevelure rousse, réémergeait à hauteur de l'oreille visible, puis descendait sur la partie cachée du visage. Le type savait se maîtriser, car les fourmis devaient le démanger. Sam donna un coup de pied dans le genou de l'homme, qui roula sur le dos.

Sam aperçut sur son crâne un sillon rouge qui disparaissait derrière l'oreille droite. Les yeux verts, mi-clos, fixaient le soleil sans ciller, la bouche souriait légèrement. Les fourmis trempaient leurs pattes dans le sang accumulé dans son oreille. Le bras gauche de l'homme, violet et enflé, était sillonné de poches de pus.

– Qu'est-ce qu'il a au bras ?

Elle ne répondit pas. Incapable de marcher, elle se traîna à quatre pattes et s'allongea sur l'homme. Sam surmonta son envie irrépressible de la prendre par la peau du dos pour la jeter dans le précipice.

– Habille-toi, se contenta-il de dire. Va enfiler des vêtements.

Sam revint lentement vers Ling, honteux que son compagnon ait vu ce qu'était Joanne. Il ne voyait pas la chevelure lisse et brillante de l'Indien. Il l'appela plusieurs fois, mais ses appels restaient sans réponse.

– Max ! C'est fini. Tu peux descendre.

Sam appela encore et attendit que craquent les branches, là où Ling se tenait caché.

Il pensa d'abord que le gargouillement qu'il entendait venait de Joanne, mais la source était trop proche. Il baissa les yeux et fut surpris par la petitesse de Ling, qui s'était recroquevillé pour ne pas être vu.

Ling respirait très mal, comme s'il aspirait un mélange d'air et de liquide : de sa poitrine ne sortaient que sifflements et bouillonnements. Sam s'agenouilla près de lui et sépara soigneusement bras et jambes, s'attendant de nouveau à trouver du sang.

Il n'en trouva pas. Il ne semblait pas y avoir de blessures. Sam défit un à un les boutons de la chemise du petit homme, le laissant chaque fois se reposer, tout en lui parlant constamment afin de le rassurer et de capter son regard.

Il ne comprenait pas ce qui avait troué l'aisselle de Ling. La blessure ne saignait pas. Sam y posa instinctivement la main pour faire cesser le bruit. Le trou n'était pas si gros et, une fois bouché, Ling respira plus facilement.

– Ça va, petit. Tout va bien.

Ling ferma les yeux et hocha la tête.

– Juste une égratignure, mentit Sam.

– Égratignure…

– Tu as mal ?

Ling sourit faiblement.

– Ça brûle.

– On va te descendre.

– L'oiseau va venir.

Sam leva les yeux au ciel, espérant voir quelque créature mythique ailée, et se souvint de l'hélicoptère. S'il pouvait les repérer, s'il arrivait à temps et si Ling ne se noyait pas dans son sang, il pourrait tenir sa promesse à Marcella. Il n'avait tenu jusqu'ici aucune promesse.

Sam souleva le corps de Ling, aussi léger que celui d'une femme, et le déposa sur une surface plane. Joanne les regardait sans intérêt ni compassion. Elle était assise près du cadavre dont elle tenait la main saine. Habillée, elle ressemblait davantage à Joanne mais ne sentait plus ni les fleurs ni le savon. Elle dégageait une odeur musquée, chaude et malsaine.

Sam ne pouvait ôter sa main de l'axillaire de Max. Tant qu'il bouchait l'orifice, formant une barrière de sa propre chair, il empêchait l'air d'y entrer. Joanne le regardait, apathique.

– Sam ?

– Quoi ? répondit-il, surpris qu'elle se soit souvenue de son nom.

– Il est mort.

– Danny aussi. Tu te fiches de la mort de Danny, c'est ça ?

– Danny est mort.

Ce n'était pas une question, pas davantage une affirmation.

– Est-ce que Danny est mort.

Ce n'était pas non plus une question.

– Est-ce important ?

– Ne le dis pas à Danny.

– Ne lui dis pas quoi ? Comment pourrais-je lui dire quoi que ce soit ?

– Ne lui dis pas, c'est tout.

Elle est folle, pensa-t-il.

– Tu es furieux contre moi ?

Aucune réponse polie ne lui vint. Il cessa de l'écouter et regarda le teint gris-vert de Ling sous sa fine peau basanée. Sam pensait avoir entendu le rotor au loin. Il scruta les nuages, espérant que l'hélicoptère pourrait les voir.

Sam ignorait depuis combien de temps ils attendaient. Il surveillait la respiration de Max, attentif à chaque mouvement de sa poitrine. Il entendit les pas de Joanne derrière lui. Elle ne représentait pas une menace. Son arme était restée là où elle était tombée, dans l'herbe, et celle du rouquin se trouvait sous sa jambe ; elle n'aurait pas la force de soulever son amant. Elle se parlait à elle-même, et il entendait des phrases sans queue ni tête dont il ne pouvait rien tirer. Il préférait ne pas la regarder.

Les pas de Joanne s'arrêtèrent. Elle chuchotait maintenant d'une voix si faible que son monologue était à peine audible. Il appuya plus fort sur la blessure de Max.

Quelque chose lui effleura légèrement l'épaule.

– Va-t'en, Joanne. Juste, va-t'en.

Il l'entendit lui dire quelque chose, mais ses propos lui parvenaient de loin, hachés à cause de l'altitude. Il sentit à nouveau quelque chose sur son épaule.

– S'il te plaît, éloigne-toi. Reste tranquille et laisse-moi seul, dit Sam, sans se donner la peine de se retourner.

La crosse de la carabine le heurta juste à la base du crâne et, en le faisant rouler à terre, l'obligea à lâcher la blessure de Ling. Déterminé à chasser Joanne encore une fois, Sam leva les yeux, pas encore conscient de sa douleur à la tête. Et, là...

L'homme mort le dominait de toute sa hauteur, les yeux grands ouverts, le visage en sang où se lisait une rage indicible.

Sam s'écarta de Ling, sentit un bruit de tonnerre dans sa tête et fixa l'homme debout devant lui. Un de ses bras pendait, comme mort. Sam comprit que son assaillant ne pouvait pas tirer. Puis tout se brouilla, ses yeux ne virent plus rien.

La crosse de la carabine l'atteignit une deuxième fois et l'envoya rouler plus près du précipice. Trop près. Il venait de remarquer que le géant n'avait pas d'équilibre quand la carabine s'abattit à nouveau. Quelque chose craqua dans son épaule. Il empoigna l'arme des mains avant qu'il puisse lui asséner un autre coup, tirant de tout son poids sur elle.

Le rouquin sembla sur le point de s'écrouler sur lui. Sam se prépara au choc, mais le géant, dont le visage ensanglanté resta une fraction de seconde au-dessus du sien, tomba plus loin. Sans un rugissement de rage, sans un ultime hurlement de terreur, son assaillant roula, d'abord lentement, puis plus vite, sur la pente herbeuse avant de disparaître dans le vide. Après un temps qui lui parut extraordinairement long, Sam entendit le bruit sec du .22 qui s'écrasait sur les rochers en dessous, puis le bruit sourd d'un poids mort qui sonnait creux.

Sam ne regarda pas en bas. Il essaya de trouver une prise où se retenir pour ne pas tomber à son tour dans le vide. Il s'agrippa à quelque chose qui lui resta dans la main, trouva une autre touffe d'herbes plus résistante à laquelle il s'accrocha. Il réussit à s'éloigner du bord. La tête lui tournait et le faisait atrocement souffrir. Il se rappela à cet instant que s'il ne revenait pas vers Ling celui-ci ne pourrait plus respirer.

Il commençait à reprendre ses esprits et vit que Ling respirait toujours très faiblement, que ses paupières continuaient de battre. Fort comme un bœuf, le géant aux cheveux rouges n'était pas mort du premier coup, mais, cette fois, c'était fini. Sam ferma de sa main la blessure de Ling, même s'il savait qu'elle était restée trop longtemps à l'air libre.

Maintenant, il devait surveiller Joanne, en qui il n'avait plus confiance. Elle avait vu l'homme se jeter sur lui et n'avait pas crié pour le prévenir. S'il ne faisait pas attention, elle serait capable de le tuer de ses propres mains.

Elle ne semblait se soucier de personne, hormis du mort au fond du précipice. Elle marchait sur le bord du ravin, cherchait un chemin pour descendre, essayant ici et là, ne reculant que quand ses mouvements envoyaient une pluie de cailloux au fond du trou.

– Éloigne-toi de là, tu vas tomber.

Elle ne lui répondit pas. Ne trouvant aucun moyen de descendre, elle s'allongea à plat ventre au bord de l'abîme et tendit un bras – un geste de folle – comme pour attraper son amant mort et le remonter vers elle.

Elle ne bougea plus de cet endroit et ne répondit pas à ses mises en garde. Elle ne donna aucun signe montrant qu'elle entendait la voix de Sam. Il la laissa.

Ling mourut si tranquillement que Sam ne l'entendit pas s'éteindre. Sa respiration s'était d'abord ralentie puis avait simplement cessé. Sam colla l'oreille à sa poitrine, mais ce qu'il prit pour un battement de cœur n'était que le martèlement de sa propre oreille. Le petit Indien, qui lui avait parlé d'essence, d'âme et d'esprit, était mort, d'une mort bien plus rapide que celle de Jake et de Danny. Il n'y avait plus rien à faire. Pourtant, Sam ne pouvait lâcher l'enveloppe de ce qui avait été Ling ; il appuyait toujours sur la blessure, qui ne saignait pas.

Il porta Ling jusqu'à l'hélicoptère et se sentit étrangement léger quand il déposa son fardeau. Le pilote regarda Sam, hocha bêtement la tête et attacha le petit homme sur son siège à la demande du policier.

Le pilote tendit la main à Joanne, qui paraissait avoir secoué toute sa langueur et sa folie. Elle se tourna vers Sam et, d'une voix froide et posée, résolument calme, lui dit :

— Assassin. Tu as tué sans raison. J'ai tout vu et je ferai tout pour que tu paies. Je te hais et te haïrai toujours. Assassin…

TROISIÈME PARTIE

Wenatchee

17 septembre 1981

30

BUREAU DU SHÉRIF DU COMTÉ DE CHELAN

DATE : 17/09/81
HEURE : 9 h 30
LIEU : hôpital des Diaconesses
DÉPOSITION DE : Joanne C. Lindstrom

Je, soussignée Joanne Crowder Lindstrom, née le 29 janvier 1949, demeurant 15103, Old Orchard Road, Natchitat, État de Washington.

Le vendredi 4 septembre 1981, mon mari Daniel et moi sommes arrivés à Stehekin pour une randonnée de quatre jours. Le samedi soir, le 5 septembre, nous avons campé à Rainbow Lake. Nous avons été rejoints par un autre randonneur, David Duane Demich, qui nous a avertis de la présence d'un grizzli. Nous avons campé tous les trois cette nuit-là. M. Demich a repris sa randonnée le lendemain matin mais est revenu nous dire que l'animal l'avait menacé. Mon mari et M. Demich m'ont aidée à grimper dans un arbre et sont partis voir ce qu'il en était de l'ours. Au bout d'un moment – environ dix minutes –, j'ai entendu des bruits de lutte et un coup de feu. Plusieurs, je crois. J'ai regardé dans la direction vers laquelle ils étaient partis et j'ai vu un très grand animal dans les broussailles. J'ai entendu un cri et j'ai pensé que c'était mon mari. M. Demich se battait avec l'ours. M. Demich est revenu vers moi et m'a dit que mon mari était mort. Il m'a dit qu'il prendrait soin de moi et veillerait à ce que je quitte les montagnes saine et sauve. Nous avons attendu dans l'arbre plusieurs heures, puis M. Demich m'a conduite jusqu'à un col. Comme il avait été blessé au bras, nous avons dû rester dans une prairie plusieurs jours. Après avoir quitté cette prairie, nous nous sommes perdus. M. Demich était malade. Nous avons essayé de retrouver notre chemin. Le dernier matin – je regrette de ne pas pouvoir vous dire la date –, un homme que je connais, Sam Clinton, a fait irruption sur notre campement. Je lui ai dit que M. Demich m'avait sauvée et je lui ai crié de ne pas tirer, mais il a fait feu sur M. Demich. À aucun moment M. Demich n'a menacé Sam Clinton ou moi-même d'une arme. M. Demich est resté inconscient un moment et, pendant ce temps, Sam Clinton a tenté de me violer. Je voudrais dire que Sam Clinton, par le passé, m'avait déjà fait des propositions déplacées, et que, à deux reprises, il avait essayé de poser les mains sur moi. (Je l'avais dit à mon mari, qui m'avait promis d'en parler à M. Clinton.) Je suis allée secourir M. Demich, qui a repris conscience. Quand Sam a vu que M. Demich était vivant, il s'est battu avec lui et l'a poussé depuis la falaise. Il y avait un homme avec Sam Clinton, un homme que je ne connaissais pas. Il était blessé, mais j'ignore la cause de sa blessure. M. Clinton a continué à me faire des propositions jusqu'à l'arrivée de l'hélicoptère. Je crains pour ma sécurité si Sam Clinton est relâché. Je porterai ces faits à la connaissance d'un tribunal. Tout ce qui est écrit plus haut est vrai pour autant que je me souvienne. Il ne m'a été fait aucune promesse. Nulle pression n'a été exercée sur moi.

DÉPOSITION PRISE PAR : cap. Rex Moutscher
SIGNATURE : Joanne Lindstrom

Sam relut pour la troisième fois la feuille photocopiée, la retourna sur la table et fixa la glace sans tain de la salle d'interrogatoire. L'avocat commis d'office – un gamin qui donnait l'impression d'avoir mis le costume du dimanche de son père – remuait ses papiers et soupirait.

– Ils l'ont autopsié, j'imagine ? demanda Sam, sans regarder le jeune avocat.

Il venait défendre, aux frais de l'État, un prévenu indigent ; c'était à peu près la seule chose qui plaidait en sa faveur.

L'avocat fouilla dans ses papiers et sortit un paquet de feuilles jaunes agrafées dont il ne semblait pas avoir pris connaissance.

– Oui, ça leur a pris trois jours pour le sortir du ravin. Voyons voir : « La balle est entrée juste au-dessus de l'oreille droite, est passée sous la peau du crâne sans le perforer et est ressortie au-dessus de l'occiput à deux centimètres de la ligne médiane du crâne. La balle n'a pas été retrouvée. Blessure non mortelle. »

– Chanceux, le salaud. J'aurais dû lui faire sauter la cervelle.

– Monsieur Clinton, j'espère que vous ne ferez pas de commentaires de ce genre devant un autre que moi...

– Quelle est la cause de la mort ?

– Nuque brisée... à la hauteur de... C-3 et C-4.

– Ils pensent que c'est moi qui ai fait ça aussi ?

– Non, le Dr Albro l'attribue à la chute.

– Albro ? Où était-il quand j'avais besoin de lui ? Un type tombe de vingt mètres sur la tête ! Même Hastings aurait pu deviner la cause de la mort.

– C'est la déposition de Mme Lindstrom qui me dérange le plus..., déclara le commis d'office en s'éclaircissant la voix.

– Qui vous dérange ! s'exclama Sam en arpentant la pièce de deux mètres de large. Ça me perturbe aussi, figurez-vous, ajouta-t-il en donnant un coup de poing dans le mur. Non seulement cette femme est dingue, mais c'est une menteuse. Elle était en train d'aguicher ce salaud, ce Demich quand on les a surpris.

Sam n'avait pas envie de poser de questions sur l'autopsie de Ling, mais il fallait qu'il sache.

– Et quel est le scoop sur Max ?

Nouveau bruissement de papier. Absence d'émotion.

– Hémopneumothorax. Les deux poumons. La balle extraite...

– D'accord. Ça suffit. Je sais ce que ça veut dire. Redites-moi votre nom.

– Mark Nelson. Vous me le demandez à chaque visite.

– Sa déposition ! Foutaises ! En sortant d'ici, rendez-vous à l'asile le plus proche, prenez le premier patient venu et demandez-lui une déposition, vous verrez qu'elle sera aussi pertinente que la sienne ! Il a braqué sa carabine sur moi. Il allait tirer. J'ai tiré en légitime défense. J'ai tiré pour la défendre, elle. Vérifiez la balle qui est sortie de... de Max, et vous verrez que Demich s'apprêtait à...

Nelson s'agitait sur sa chaise.

– La balle qui a tué Ling provenait d'un .38. Elle s'est fracassée sur l'impact et les fragments indiquent qu'il s'agit d'une balle chemisée, probablement à tête creuse, cent dix grains.

— C'est ce que j'utilise.

— Oui… Mais le .38 que, selon vous, elle avait, ils l'ont trouvé au fond du ravin. Même genre de munitions.

— Pas de balle de .22 du tout ? demanda Sam, troublé.

— Ils ne l'ont pas trouvée. En revanche, ils ont trouvé la carabine en bas, sur un rocher. Elle venait juste de servir.

— Ça ne nous aide pas. J'ai tiré. Il a tiré. Elle… Non, je ne me souviens pas qu'elle ait tiré. Je ne peux pas imaginer qu'elle ait pu tirer.

— Le problème, dit tranquillement Nelson, c'est que c'est votre parole contre la sienne. Ils ont bien utilisé leurs armes, mais rien ne prouve qu'ils les aient utilisées à ce moment-là. Sans une balle de .22 sur la scène, impossible de prouver qu'il a tiré sur vous. Et tout le monde croit à la déposition de Mme Lindstrom.

— Ils doivent penser que j'ai aussi tué Ling volontairement ?

— Moutscher va déclarer que Ling s'est trouvé pris dans un feu croisé. Il manque trois balles dans votre pistolet, une seule dans celui de Joanne.

— Je ne sais pas combien de fois j'ai tiré… Quelqu'un a pris toutes les billes, et ce n'est pas moi. Avez-vous pensé à vérifier si Demich avait un casier ?

— Je vais m'en occuper…

— Je vous l'ai déjà demandé hier.

— Sam, même s'il avait un casier aussi épais qu'une brique, ça ne changerait rien aux charges qui pèsent sur vous. Il y a plein de types qui croupissent à Walla Walla pour avoir abattu un de leurs frères de crime.

— Je veux savoir qui était ce type.

— J'ai une affaire en cours, un cas absolument impossible, et…

— Oh ! toutes mes excuses. Vous avez sans doute des clients plus reconnaissants que moi, de gentils voleurs à l'étalage, peut-être un violeur ou deux qui demandent qu'on les écoute ?

Il vit le rose des joues de Nelson virer au rouge et la couleur gagner le cou et les oreilles. Sam savait qu'il aurait mieux fait de se taire. Il ne détestait pas Nelson ou, s'il le détestait, ce n'était pas sa personne. Il n'était qu'un de ces jeunes boy-scouts inexpérimentés et incompétents qui se donnent des airs. Et, de tous, Nelson était le pire parce qu'il le défendait par charité.

– Cette déposition. Où elle dit que vous lui avez fait des avances… des propositions obscènes ?

– Où est-il écrit obscène ?

– D'accord. Des propositions déplacées. Avez-vous jamais… essayé de vous attirer ses faveurs… Enfin… l'avez-vous déjà touchée ?

– Bien sûr. Bien sûr que je l'ai touchée. Comme on touche la femme de son équipier. À la moindre occasion, je lui susurrais des obscénités pendant que mon équipier n'écoutait pas. Bon Dieu, Nelson ! Servez-vous de votre tête. J'ai presque vingt ans de plus qu'elle. Je l'aimais bien, je la respectais, mais je n'ai jamais été en manque au point de tourner autour de la femme de mon équipier. Elle a dit qu'elle s'assurerait que je paie pour la mort de Demich. Elle est folle. Je ne sais pas ce qui s'est passé. J'ai passé des nuits et des nuits à essayer de comprendre pourquoi elle était partie avec ce type, si elle avait tout planifié avant, pourquoi elle se trouvait nue avec lui, et je ne trouve aucune explication satisfaisante. Voilà vingt ans que je suis flic, et je ne suis jamais, jamais, jamais ! tombé sur un cas qui défie à ce point l'entendement. Si je ne l'avais pas vu de mes propres yeux, je penserais que je suis fou…

– C'est une solution, le coupa rapidement Nelson.

– Qu'est-ce qui est une solution ?

– Vous pouvez plaider l'irresponsabilité, une folie passagère due au choc de la mort de votre équipier, proposa Nelson, conscient qu'il venait de commettre une erreur.

Ce serait difficile, avec M'Naughton. C'est juste un moyen… de considérer…

– Foutez-moi le camp ! hurla Sam en frappant de nouveau le mur.

Nelson prit le dossier en accordéon et le serra contre sa poitrine, comme s'il s'attendait à recevoir un coup. En allant vers la porte, il se força à prendre une voix assurée.

– Nous allons proposer le meurtre au second degré. Et espérer vingt ans. Le témoin de l'accusation est une jolie femme qui affirme que vous êtes coupable, l'État apportera les preuves matérielles pour corroborer ses dires. J'essaie simplement de trouver une solution…

– Sortez, Nelson. Si je n'étais pas aussi en colère, je rirais. Personne ne pourrait convaincre M'Naughton. Vous le savez aussi bien que moi. Ne revenez pas, sauf si vous croyez un tant soit peu en l'intégrité de votre client et si vous me défendez sur des faits.

Nelson mourait d'envie de prendre la porte, mais il tint bon.

– Monsieur Clinton, je ne peux pas vous aider si vous refusez de coopérer. Je ne suis pas un garçon de courses. J'appartiens au barreau de cet État. Je reviendrai si vous me le demandez et quand vous vous serez calmé. Pendant ce temps, j'agirai en votre nom, dans la mesure du possible.

– Va-t'en, gamin. Va-t'en, c'est tout.

– Si c'est ce que vous voulez.

– Ce que je veux n'a plus guère d'importance, semble-t-il. Allez retrouver vos voleurs à l'étalage et faites-leur la morale.

Sam trouva la boîte qui lui servait de cellule assez réconfortante. Il était seul, bien sûr… Un ancien flic enfermé avec des droits-communs est un homme mort. Il avait eu les honneurs du *Wenatchee Daily World*, du *Natchitat Eagle Observer*, et même du *Seattle Times*, du *Post-*

Intelligencer et du *Spokesman-review* de Spokane durant une semaine. Tous les détenus de la prison du comté de Chelan savaient qui il était, même le moins informé. La nuit, ils l'appelaient, hurlaient et éclataient de rire jusqu'à ce que les gardiens viennent les faire taire. S'il était condamné – et il ne pouvait pas le concevoir, en dépit des prévisions catastrophiques de Nelson –, ils l'enverraient dans un établissement fédéral sous une nouvelle identité. Sam avait connu des flics ripoux qui purgeaient leur peine dans l'Indiana ou l'Illinois, terrorisés à l'idée que quelqu'un, un jour, révèle leur identité.

Il avait mis toute son énergie et tout son désespoir pour retrouver Joanne, tout cela pour constater qu'elle n'avait aucun besoin d'être sauvée. Le choc l'avait désarmé. Il était content que Demich soit mort. Quoi qu'il advienne, il avait au moins vengé Danny, à qui la vision de cette scène horrible avait été épargnée. Sam souffrait d'avoir vu ce que cette femme était devenue.

Il essaya de ne pas penser à Ling ni au regard que Marcella lui avait lancé quand il avait amené son mari. Protégé dans sa cellule surchauffée et sans air, il dormait ou lisait les romans d'aventures aux pages écornées que lui apportaient les gardiens. Parfois, il pensait à Pistol, à sa queue de fourrure lui frôlant la poitrine. Il lui manquait. Pistol était la seule créature qui lui manquait désormais.

Après l'extinction des feux, une femme entonna *Detour* puis *500 Miles from My Home* d'une voix rauque, triste et douce… Le silence revint, seulement troublé par des bruits de toux et de pleurs sporadiques.

Puis il s'endormit.

31

Joanne venait de passer neuf jours à l'hôpital, mais elle n'était pas persuadée que son séjour avait été si long, ou si court. Ils lui avaient dit que tout allait bien, qu'elle devait juste se remettre du choc, de la fatigue et d'une perte de poids trop rapide. Elle ne les crut pas, à cause de leurs sourires forcés et de leurs messes basses. Mais elle mangeait pour leur faire plaisir et qu'ils cessent de l'embêter. Lorsqu'elle voulait s'asseoir ou se lever pour aller dans la salle de bains, la pièce se mettait à tourner, probablement à cause de toutes les petites pilules bleues et jaunes qu'ils lui faisaient avaler.

Ils lui annoncèrent qu'il était mort. De désespoir, elle préférait enfouir son visage dans l'oreiller pour pleurer et ne plus les entendre. Ils ne lui permettaient pas de lire les journaux mais lui apportaient chaque jour des brassées d'œillets et de chrysanthèmes au parfum entêtant. Elle les remerciait en souriant, tandis qu'ils lui répondaient par d'autres faux sourires.

Chaque fois qu'elle se réveillait, elle trouvait sa mère assise à son chevet, forte comme un roc. Comme les infirmières, des femmes solides et épaisses, aux jambes massives gainées de bas blancs. Elles lui semblaient toutes très grandes en comparaison avec elle-même, si petite et si faible, tel un enfant dans un lit gigantesque.

Le policier était grand, lui aussi, avec un gros ventre.

Quand il rapprochait la chaise pour s'asseoir à côté d'elle, l'odeur de son tabac à pipe lui donnait la nausée. Elle n'aimait pas l'avoir près d'elle mais tenait à lui raconter ce qui s'était passé. Elle devait bien ça à l'homme qui était mort, à l'homme qui l'avait aimée au point de mourir pour elle.

Rex Moutscher s'en voulait de n'avoir pas pris la mesure de la folie de Clinton. Il ne lui avait pas traversé l'esprit que ce cinglé pourrait retourner dans la montagne et enquêter pour son compte. Il aurait dû deviner que Clinton était obsédé par cette femme. Elle était une jolie petite chose, mais de là à tourner à ce point la tête d'un homme ! Par expérience, Moutscher savait que le sexe n'est pas affaire de raison. Il avait connu quantité d'hommes que les femmes avaient rendus fous. Ils les traquaient, attendaient leur heure et finissaient par les étrangler ou abattre celles qui ne voulaient plus d'eux – ou qui ne voulaient plus exclusivement d'eux. Clinton avait un faible pour la femme de Lindstrom et s'était débrouillé pour le cacher.

– Clinton vous embêtait-il, avant, madame Lindstrom ? demanda Moutscher une nouvelle fois.

– Sam ? Oui, oui. Tout le temps. J'avais peur de rester seule avec lui, répondit-elle en tirant sur sa couverture, préférant regarder par la fenêtre.

– Il savait que vous alliez à Stehekin ?

– C'était son idée. Mon mari ne voulait pas y aller.

– Aviez-vous déjà vu Duane Demich avant ?

– Qui ?

Moutscher attendit longtemps sa réponse.

– Il a dit… que… Non, je ne crois pas. Il se trouvait là. Il m'a sauvé la vie et a été gentil avec moi. Il disait qu'il ne permettrait pas qu'il m'arrive quelque chose et qu'il allait m'emmener dans un endroit sûr, ce matin-là, mais il était malade.

Elle parlait d'une voix monocorde, et Moutscher pensait que ce devait être à cause des tranquillisants.

– Sam l'a tué, vous savez. Il est arrivé là-haut, il a tiré sur lui et l'a jeté dans le vide. Je voulais aller le chercher, j'ai essayé de descendre, mais il était mort, là-bas, tout en bas.

Elle éclata en sanglots, et Moutscher dut patienter. L'infirmière, Lenore Skabo, le rappela à l'ordre. Il avait oublié qu'elle était là à les observer. Il espérait qu'elle tiendrait sa langue. Avec leurs bavardages, certaines infirmières sont plus rapides que la Western Union.

– Maintenant, redites-moi, madame Lindstrom… Quand avez-vous vu Sam Clinton ? Où était-ce ?

– Là-haut. Dans la prairie. Dans les arbres. Il venait sur nous avec une arme.

– Quelle prairie ? Celle où l'hélicoptère vous a récupérée ?

– Oui.

– Ou celle où vous campiez avec votre mari ?

– Oui.

– Votre mari était déjà… mort quand Sam est monté, n'est-ce pas ?

– Excusez-moi. Bien sûr. Je ne comprends pas votre question. C'était dans la dernière prairie, celle avec le grand précipice. Je suis très fatiguée, monsieur Moutscher. Pouvons-nous…

– Bien sûr. Reposez-vous.

En redescendant par l'ascenseur, Moutscher se demanda si Clinton n'avait pas aussi tué Lindstrom. Clinton convoitait sa femme. Il appela le bureau de Fewell. Ce dernier lui assura que Clinton avait été de service tout le week-end à Natchitat, qu'il avait été vu par des témoins de confiance ce jour-là et cette nuit-là. Vérifier. À tout hasard.

Ling n'avait aucun passé de violence. Les flics de Natchitat étaient certains que Clinton et lui n'étaient pas liés avant. La femme l'avait confirmé aussi. Ling n'était qu'un pigeon qui avait mal fini.

Moutscher entra le nom de Demich dans l'ordinateur et attendit les résultats.

Demich, Duane Elvis… Homme adulte, blanc. Date de naissance : 23 mai 1957. C'était lui, très bien. Il attendit encore et un numéro de procès-verbal apparut : WASP-D00012-789633, 13 juin 1981. Il vérifia auprès de la police de Seattle. Escroquerie à la carte bancaire. Pas plus d'informations. Pas de contact avec le suspect.

Le courrier du FBI, qui se trouvait sur son bureau, lui apprendrait si Demich avait un casier judiciaire. Il déchira l'enveloppe jaune et trouva trois paragraphes.

– Police de Denver (Colorado) ; Demisch, Duane E., 19 janvier 1981 : escroquerie.

– Police d'Alameda (Californie) ; Davis, Darryl E., alias Demich, Duane E., 11 mars 1981 : escroquerie.

– Police de Salem (Oregon) ; Demich, Darin E., 2 juillet 1981, détention de stupéfiants, abandon des poursuites.

Demich n'était pas un ange, ce n'était qu'un escroc qui avait eu beaucoup de chance – jusqu'à présent. Mais tout ça, c'étaient des broutilles, et pas de condamnation. Pas de problèmes de mœurs, pas d'atteinte aux personnes. Un voyageur insaisissable mais non violent. Maintenant qu'il avait rencontré la femme, qu'il avait vu combien elle paraissait vulnérable, il comprenait pourquoi Demich avait voulu l'aider et, connaissant Stehekin, il comprenait aussi pourquoi ils s'étaient perdus.

Entre l'histoire de Clinton et la version de Joanne Lindstrom, son choix était fait : Clinton mentait comme un arracheur de dents.

Moutscher remit la feuille dans son enveloppe, la perfora de trois trous pour la ranger dans le classeur. Il était un peu nerveux en se souvenant qu'il avait laissé Clinton emporter les preuves matérielles de la scène Lindstrom. Si ça sortait, de quoi aurait-il l'air ? Mais ces preuves, dans leur ensemble, ne valaient rien, Clinton les avait prélevées seul. Il avait gardé le rapport d'autopsie et les comptes rendus de Blais et McKay. Au besoin, il pourrait toujours dire que Clinton les avait prises sans son autorisation, ou qu'il ne le savait pas. Hastings le soutiendrait, parce que le vieux toubib n'avait pas apprécié d'avoir été ridiculisé par Clinton.

Mettez Joanne Lindstrom et Rex Moutscher face à un flic alcoolique et demandez-vous qui le jury croira.

Joanne était rentrée chez elle. Elle se reposait dans sa chambre aux stores baissés, si bien que l'après-midi ressemblait à un crépuscule. Elle se réveillait d'un long sommeil, mais, si elle éprouvait le besoin de dormir encore, il lui suffisait d'appeler et elles lui apporteraient le petit flacon de pilules bleues, sans cesser de lui parler à voix basse. Sa mère était quelque part dans la maison, Sonia aussi. Qui s'occupait des enfants de Sonia ? Tout le monde était si gentil. Tout le monde prenait soin d'elle. Sonia ou sa mère lui apportaient son plateau avec un petit bouquet de fleurs fraîches et la priaient de manger. Hier – était-ce hier ? –, Sonia lui avait rafraîchi le visage avec de l'eau froide et l'avait aidée à passer une robe de chambre propre. Sonia, d'ordinaire si remuante et sûre de tout, était maintenant tranquille et discrète. Elle choisissait ses mots avec précaution et cela effrayait Joanne.

Elle savait qu'il s'était écoulé beaucoup de temps entre leur départ pour Stehekin et son retour à la maison. Combien de temps exactement ? Elle ne savait pas et avait peur de demander. Quel mois était-ce ? La lumière semblait faible, mais c'était sûrement à cause des stores. Elle fut surprise de constater que les chansons qui passaient à la radio étaient les mêmes que celles d'août dernier.

Son instinct lui disait qu'elle ne devait parler à personne des choses importantes. Sa mère et Sonia, toujours très prudemment, lui parlaient de Danny, lui répétant ce qu'il aurait voulu. Ces propos la troublaient. Son mari était mort depuis si longtemps qu'il lui semblait qu'elles n'auraient pas dû en parler autant. De lui, de David – non,

Duane –, elles ne parlaient jamais. Quand elle pensait à lui, elle sanglotait doucement dans son oreiller pour que les deux femmes, occupées à la cuisine, ne puissent l'entendre.

Elle gardait un souvenir étrange de l'enterrement. Des couleurs. Des lumières bleues et rouges qui flashaient au-dessus d'une file de voitures. Un océan de rouge qui se révéla être les tuniques de la police montée descendue de Vancouver. Pourquoi ? Des insignes en argent rayés de bandes noires. Des visages blancs, d'autres gris et d'autres rougeauds qui lui parlaient. Elle ne savait pas lequel de ses deux amants se trouvait dans le cercueil. Personne ne le lui avait dit et elle n'avait pas demandé. Elle pensait que c'était sûrement Duane. Bien sûr que c'était Duane. Mais, alors, pourquoi y avait-il tant de policiers ? Duane n'aimait pas les policiers, il avait pour cela de bonnes raisons : ils avaient bousillé sa vie. Peut-être que l'escorte de policiers était là pour elle… parce qu'elle avait été mariée autrefois à Danny. Elle avait voulu se jeter dans la tombe avec Duane.

Parfois, elle fermait les yeux et se rappelait l'odeur et la couleur de sa peau après une journée de soleil. Elle revoyait son visage au-dessus d'elle, sa bouche qui s'adoucissait. Elle essayait de rester sur cette image que balayait toujours la scène terrible de la montagne. Elle revoyait Duane se battant pour la protéger de Sam, la lenteur étrange avec laquelle il s'était approché de Sam pour le surprendre par-derrière, comme si ses bras et ses jambes ne pouvaient pas se mouvoir ensemble, puis le visage de Sam quand Duane lui avait asséné le coup de carabine. Elle avait essayé de prévenir Duane mais était restée sans voix. Duane s'était évaporé dans la montagne, sans même lui crier un au revoir. Peut-être que lui aussi était resté sans voix.

Elle ne pouvait se pardonner de ne pas être partie avec lui. Ç'aurait été si facile, mais elle n'avait pu s'y résoudre. Elle avait été incapable de se lancer dans le vide pour le rejoindre au fond du précipice, sur les rochers rougis par son sang. De même qu'elle n'avait pu proférer une parole, son corps avait refusé d'obéir aux injonctions de son esprit. Elle s'était contentée de tendre le bras au-dessus du vide, dans l'espoir de le remonter, de le toucher, et de le ramener à la vie.

Il était si fort, si puissant qu'elle ne pouvait toujours pas croire qu'il était réellement mort. Parfois, la nuit, quand le vent agitait les forsythias qui venaient frapper les vitres de sa chambre, elle pensait que c'était Duane. Elle croyait – ne serait-ce qu'un bref instant – qu'il était venu la chercher, qu'elle pourrait s'enfuir avec lui par la fenêtre avant que sa mère et Sonia l'en empêchent.

Sans lui, il n'était pas question de manger, de dormir, d'aller bien. S'il était mort, elle n'existait plus. Il le lui avait répété si souvent : « Nos chairs, nos sangs, nos os sont un, pour l'éternité… » S'il ne revenait pas la chercher, elle disparaîtrait. Elles viendraient la réveiller un matin et ne trouveraient personne.

La nourriture ne faisait qu'exacerber ses nausées, de jour en jour plus fortes. C'était pire le matin, car elles s'ajoutaient à l'angoisse qui la réveillait en sursaut. Elle vomissait maintenant jusqu'à n'avoir plus rien à rendre. Pendant qu'elle était penchée sur la cuvette, elle faisait couler la douche pour couvrir le bruit. Son corps, son refus d'exister sans Duane, sans le corps de Duane à ranimer, ne regardaient ni sa mère ni Sonia. Maintenant qu'elle avait quitté l'hôpital, personne ne pouvait l'obliger à vivre. Elle accueillait avec joie ses nausées, y voyant le signe de sa mort prochaine. Quoi qu'elles lui fassent ingérer, elle le vomirait. Elles ne s'en rendraient compte que trop tard.

Elle ne blâmait ni sa mère ni Sonia. Elles appartenaient à son autre vie, au temps où elle vivait avec Danny. Elles n'avaient jamais su le bonheur indicible, puissant et souverain qu'elle avait connu avec Duane, et par conséquent elles ne pouvaient comprendre. Elle les avait aimées et les aimait toujours, mais dans la distance.

Elle rêvait continuellement, à différents niveaux, et ses rêves la déconcertaient. Au niveau supérieur, elle rêvait de Duane. Il était là, à ses côtés. Ses caresses étaient si insistantes et si réelles qu'elle arrivait au bord de l'orgasme sans jamais l'atteindre. Elle se réveillait trop tôt, en pleurs.

Au plus profond de son sommeil drogué, elle rêvait de Danny. Ce n'étaient pas des rêves, du reste, mais des cauchemars. Elle entendait un homme crier, un cri si fort et si terrible qu'elle pensait que toute la maisonnée allait l'entendre. Elle se réveillait en sueur, le cœur battant à un rythme chaotique, se rappelant seulement que quelque chose l'avait terrorisée qu'elle ne pouvait nommer.

Joanne en vint à redouter la lune. Lorsqu'elle était enfant, elle croyait que la lune n'appartenait qu'à elle. Puisqu'elle la suivait partout, elle pensait que c'était sa lune, que tous les enfants avaient la leur. Toute petite, à l'arrière de la vieille auto de Doss, elle la regardait par la petite vitre triangulaire. Peu importait la distance, même s'ils roulaient jusqu'à Seattle, la lune – sa lune – la suivait. Elle était alors protectrice, amicale, et lui souriait.

Cette lune-là était morte, celle qui l'avait remplacée était malfaisante et la surveillait pendant son sommeil. Sa mère, ou Sonia, se faufilait dans sa chambre, pensant qu'elle dormait et remontait les stores, ouvrait la fenêtre pour faire entrer l'air et l'exposait à cette lune d'un blanc morbide avec ses cratères et ses montagnes maléfiques. Elle ignorait pourquoi la lune l'observait.

L'air nocturne était froid et sans odeur, il ne sentait rien qui puisse lui indiquer la saison. Le vent, qui se levait la nuit, secouait les têtes des tournesols et la réveillait. La douce brise des jours derniers venait de lui… Ce vent mauvais, froid comme s'il sortait d'un tunnel de glace, venait d'un autre. Quelqu'un qui voulait lui rappeler ce qu'elle ne se rappelait pas.

Les premiers temps, elle avalait plusieurs pilules quand elle se réveillait la nuit. Mais les femmes avaient dû les compter et les lui cacher. Sa mère les avait emportées dans la cuisine, et, maintenant, elle devait les demander.

Aux petites heures du jour, bien avant le lever du soleil, Joanne restait éveillée et tremblait d'une peur inconnue. Elle s'endormait toujours avant l'aube et se réveillait avec une nouvelle terreur. Elle leur cachait son angoisse sans comprendre pourquoi. Elles lui disaient qu'il fallait qu'elle soit très courageuse, pour Danny, et la laissaient seule.

Joanne ne désirait qu'une chose avant de mourir : que Sam Clinton soit puni. Elle avait raconté au gros enquêteur de Wenatchee exactement ce qui s'était passé, comment Sam avait tué Duane. Il avait tapé sa déposition, avec ses mots à elle, et elle avait signé. Quoi qu'il puisse se passer, le papier était là.

Duane serait fier d'elle.

Elle n'avait aucune conscience du temps. Parfois, elle regardait ses mains, s'attendant à les trouver flétries, avec des veines saillantes. Peut-être était-elle devenue vieille à son insu ? Mais ses mains douces et lisses montraient seulement les petites traces blanches d'égratignures récentes.

Elle ne se souvenait pas de la date de ses dernières règles. Elle ne pensait pas à son corps, espérait seulement qu'il la lâcherait au plus vite. Quand ses seins devinrent plus lourds et ses mamelons plus sensibles, elle pensa que c'était parce qu'elle était restée trop longtemps alitée, que le frottement contre le matelas les avait irrités.

32

Les rares fois où Mark Nelson lui rendait visite à la prison, Sam passait devant la seule fenêtre en verre non dépoli à laquelle les prisonniers avaient accès. Il fut étonné de voir que la saison avait changé à Wenatchee, que les vieux arbres bordant la pelouse du palais de justice avaient pris des teintes rousses et dorées. Il aurait voulu être à la place d'un de ces vagabonds assoupis sous le soleil de midi qui occupaient les bancs et observaient nonchalamment ceux qui avaient quelque affaire au tribunal. Il avait toujours eu pitié des clochards, qui ne semblaient avoir ni but ni joie, maintenant il les enviait. Ils étaient libres.

Il ne l'était pas et ne le serait pas de sitôt. La possibilité de quitter la tour qui le retenait captif semblait chaque jour plus lointaine. Nelson travaillait avec une lenteur insupportable et un agacement voilé. Il avait attendu la première semaine d'octobre pour se rendre à Natchitat et prendre contact avec Fletch.

– J'ai les rapports du labo, mais je ne vois pas en quoi ils peuvent nous aider, commença Nelson d'un ton sinistre. Je dois vous avertir aussi que Moutscher en a eu connaissance. Votre ami s'est laissé intimider par votre shérif adjoint. Le courrier du labo est arrivé le jour de congé de Fletcher. Fewell a vu l'enveloppe et a eu vent de quelque chose. Fletcher a été obligé de lui passer le document, mais il avait pris la précaution d'en faire une copie.

– Gentille attention.

– Écoutez, Sam, il avait peur de perdre son job. Ce petit homme avait peur. Ça lui a coûté, de faire les photocopies.

– Vous avez sans doute raison, admit Sam. Voyons ce qu'on a.

Nelson lui tendit une mince pile de feuilles blanches, des photocopies à peine lisibles, faites sur une mauvaise machine. Nelson lut à voix haute :

– « Échantillons de sang. Le groupe sanguin de Lindstrom était O positif. Les échantillons de sang analysés sur les fragments de vêtements appartiennent tous au groupe O positif. Le petit échantillon de sang collecté sur les feuilles est celui d'un homme du groupe AB négatif. »

– Celui de Demich, n'est-ce pas ?

– Oui. Mais elle a dit qu'il s'était blessé en se battant avec l'ours...

– Il n'y avait pas d'ours !

– Très bien. Elle a dit que quand il est revenu la chercher il avait une blessure au bras. Cela concorde avec leur thèse selon laquelle il a été blessé et a perdu du sang.

– Où est votre sang d'animal ? Demich a dit à Joanne qu'il avait donné un coup de couteau à l'ours. Où est le sang de l'ours ? Ce grand héros a affirmé qu'il avait blessé l'ours, et nous n'avons nulle trace de sang d'animal !

– Non.

– Qu'ont donné les asticots ?

David feuilleta les pages.

– Voilà. Les œufs ont été déposés six jours avant l'autopsie.

– Merde !

– Oui. Lindstrom est mort soit dimanche, soit lundi matin. Cela corrobore ce que dit l'accusation.

– Et ce que Danny avait sous les ongles ?

– Ça, c'est intéressant.

– Quoi ?

– Épiderme… humain. Traces d'AB négatif, pas assez de sang pour extraire les enzymes caractéristiques…

– Ça y est ! Et ne me dites pas qu'il y avait là-haut vingt-sept gars du groupe AB négatif, vingt-sept gars qui se sont blessés en se battant avec un ours ! Vous savez que ce groupe sanguin est très rare ? Il concerne entre cinq et sept pour cent de la population. Si Demich essayait d'aider Danny, pourquoi, alors, Danny l'a-t-il griffé assez profondément pour lui arracher un morceau de peau ?

– Vous savez ce qu'ils feront de ça ? Ils raconteront que vos deux gars se sont battus avec un ours, bras et jambes mêlés, que Lindstrom luttait avec l'animal et que Demich s'est interposé.

– Voyons le reste.

Sam prit les autres feuilles et les parcourut rapidement. Il s'arrêta enfin et regarda Nelson d'un air triomphant.

– On le tient ! Essayez de réfuter ça. Trois mégots de cigarettes Benson & Hedges trouvés… que j'ai trouvés, près du corps de Danny. Traces de salive de groupe AB négatif. Danny ne fumait jamais de cigarettes et je ne le vois pas en griller une pendant sa lutte avec votre grizzli chimérique. En outre, il est du groupe O, pas AB négatif. Voilà comment votre héros s'est empressé d'aller sauver la demoiselle perchée dans l'arbre. En fumant tranquillement trois cigarettes alors qu'il la savait seule et terrorisée ! Il a fait ce qu'il avait prévu de faire. Il a poignardé Danny – il l'a assassiné. Il la voulait docile et épouvantée. Alors il a pris son temps, s'est assis pour fumer. Il avait si peur que l'ours revienne qu'il est resté là à l'attendre en grillant des clopes ? Certainement pas.

– C'est assez singulier. Ça peut nous aider.

– Assez ? Ça vous donne tout le scénario.

– Je ne sais pas.

– Bon. Et son témoignage ? Comment se fait-il qu'elle se souvienne si précisément de ce qu'elle n'a pas pu voir ? Elle ment.

– Elle ment peut-être, mais elle convainc tout le monde.

– Pourquoi n'allez-vous pas à Natchitat pour lui parler ?

– J'ai essayé, mais sa mère ne laisse personne s'approcher d'elle et son médecin lui a défendu de me parler.

– Alors on vous claque la porte au nez et vous ne tambourinez pas jusqu'à ce qu'on vous laisse entrer ?

– Pour le moment, ce serait malvenu de bousculer une femme malade.

– Je passe en jugement la semaine qui suit Thanksgiving. Vous vous rappelez ? J'aimerais arriver avec un peu plus que trois mégots et ma réputation, qui en a pris un sacré coup. Fletch a-t-il trouvé quelque chose dans les registres de Natchitat qui prouverait que Demich se trouvait dans les parages ? Ils devaient s'être rencontrés avant… Je ne peux pas croire qu'elle se soit donnée à un inconnu si facilement. Elle n'était pas ce genre de femme.

– Vous ne la connaissiez peut-être pas si bien que ça.

– S'il y a une chose que je connais, ce sont les femmes. Je n'ai jamais su faire durer une relation, mais je les comprends. Quelque chose cloche. Joanne n'a jamais été une femme légère, du moins du temps de Danny. Mais ils s'étaient disputés avant de partir.

– À quel propos ?

– Ça n'a plus d'importance aujourd'hui. Si cela en avait, je vous le dirais. Je ne le ferai que si c'est absolument nécessaire.

– Vous ne lui devez rien, grâce à Dieu, et cela n'importe plus à Danny.

– À moi, si.

– On ne vous a jamais dit que vous aviez un penchant autodestructeur ?

– Souvent, répondit Sam en faisant signe au gardien

planté derrière la petite fenêtre de la porte. Je garde ces papiers, si vous n'y voyez pas d'inconvénient. Vous pouvez passer dans un jour ou deux pour les reprendre. Ça vous donnera le temps de travailler à votre affaire sans penser à moi.

33

Une nuit, la mémoire lui revint et l'horreur de la révélation la réveilla en sursaut. C'était une vérité si affreuse qu'elle ne pouvait en faire part à qui que ce soit. Parfois, quand elle reprenait ses esprits et retrouvait la réalité, elle aurait préféré rester folle.

Elle se souvenait du rouquin.

Il s'appelait Duane. Il avait les yeux verts et ardents, des yeux sans fond qui ne cillaient jamais. Il était la pire chose – oui, une chose, pas une personne – qu'elle ait jamais rencontrée. Elle avait eu une peur atroce de lui.

Elle eut un haut-le-cœur et le reste de sa mémoire se vida aussi violemment que le contenu de son estomac. Ce n'était pas le fruit de son imagination. Mon Dieu ! Oh, mon Dieu ! Elle l'avait laissé la toucher. Non, elle se racontait des mensonges. Elle ne le lui avait pas seulement permis, elle le lui avait demandé, brûlant de désir pour lui.

C'était arrivé. Elle ignorait pourquoi.

Elle frissonna à ce souvenir et examina son corps pour voir si les caresses de l'ignoble et monstrueux rouquin avaient marqué sa chair.

La honte la submergea, une honte dévorante. Elle avait rampé vers lui, l'avait supplié de lui faire ces choses. Pis. C'était pis encore. Malgré tous les efforts qu'elle faisait pour refouler ses souvenirs, la vérité s'imposa à elle dans toute sa brutalité : elle aussi lui avait fait des choses.

Elle avait besoin de crier mais n'osait pas. Elle tremblait et porta les mains à sa bouche pour étouffer le bruit. Elle se contraignit à respirer lentement. Elle se rappelait l'avoir haï. Elle se rappelait avoir voulu le tuer. Elle avait essayé de le tuer mais n'avait pas réussi parce qu'elle était lâche. Elle se souvenait de sa terreur et de son dégoût mais ne comprenait pas comment elle en était arrivée à l'accepter et à le désirer… à avoir envie de lui.

C'était incompréhensible, et trop horrible pour qu'elle puisse voir les choses en face sans sombrer à nouveau dans la folie. Elle s'y sentait plus à l'abri mais ne pouvait pas garantir jusqu'où cette folie la mènerait si elle replongeait – ce pouvait être pire. Si d'autres souvenirs lui revenaient, elle refuserait de les reconnaître.

Elle alluma la lampe de chevet et vit que rien n'avait changé dans sa chambre. Elle se leva et fit quelques pas sans bruit pour ne pas réveiller sa mère. Elle pria, tout en sachant qu'elle ne méritait pas d'être entendue par le Seigneur.

Puis elle s'endormit, et ses rêves enfouis émergèrent avec une clarté abominable. Danny… Danny au visage si doux et si bon revenait vers elle, mains tendues, anéanti par le choc de sa trahison. Danny restait muet. Elle le suppliait de lui parler et de la maudire, mais il restait coi. Il se contentait de la regarder d'un air implorant tandis que ses lèvres mortes murmuraient : « Pourquoi ? »

Elle ne savait pas pourquoi. Elle voulut le lui dire et se réveilla en parlant tout haut. Mais il n'écoutait pas.

Elle s'était entichée d'un autre homme, avait couché avec un inconnu alors que Danny était à peine froid. Pas encore enterré. C'était horrible, car elle ne savait pas où il se trouvait, ni même s'il était enterré. Elle ne pouvait poser la question parce qu'elle ne pouvait expliquer sa conduite. *Si quelqu'un l'apprenait…* Si quelqu'un découvrait ce qu'elle était en réalité, ce qu'elle avait fait… Elle ne pouvait rien dire.

Elle avait menti à tout le monde. Elle était une mauvaise femme, une femme de rien, une prostituée, une menteuse.

Implacable, la vérité s'acharnait à extirper tout ce qu'elle avait enfoui en elle. Elle priait pour que l'aube arrive, mais les heures impitoyables de la nuit s'éternisaient.

Il y avait encore une chose qu'elle avait refusé d'admettre – sa nausée et ses mamelons douloureux qui s'assombrissaient. Elle se traîna jusqu'à la salle de bains pour ressortir le calendrier : aucune croix depuis la mi-août. Sans repère temporel, elle savait cependant que le mois d'août était passé depuis longtemps. Elle n'avait pas saigné du tout, pas la moindre goutte. Quel tour cruel Dieu lui avait joué !

Comment savoir de qui était l'enfant ? Si c'était celui de Danny, elle ne le méritait pas. Elle l'avait trahi et trahirait certainement son enfant. Arriverait un jour où l'enfant l'interrogerait sur son père et la regarderait de ses yeux clairs et confiants – les yeux de Danny. Si c'était celui de l'autre… alors son sang démoniaque se mêlait déjà au sien. Elle n'en voulait pas, elle ne pourrait pas le supporter ni lui donner le sein. Elle préférait mourir plutôt que d'élever l'enfant de l'homme roux.

Elle s'enfuirait. Elle courrait jusqu'à ce que son cœur flanche, jusqu'à ce que le monstre se décroche de son ventre.

Au matin, quand elles lui apportèrent ses pilules et son petit déjeuner, Joanne ne leur dit pas que la mémoire lui était revenue. Elles crurent à tort qu'elle allait mieux parce qu'elle exprima le souhait de s'habiller, de sortir de sa chambre et d'être avec elles. Elle ne pouvait plus supporter d'être seule.

Les jours passaient plus vite que les nuits. Chaque jour, elle gagnait un temps dont elle ne voulait pas. Pendant que sa mère allait donner ses cours, elle s'asseyait dans la cuisine avec Sonia et se dépêchait de trouver quelque chose à mettre en pot, à peler ou à couper en morceaux pour empêcher ses mains de trembler. Le soir, elle restait avec sa mère. N'ayant plus d'excuse, elle les laissa l'emmener chez le médecin, auquel elle mentit et donna des dates de règles qu'elle n'avait pas eues. Elle permit au médecin de l'examiner et ne lui posa aucune question. Quand il voulut s'entretenir avec elle, elle lui répondit qu'elle ne pourrait pas lui parler avant la semaine suivante.

Elle lut quelque chose sur le visage du praticien aussitôt remplacé par le masque professionnel. Il savait, pour le fœtus, il devait savoir mais ne dit rien.

Sa façon d'être les obligeait tous à la ménager, comme s'ils craignaient qu'elle ne se brise en mille morceaux s'ils la poussaient dans ses retranchements.

Elle avait fait du mal à Sam, mais il était fort. Elle aurait souhaité pouvoir le sauver, mais le courage et la force lui manquaient. Et elle revenait toujours au fait qu'elle ne pouvait pas parler. Elle ne pouvait pas parler.

Morte d'épuisement, Joanne succomba au sommeil. Les mauvais rêves revinrent immédiatement. À son réveil, elle retrouva les mêmes problèmes inextricables. Et elle ne connaissait pas la solution.

34

Sam entendit des pas approcher, puis le visage de Note-boom apparut derrière les barreaux de sa cellule.

– Votre avocat est arrivé, Sam, annonça le gardien de jour avec un petit sourire complice.

Noteboom s'arrêta devant la porte de la salle d'entretien et le fit entrer d'un geste solennel.

– Je reviens dans une demi-heure pour voir si vous avez terminé.

Sam entra dans la pièce exiguë. À la place de Mark Nelson se trouvait une femme qui lui tournait le dos, la tête penchée vers le dossier posé sur la table. Son parfum emplissait l'air, un parfum si familier que Sam manqua se trouver mal : le savon Yardley et la cigarette anglaise. L'odeur de Nina.

Il embrassa d'un coup son image : les cheveux désormais courts, le tailleur beige bien coupé, les longues jambes chaussées de souliers de cuir brun à talons plats. Nina.

Sam se retourna et essaya d'ouvrir la porte. Fermée, bien sûr. Pas moyen de sortir sans appeler un gardien.

Il avait pensé ne jamais la revoir. Pendant cinq ans, il s'était débrouillé sans elle. D'abord mal débrouillé, ensuite assez bien, et finalement très bien. Il avait pensé à elle, il avait rêvé d'elle, il était parti sans aimer personne d'autre qu'elle.

Jusqu'à cet instant.

Elle se retourna et le regarda sans sourire, le dévisageant silencieusement de ses yeux bruns. Elle lui tendit la main et Sam s'avança pour la lui serrer. Il n'y avait rien d'autre à faire.

– Sam.

– Nina.

– Assieds-toi. Parle-moi.

Les cinq années écoulées n'avaient pas été tendres avec elle. Elle n'était plus la femme à qui l'on donnait entre trente et quarante ans. Sa peau, une peau sèche et fine qui vieillit mal, était trop tendue sur ses pommettes. Elle avait des petites rides au coin des yeux et de la bouche, son cou n'était plus la colonne lisse et douce qu'il avait connue. Mais elle était jolie.

Elle le regarda l'observer et formula tout haut ce qu'il pensait tout bas.

– Le temps a rattrapé la femme, hein ?

– Tu as l'air en forme. Aisée et couronnée de succès, telle une riche avocate, bafouilla-t-il, pris au piège.

– Je le suis. Riche et couronnée de succès, et en forme. Tu ne le croiras pas, je n'ai rien bu de plus fort que du thé depuis quatre ans. Mais je sais de quoi j'ai l'air. Mon carnet de bal est vide. Les hommes que je rencontre sont de vieux idiots ou des jeunes mecs qui pourraient être mes fils. Et toi ?

– Moi ? De vieux idiots et des jeunes mecs aussi, répondit-il en souriant. Aucun ne m'a fait des avances. J'imagine que j'ai perdu mon charme.

– Est-ce que tu bois toujours aussi sec ?

– Pas ces temps-ci. Le choix est restreint, ici. Et avant les événements, pas tant que ça. Surtout de la bière. Qu'est-ce que tu fais là ?

– Tu as foutu la merde, Sammie.

– Tout dépend de quel point de vue on se place. Tu n'as pas répondu à ma question.

– Je suis venue parce que j'ai lu les journaux et parce que tu es passé aux informations de 18 heures et à celles de 23 heures. Après un moment de réflexion, je me suis dit que tu avais besoin d'un bon avocat. Tu disais toujours que j'étais la meilleure.

— Cela m'embarrasse au plus haut point. Je suppose que tu le sais. Et de toute façon j'ai un avocat.

— J'ai rencontré ton avocat. Quand il aura un peu mûri, disons dans une dizaine d'années, il sera peut-être un bon avocat pénaliste. Tu mérites mieux que ça.

— Peut-être, mais je suis fauché, chérie. J'ai dépensé les économies de toute une vie pour louer un hélicoptère et un guide indien sans égal… qui est mort par ma faute. Je suis ce que vous appelez un nécessiteux.

Nina regarda ailleurs, et Sam sentit sa main froide dans la sienne.

— Je ne manque pas de clients. Mais tu es un accusé célèbre et nous autres, avocats pénalistes de premier plan, nous raffolons des boucs émissaires de ton espèce : ils nous donnent l'occasion de faire les gros titres et de gagner beaucoup d'argent.

— Ce n'est pas pour ça que tu es là.

— Tu ne m'as pas vue depuis cinq ans. Comment peux-tu savoir comment je fonctionne ? Même à l'époque, tu l'ignorais.

— J'ai essayé.

— C'est vrai. Comme on dit, Sammie, si seulement on s'était connus dix ans plus tôt, dit-elle en retirant sa main pour ouvrir le dossier. J'ai renvoyé Nelson.

— Tu as fait ça ?

— Il était content de partir. Il m'a dit qu'il était « surchargé de travail ». Je crois plutôt que tu lui as fait peur. Je suppose que tu ne veux pas d'un avocat qui s'effraie si facilement. Dans ta situation, il te faut un gars robuste.

— Et le gars robuste, c'est toi ?

— Tu peux en être certain. C'est une dame de fer qui va te représenter. Sauf si tu dis non.

— Comment pourrais-je refuser une telle proposition ?

– Comment va Pistol ? A-t-il survécu à l'exode aussi bien que toi ou a-t-il rejoint le grand paradis des chats ?

– Aux dernières nouvelles, il va bien. Il te réclame souvent.

– Jamais ! Il s'asseyait toujours à la fenêtre et attendait que tu te pointes. Allons le voir. On examinera ça plus tard.

Elle rangea une liasse de papiers dans le dossier brun et attrapa l'élégante serviette qu'elle avait posée par terre.

– Ils me font rire avec leurs prisonniers qui se font la belle et leurs mesures de sécurité maximale. Aujourd'hui, au déjeuner, ils vont nous servir des macaronis au fromage. J'en raffole.

– Tu devras y renoncer, dit-elle en riant. Je te libère sous caution.

– Tu plaisantes ?

– Je ne plaisante jamais. Tu devrais le savoir.

– C'est cinq mille dollars comptant. Tu as cette somme ?

– Je l'ai, et plus encore. J'excelle dans ce que je fais. Je te l'ai dit. Tu ne vas pas disparaître dans la nature, et je récupérerai cet argent. Disons que tu me paieras dix-huit pour cent d'intérêts, et on sera quittes. Qu'est-ce que tu attends pour sonner et aller récupérer tes affaires ? La dame de fer t'attend dehors, dans sa Mazda métallisée. Le soleil brille, les feuilles ont pris leurs couleurs d'automne, un vrai festival. Nous irons manger un steak et tu me raconteras ce qui s'est vraiment passé. Ensuite on ira voir Pistol et Joanne Lindstrom, et nous assemblerons les pièces de cet étrange puzzle jusqu'à ce que tout s'emboîte parfaitement.

– Je n'ai pas besoin de te dire que c'est la meilleure proposition qu'on m'ait faite aujourd'hui...

– Non !

– ... ni à quel point je te suis reconnaissant.

– Attends d'avoir de quoi l'être. Et, Sam...

– Oui ?

– Rien n'a changé. J'ai maintenant un logement confortable. Et jc n'ai pas envie de le partager. J'aime la vie que je mène. Tu comprends ?

– J'ai pigé.

Il sonna, et Noteboom les fit sortir.

L'air, au-dehors, sentait merveilleusement bon.

Nina conduisait bien, quoique trop vite. Le vent qui s'engouffrait par la vitre ébouriffait ses cheveux. Sam aurait préféré les voir flotter sur son dos, comme dans son souvenir. Il surveillait chaque mouvement de la cuisse droite de Nina quand elle accélérait ou freinait, de son coude, à quelques centimètres de sa main, quand elle changeait de vitesse. Il n'avait pas pensé au sexe en prison, mais Nina faisait revenir toute sa libido.

La voiture argent quitta Wenatchee et traversa des kilomètres de vergers protégés du vent par des peupliers. Les arbres semblaient ployer sous leur fardeau de délicieuses pommes rouges et jaunes.

Sam eut à nouveau l'impression que les saisons s'étaient accélérées et télescopées – la chaleur, puis le gel et la neige, la chaleur à nouveau, et maintenant l'automne. Le vent, chargé de l'odeur des pommes, embaumait la voiture.

La Mazda, dont le moteur ronronnait à la perfection, tourna vers le sud et gravit les contreforts du col de Blewett. Sam se demanda ce qu'était devenu son pick-up qu'il avait laissé à la fin de l'été sur le parking de l'embarcadère à Chelan. Il l'attendait sûrement quelque part dans une fourrière ou avait peut-être déjà été vendu aux enchères. Nina lut dans ses pensées, comme à son habitude.

– Que penses-tu de mon carrosse ? C'est autre chose que ton pick-up, hein ?

– C'est pas difficile. Qu'est-il arrivé à ta Volkswagen ? J'ai toujours aimé cette bestiole.

– Quelqu'un l'a poussée dans le lac Union, en 1978, je crois. Je l'ai retrouvée sous l'eau un beau matin. On a organisé un enterrement et une fête sur le ponton, jeté des fleurs et prononcé un discours. Elle y est toujours. Les écrevisses s'y sont installées en copropriété.

Il tressaillit malgré lui, se rappelant les corps emprisonnés dans des voitures qu'ils avaient repêchées dans un bras du Pacifique. Depuis la tragédie, il pensait souvent à la mort. Seuls les souvenirs macabres lui revenaient.

À la clarté du jour, Nina paraissait plus jeune : le néon de la salle d'entretien n'avait pas été flatteur.

– Es-tu heureuse ? demanda Sam, surpris de s'entendre prononcer ces paroles.

– L'ai-je été un jour ? répondit-elle, sans gaieté ni tristesse.

– Je voulais simplement te demander comment allaient les choses pour toi. Depuis que tu t'es installée en libéral, tu dois mieux gagner ta vie ?

– Sammie, si tu voyais ce qu'est devenue ma péniche, tu n'en reviendrais pas. Elle flotte toujours, mais tu ne la reconnaîtrais pas : des bardeaux de cèdre, des fenêtres à tabatière, un lit en mezzanine... Il y a deux niveaux, maintenant. J'ai même une femme de ménage que je fais tourner en bourrique.

– Tes habitudes ont dû la dérouter, dit-il en souriant. Tu sembles heureuse...

– Tu as toujours attaché beaucoup d'importance au bonheur. Personne n'est pleinement heureux. J'ai enfin trouvé la formule, comment dire, l'équilibre. Pas de grands hauts, pas de grands bas. Je jongle. J'ai ma carrière. Je me suis fait quelques amis parmi mes voisins. Je ne mens pas. Tu ne me crois pas, mais c'est vrai. Et j'ai de jeunes amants..., ajouta-t-elle en jetant un coup d'œil à Sam, qui ne laissa rien paraître. Rien de compliqué. Ils ont de jolis corps, mettent du cœur à l'ouvrage et sont juste assez mûrs pour être capables de réfléchir et m'intéresser. Quand un s'en va, un autre le remplace aussitôt.

C'est un peu comme marcher pieds nus sur un trottoir brûlant. Quand un pied commence à brûler, on se met sur l'autre. Si un pan de ma vie ne me satisfait pas, je me concentre sur l'autre. Et puisque je ne m'attarde pas sur ce qui fait mal, je ne souffre pas. Quand je te disais que ça allait bien, je le pensais. Je vais bien.

– C'est parce que ton trottoir était trop brûlant que tu es venue jusqu'ici ?

Elle resta silencieuse une longue minute et rétrograda pour attaquer la côte qui s'annonçait.

– Non, c'est parce que ce qui t'arrive ne me laisse pas indifférente, quoi que tu penses. Ta personne, la prison et ce qu'ils essaient de te faire représentent un défi.

– Tu aurais peut-être dû me laisser là où j'étais, comme ta coccinelle. Le défi risque de devenir pesant.

– Non. La coccinelle restera là où elle est et n'est pas mécontente de son sort. Mais toi, avec l'obstination que je te connais, tu essaieras toujours de refaire surface. Maintenant, attrape mon sac, allume-moi une cigarette, et revenons à notre affaire. Raconte-moi ce qui s'est passé… chaque petit détail qui te revient. Quand tu auras fini, tu me répéteras l'histoire une fois, deux fois, trois fois, jusqu'à ce que tu n'en puisses plus et que tu aies envie de m'étrangler.

– Et ton jeune homme ? Il ne va pas se lasser d'attendre que tu aies fini de materner un accusé indéfendable ?

– S'il se lasse, j'en prendrai un autre.

Avant leur arrivée à Natchitat, il lui avait raconté trois fois l'histoire.

Il ne savait pas si elle le croyait.

Sam regarda Nina assise sur le sofa de sa caravane, ses pieds repliés sous elle, ses bras nus et fins. Il l'avait imaginée dans son repaire un million de fois la première année, vingt mille la suivante, et puis plus du tout. Il se félicitait d'avoir nettoyé le mastodonte et acheté des meubles après la visite de Danny, que le désordre avait choqué. Nina l'écouta avec une extrême attention. Il était heureux de pouvoir parler librement à quelqu'un dont il admirait les qualités professionnelles, mais aussi qui réussirait peut-être à comprendre ce qui lui échappait.

Pistol, amaigri mais pas affamé, s'accrochait à lui en ronronnant férocement. Le vieux chat, pas rancunier, avait sauté sur Sam dès qu'il était descendu de voiture. Et, seulement après avoir léché le visage de Sam, le matou avait permis à Nina de le prendre.

– Tu vois bien, il t'a toujours préféré, dit Nina d'un ton solennel.

– Les vieux matous se cramponnent l'un à l'autre.

– Non. Ils vont chacun leur chemin. Vous êtes tous les deux des tendres. Sers-moi une autre tasse de ton infâme thé éventé et donne-moi une feuille et un stylo. Voyons ce que nous avons.

Il partit lui remplir une tasse, le chat toujours sur l'épaule.

– Et cette fois-ci enlève la poussière de la tasse.

Quand il passa devant la fenêtre au-dessus de l'évier, il sentit que des yeux le regardaient. Les occupants du parc l'observaient probablement en douce depuis leurs mobile homes, tous feux éteints. Il connaissait Rhodes, le gérant, qui devait sûrement déjà rédiger son congé. Les vieux fous qui ne tondaient pas leur pelouse ou ne vidaient pas leur poubelle étaient indésirables sur le camping, à plus forte raison les assassins. Sam fit un geste obscène en direction de la caravane de Rhodes. Il sortit une autre bière du réfrigérateur, la deuxième seulement, mais ne la trouva pas aussi bonne qu'il l'avait espéré.

– Alors, qu'en penses-tu ? Il ne nous reste plus qu'à poser une bombe au tribunal et faire place nette ?

Elle grimaça et se passa une main dans les cheveux, révélant son front haut, pâle et sans taches comme le reste de sa peau.

– Avec ce qu'on a là, on a juste de quoi les inquiéter un peu. Rien qui puisse ficher la trouille à l'accusation.

– Elle a déclaré avoir vu l'ours attaquer Danny.

– Et alors…

– C'est impossible. Elle était perchée dans l'arbre. Elle l'a admis. J'ai grimpé sur cet arbre. De là, il était impossible de voir la lutte, de voir l'endroit où j'ai retrouvé Danny. Le sentier revient sur lui-même à cet endroit, elle n'avait aucune visibilité. Tout ce qu'on voit, c'est une paroi rocheuse.

– Alors, pourquoi a-t-elle dit ça ?

– Nina, c'est évident. Elle avait une histoire avec Demich, ici, à Natchitat. Elle a amadoué Danny et l'a supplié de l'emmener quelque part, là où son amant pouvait maquiller un meurtre. Et, ce faisant, elle lui sert aussi d'alibi.

– Au vu de ce que tu m'as dit d'elle – et tes impressions ont toujours été justes, malgré tes excès –, je ne la vois pas se livrer à ce genre de traîtrise. Elle n'a pas le profil d'une perverse. Elle me fait plutôt l'effet d'une femme simple, naïve et soumise.

– C'est aussi ce que je pensais.

– Suppose qu'elle ne connaissait pas Demich avant…, dit-elle en allumant une cigarette.

– Dans ce cas, pourquoi a-t-elle essayé de me tuer pour sauver son amant ? Même les putes sont loyales, et ce n'était pas une pute. Elle aimait Danny. Merde, Nina, j'enviais même Danny d'être aimé autant !

– Tu l'envies toujours ?

– J'enviais leur relation, seulement leur relation. Pourquoi une femme irait voir ailleurs si facilement ? Je l'ai vue… Elle était folle de Demich.

– Comment ? Redis-moi ça.

– Elle était folle de Demich.

– Encore.

– Arrête, Nina. Bon. Elle était folle de Demich…

Elle se leva et arpenta la caravane de long en large.

373

– C'est tout ce qu'on a, Sam. Un cerveau.

– Un cerveau ?

– Tu t'es concentré sur les preuves matérielles. C'est ce que tu sais faire de mieux, et Dieu sait qu'elles nous sont utiles et que nous ferons feu de tout bois ! Tu sais où je crois que se trouve ta vraie preuve ? Elle est enfermée à double tour dans un cerveau qui déraille. Ce que nous cherchons se trouve dans sa tête. Elle ne sait peut-être même pas que c'est là…

– J'ai dû te faire un thé trop fort. Écoute, Nina, elle ment, ça signifie qu'elle détient la clef de ce qui s'est passé. Alors, si ça te chante de dire que c'est dans sa tête, je suis d'accord.

Sam vint s'asseoir sur le sofa, si près de Nina que son genou frôla le sien.

– Laisse-moi te raconter une histoire. On a eu une affaire que j'ai plaidée. La victime était une auto-stoppeuse de dix-sept ou dix-huit ans, une gamine quelconque, un peu boulotte. Une fugueuse. Personne n'en voulait : la mère partie avec un quatrième beau-papa, le père soi-disant en Californie. La fille s'était mis en tête de faire de l'auto-stop pour aller retrouver son père. À la sortie sud de Seattle, ce salaud s'est arrêté et l'a fait monter. Il n'avait aucune intention de la conduire à Portland. Il est sorti de l'autoroute quelque part au sud de Tukwila et l'a amenée dans une carrière de graviers. Le truc habituel. Il l'a violée à plusieurs reprises. Le matin, il a recommencé.

– La scène de viol classique.

– Tu as raison. Le viol classique. Bref, ça a duré trois jours. Sexe forcé. Esclavage. Isolement. Pas d'espoir de survie pour elle, du moins dans sa tête. Le quatrième jour, le type se rappelle qu'il devait aller à Vancouver. Mais que faire de la fille ? Il en avait de toute façon fini avec elle. Alors il a tiré. Pas une fois. Pas deux fois. Trois fois ! Logiquement, la victime aurait dû mourir. Elle en donnait certainement tous les signes. Elle baigne dans son sang, yeux fermés, et respire à peine. Il la laisse et s'en va, se croyant débarrassé de ce témoin geignard.

– Je ne vois pas comment…

– Tais-toi, s'il te plaît. Cette gamine est solide. Elle a reçu une balle de .22 dans le bras, une autre dans la hanche et la troisième dans le cou. Seulement – écoute bien ! – celle du cou s'est logée dans la carotide. Si la balle avait traversé l'artère, la fille serait morte tout de suite. Si elle y restait, son cerveau était fichu. Mais s'ils arrivaient à l'extraire proprement ils pourraient arrêter l'hémorragie et la sauver. La victime ignore tout ça, bien sûr. Son organisme lutte seulement pour vivre. Elle est seule et souffre atrocement, mais elle rampe, se traîne jusqu'à la route et reste là. Elle réussit à parcourir petit à petit trois cents mètres en laissant une traînée rouge derrière elle. Quelqu'un la découvre et la conduit aux urgences de Harborview. Ils l'opèrent, constatent que la balle l'a empêchée de se vider de son sang. Ils extraient le projectile et recousent la carotide aussi bien que possible. Elle vit. Non seulement elle vit, mais elle marche et elle parle.

– Chérie, si tu veux me raconter tes histoires de guerre, j'en ai plein qui dépassent celle-là en horreur. Je peux inviter les voisins et faire des pop-corn.

Nina hocha la tête avec impatience.

– À l'hôpital, elle fait une déposition, probablement sans avoir repris tous ses esprits. Mais les flics reconstituent ce qui s'est passé. Ils trouvent un reçu d'essence avec un numéro de permis de conduire, cueillent le type à Camas et l'accusent d'enlèvement, de viol et de tentative de meurtre. Ils trouvent l'arme et les balles puis les comparent à celles que le chirurgien a extraites de la victime. Ils ont un témoin qui a vu la fille monter dans la voiture. Et tu sais ce qui se passe quand ils lui demandent de témoigner contre son violeur ?

– Quoi ?

– Elle fond en larmes. Elle refuse de témoigner contre lui. Elle dit qu'elle veut l'épouser.

– Elle quoi ?

– Elle l'aime. Les flics n'ont rien pu faire, je n'ai rien pu faire non plus. Cette fille était folle amoureuse du salaud qui l'avait laissée pour morte. Il a été condamné, mais sans son témoignage. Et elle l'a épousé avant son incarcération à Walla Walla.

– Pourquoi ?

– Oui, pourquoi ?

– C'est une cinglée.

– Tout juste. Pas de discussion là-dessus. Et ça nous ramène à notre point de départ. Il y a quelque chose, dans notre affaire, qui me fait penser à l'histoire que je viens de te raconter. Les effets de l'isolement et de la peur sont bien connus des psys. Refléchis à ça cette nuit, tu verras les points communs avec Joanne.

Nina se dirigea vers le fauteuil pour reprendre sa veste et Sam s'effaça, trop conscient de l'étroitesse des lieux. Elle n'acheva pas son geste, se retourna vers Sam, les mains vides.

– Et puis non, Sam. Je ne pars pas. Une chambre de motel à quarante-cinq dollars m'attend, réservée et payée, et je ne peux pas partir.

– Tu veux que je revive tout ça encore… ? bégaya-t-il comme un collégien.

– Non.

– Alors quoi ?

– Je veux que tu me fasses l'amour, annonça-t-elle sans lever les yeux vers lui. Je veux être avec toi ce soir quand le vent se lèvera et fera tanguer ta caravane. Je veux sentir tes vieux os contre mes vieux os, sentir Pistol couché entre nous deux.

Sam la prit maladroitement dans ses bras, où elle se blottit aussi naturellement qu'autrefois.

– Tu ne crains pas qu'il fasse trop chaud, que ce soit trop inconfortable ? murmura-t-il. Tu ne préférerais pas te trouver un endroit frais, un fringant jeune homme qui n'a pas un pied sur une peau de banane et l'autre en prison ?

– Pas ce soir. Tout ce que je veux, c'est ce soir, cette nuit.

– Tu n'as toujours voulu que cette nuit.

– Ne dis rien. Ne me demande pas d'explication.

Il l'entendit se déshabiller derrière lui. Tous ses échecs lui revinrent soudain en mémoire...

Le tailleur coûteux avait dissimulé la nouvelle maigreur de Nina, ses seins et ses hanches sans chair. Cela n'avait aucune importance. Bien qu'il fût conscient du risque, Sam s'abandonna tout entier à elle, se rappelant la félicité de leurs étreintes de jadis. La douleur s'évanouit, et il se dit que c'était merveilleux d'être là, seul avec elle. Beaucoup mieux que de croupir dans sa cellule à Wenatchee.

Il s'endormit sur elle, trop épuisé et trop heureux pour changer de position. Il embrassa ses cheveux moites qui collaient à ses tempes et ne se souvint de rien d'autre de toute la nuit.

Quand il se réveilla, glacé sous la mince couverture, elle était partie. Le chat ronronnait sur sa poitrine. Il eut l'impression de se réveiller d'un rêve. Puis il aperçut le bout de papier épinglé au bras du lit où il reconnut son écriture carrée.

S.

T'appelle plus tard. Suis partie voir Joanne.

N.

35

Après cinq ans d'absence, Nina avait trouvé sage de prendre Sam par surprise. Elle ferait de même avec Joanne Lindstrom. Mark Nelson avait essayé par les voies conventionnelles et s'était fait rabrouer par Elizabeth Crowder. L'accueil qui lui serait réservé ne serait pas meilleur. Ni Joanne ni sa mère ne feraient de cadeau à Sam. On leur avait demandé d'éviter tout contact avec la partie adverse, on leur avait affirmé qu'elles ne seraient confrontées à Sam Clinton qu'au tribunal : Nina le savait pertinemment. Bon, Mark Nelson avait commis une faute, du moins pour un avocat de la défense qui se doit de faire preuve d'un minimum de ruse ou d'ingéniosité. Nina l'imaginait déclinant son identité, chapeau à la main, et demander à parler à Joanne.

Elle avait quitté le lit de Sam à 6 heures, était passée au Holiday Inn pour réclamer sa suite, avait pris une douche et enfilé des vêtements qui ne trahiraient pas d'emblée la « professionnelle ». Avec son jean, son che-misier rouge à carreaux, ses bottes qui avaient coûté trois cents dollars mais n'en laissaient rien paraître, elle pouvait passer pour la femme d'un fermier aisé de Natchitat.

Elle trouva assez facilement la ferme des Lindstrom : elle avait toujours eu le sens de l'orientation et de la chance. Elle était invariablement chanceuse pour les autres – sauf s'ils lui demandaient plus que ce qu'elle pouvait donner. Juste avant de prendre le chemin montant à la ferme, elle vit en sortir une Plymouth de 1972 parfaitement entretenue. La conductrice, une femme d'âge mûr, se tenait toute droite derrière son volant ; c'était certainement Elizabeth Crowder. Nina ralentit et se félicita que la Plymouth fût déjà loin quand elle s'engagea sur le chemin de terre. Après avoir franchi les derniers nids-de-poule, la Mazda arriva dans la cour, où aucun véhicule n'était garé. Les occupants de la maison ne pouvaient pas la voir arriver, tous les stores étaient baissés.

Elle frappa un coup sec à la porte de derrière et attendit. Pas de réponse. Elle frappa encore, mais personne ne vint. Elle entendit une porte claquer, puis une musique s'arrêter brusquement, comme si quelqu'un venait par erreur de monter le son de la radio ou de la télévision en pensant le baisser. Elle frappa de nouveau et appela :

– Joanne !

Pas de réponse.

– Joanne ! Il faut que je vous parle.

Une silhouette s'avança vers elle du fond de la cuisine. À ses mouvements hésitants, Nina crut d'abord que c'était une vieille femme. La femme scruta Nina, gênée par le soleil qui inondait la cour.

– Joanne ? appela Nina, assez fort pour être entendue derrière la porte vitrée.

Celle-ci s'ouvrit lentement, et Joanne Lindstrom apparut. Elle était si pâle que sa peau semblait transparente.

– Oui.

– Je suis venue vous parler.

– Il n'y a personne ici.

Nina fit un pas dans la maison comme si elle y avait été invitée, forçant Joanne à faire un pas de côté.

– Il n'y a personne ici pour l'instant.

– Vous êtes là, dit Nina en souriant. C'est vous que je suis venue voir.

– Je regrette, mais je ne vous connais pas. Je...

– Nous ne nous connaissons pas.

– Alors je ne comprends pas. J'ai été malade…

– Je sais, et croyez que je compatis à ce que vous avez enduré. Mon nom est Nina Armitage.

Elle lui tendit la main et vit que Joanne, troublée, hésitait avant de la lui serrer.

– Je suis une amie de Sam Clinton, ajouta Nina.

La réaction fut immédiate. Prise de panique, Joanne courut à l'autre bout de la pièce pour se réfugier derrière la longue table.

– Non ! Non, je ne peux pas vous parler. Je ne dois parler à personne qui…

– Qui quoi ?

– Qui connaît Sam. Quelque chose comme ça.

– Sam ne vous veut aucun mal. Il m'a demandé de vous le dire. Il se demandait comment vous alliez.

– Je vais… je vais très bien.

– Vous avez l'air bouleversée. C'est ma visite qui vous contrarie ?

– Non ! Si. C'est seulement que je n'ai vu personne. Il fallait que je me repose. Ma mère a parlé à… des gens.

Nina étudiait discrètement Joanne. Elle remarqua ses yeux creux, des rides sur son visage qui n'y étaient pas avant – du moins sur les photographies qu'on lui avait montrées. Le contour osseux de sa mâchoire lui donnait la dureté d'une vieille femme usée par les régimes. Se rendant compte que ses mains tremblaient, Joanne Lindstrom agrippa le dossier d'une chaise. Elle semblait sur le point de défaillir. Ses bras étaient aussi fins que des allumettes et son jean était trop grand pour elle.

Mais Nina remarqua autre chose. La maigreur des membres et du visage de Joanne Lindstrom contrastait avec sa taille épaisse et sa poitrine gonflée. Joanne se rendit compte que Nina l'observait et rentra le ventre. Mais la rondeur ne disparut pas, et Nina la prit pour ce qu'elle était : une femme enceinte.

– Puis-je m'asseoir ? demanda doucement Nina. Nous

pourrions peut-être prendre une tasse de café ou de thé et parler.

– Mais il n'y a personne ici.

– Vous êtes là. Dans un peu plus de trois semaines, nous devrons parler devant la cour. Ce serait plus facile pour tout le monde si nous parlions, maintenant, ici.

– Que voulez-vous dire ? Que voulez-vous dire à propos de la cour ?

– Je suis une amie de Sam, mais aussi son avocate. Je suis venue de Seattle pour le représenter.

– Vous m'avez menti ! Vous m'avez menti !

Joanne s'apprêtait à prendre la fuite mais parut ne pas savoir où aller ni comment faire sortir Nina de sa cuisine.

– Non. Je ne vous ai pas dit toute la vérité, mais je ne vous ai pas menti. Êtes-vous certaine, absolument certaine, de vouloir continuer ainsi ? Voulez-vous vraiment envoyer Sam en prison ?

– Je veux que vous partiez. Je ne devrais pas vous parler. Pouvez-vous, s'il vous plaît, vous en aller ?

– Vous n'avez pas répondu à ma question. Croyez-vous vraiment que Sam vous a fait du mal ?

– Il vous a envoyée ici pour m'embrouiller.

– Il ne savait pas que j'allais venir vous voir. Il est trop gentil pour ça. Je suis venue de mon propre chef.

– Comment est-il ? Est-il terriblement malheureux en prison ?

– Il va bien. Il n'est pas heureux, mais il n'est plus en prison. Il est rentré chez lui.

– Oh ! s'exclama Joanne en esquissant un pâle sourire. C'est bien. Passez-lui le bonjour de ma part.

– Lui passer le bonjour ? Lui passer le bonjour… ? Vous pouvez faire beaucoup plus pour lui. Vous pouvez dire la vérité, Joanne, et il n'y aura plus de procès. Des vies sont en jeu. Votre vie est en jeu. Joanne, connaissez-vous la vérité ? Comprenez-vous ce que vous êtes en train de faire à cet homme ? Ce que vous lui avez déjà fait ?

Le silence régnait dans la cuisine lumineuse. Joanne leva lentement une main pour écarter la mèche de cheveux qui tombait sur son visage. Elle regarda Nina comme si elle ne se rappelait pas qui elle était, ou pourquoi elle était là. Puis elle baissa les yeux, prise d'une nouvelle panique.

– Partez !

– Je vais partir, mais il faudra que je revienne. Me parlerez-vous ? demanda Nina en se préparant à partir. Vous faites des cauchemars ? ajouta-t-elle soudain.

– Je ne sais pas... Allez-vous-en, s'il vous plaît.

Joanne disparut dans le couloir. Nina attendit pour voir si elle reviendrait et entendit le son lointain d'une télévision. Le téléphone sonna, mais personne ne décrocha.

Le temps de rouler jusqu'à la ville, Nina savait ce qu'il adviendrait. Si Sam devait survivre, il fallait que Joanne soit sacrifiée, que soient révélées publiquement toutes ses trahisons ; la dévastation serait si totale qu'elle ne recouvrerait peut-être jamais sa santé mentale. Nina ne la plaignait pas. Les forts survivent, les faibles périssent. C'est la loi première.

36

Joanne resta deux heures dans sa chambre. Elle avait peur d'aller à la cuisine pour voir si la femme était partie. Elle avait été folle d'ouvrir la porte. Sa mère serait furieuse contre elle, le capitaine Moutscher et les avocats aussi. Elle alluma la télévision sans rien voir qu'un fouillis de couleurs, sans rien entendre qu'un brouhaha. Elle avait peur de remonter les stores pour vérifier si la voiture de la femme était encore là. Elle avait peur de répondre au téléphone. Sa mère n'aurait pas dû la laisser seule.

Après un long moment, elle baissa le son mais n'entendit que le cri des corbeaux derrière sa fenêtre. Au prix d'un effort démesuré, elle remonta le store. Elle ne vit personne dans la cour, aucun véhicule garé. Les gros oiseaux noirs perchés dans l'orme la regardaient. L'un d'eux s'envola et fonça droit sur elle, mais il vira au dernier moment et évita sa fenêtre. Elle entendit ses serres griffer l'avancée du toit et sut que l'animal l'attendait.

Elle prit l'oiseau noir pour un signe.

La femme svelte et sûre d'elle savait... Joanne avait attendu ce jour où quelqu'un viendrait l'accuser mais avait pensé qu'il viendrait plus tard, beaucoup plus tard, que le temps clément et oublieux lui donnerait miraculeusement la solution à ce problème inextricable. Elle était parvenue à oublier le procès auquel elle pensait comme à un événement très lointain. Rex Moutscher lui avait dit que les

383

longs procès, et celui de Sam promettait d'être long, étaient généralement repoussés lorsqu'ils avaient été programmés pendant les vacances. Elle s'était retenue de demander : « Quelles vacances ? » Sa mère essayait de se procurer une dinde, se demandait qui ferait les pâtés, c'était donc que Thanksgiving ou Noël approchaient. Il y avait un calendrier dans la cuisine, mais c'était celui de 1981, l'année de la mort de Danny, qui ne pouvait lui être d'aucune utilité. Elle regarda le calendrier dans la salle de bains et constata avec stupéfaction qu'il datait aussi de 1981. Était-il possible que le temps se soit arrêté, que tant de choses se soient passées en trois mois ? Quand elle avait fait sa déposition, Moutscher lui avait dicté les dates, mais elle n'avait pas écouté.

Cette femme, Nina, avait vu qu'elle était enceinte. Son regard froid avait glacé Joanne.

Elles n'allaient pas la laisser s'enfuir. Elles avaient veillé à ce qu'elle ne puisse pas s'échapper ; le pick-up et sa voiture avaient disparu. Où les avait-on garés ? Elle demanderait à Sonia. Non. Sonia en parlerait à sa mère. Elle ne pouvait plus compter sur personne. Danny. Sam. Sonia. Sa mère. Doss. Elle pleurait en pensant à Doss. Il l'aurait aidée. L'aurait-il aidée ? Ou l'aurait-elle dégoûté comme les autres ? Il ne restait plus personne. Personne, personne, personne…

Fletch, sans doute pris de remords, avait récupéré le pick-up de Sam à la fourrière et l'avait garé derrière le bureau du shérif. Nina refusa de monter dedans. Ils reprirent sa voiture, mais Sam aurait préféré conduire. Il rangea ses genoux cagneux sous le tableau de bord de la Mazda, et Nina prit la direction de la ville.

– Tu as vu Joanne ?
– Je l'ai vue.
– Alors ? Quoi ? Comment va-t-elle ?
– Tu as mangé ?

Il sentit son estomac crier famine.

– Je crois bien que non.

– J'ai repéré un Cakes-N-Steak sur la route. Allons prendre un café, je vais te raconter.

– Comment vas-tu, ce matin ? demanda Sam en regardant Nina.

Elle paraissait plus jeune en jean et en chemisier, les lunettes de soleil masquant ses pattes d'oie.

– Je vais bien.

Il attendit pour voir si elle ajouterait quelque chose, si elle reviendrait sur ce qui s'était passé entre eux la nuit dernière.

Elle n'ajouta rien.

Il aurait préféré pour lui parler un endroit plus intime, loin des clients indiscrets du samedi. Il attirait tous les regards, au point qu'il s'étonna qu'on ne lui demande pas de quitter les lieux. La jeune serveuse aux yeux éteints posa devant eux des sets de table et des couverts tout en mâchant son chewing-gum.

Quand la fille se fut éloignée, Sam répéta sa question.

– Tu as pu la voir ?

– Facile comme tout. Elle était seule. J'ai croisé maman poule qui partait en ville.

– Et comment était-elle ?

– C'est drôle. Elle a posé la même question à ton sujet. Elle m'a demandé de te passer le bonjour.

– Tu n'es pas sérieuse ?

– Si. Bien sûr, je ne la connaissais pas avant, mais la femme que j'ai vue ce matin n'a pas toutes les cartes en main. J'avais l'impression de parler à un enfant à qui l'on a défendu d'ouvrir la porte quand maman n'est pas là. Un enfant terrifié. À ce point dans le déni qu'on ne la croirait pas si elle affirmait que le ciel est bleu et l'herbe verte. Elle s'est affolée quand je lui ai dit qui j'étais. Et elle est méconnaissable.

Sam creusait des sillons avec sa fourchette sur le set de table. Il poussa un soupir.

– Ne réagis pas comme si c'était ta faute. Nom de Dieu, Sam, cette femme essaie de te détruire ! Quel imbécile tu fais...

– Qu'est-ce que tu veux que je dise ? Que je suis heureux qu'elle ait disjoncté ?

– Joanne est enceinte. Tu aurais dû m'en parler. Une veuve à la barre des témoins, c'est déjà pas très bon, mais une veuve enceinte...

– Non.

– Non quoi ?

– Elle ne peut pas être enceinte.

– Elle m'a paru tout à fait féconde, une vraie poulinière. Qu'est-ce qui te fait penser qu'elle ne peut pas être enceinte ?

– Eh bien, elle a eu ses règles juste avant de partir. Ils essayaient d'avoir un enfant.

– Elle te disait tout, n'est-ce pas ?

– Pas elle. Lui...

Sam s'interrompit quand la serveuse leur apporta leur plat, en le dévisageant cette fois. Quelqu'un en cuisine avait dû l'informer de sa notoriété. Après le départ de la fille, Sam baissa la voix.

– Merde, Nina, ils passaient leur temps chez le toubib, faisaient des tests, prenaient leur température...

– Et quels étaient les résultats ?

– Je ne sais pas. Je ne me mêlais pas de leurs affaires et cela me répugne d'en parler aujourd'hui, dit-il en soupirant encore. Bon. Danny devait aller chez le médecin pour donner un échantillon de sperme et voir si tout était en ordre. Il avait prévu de le faire juste avant leur départ. Il ne l'a pas dit à Joanne, car il... merde ! il avait peur que quelque chose cloche chez lui.

– Il avait peut-être raison. Depuis quand étaient-ils mariés ?

– Treize ou quatorze ans.

– Et elle n'a jamais été en cloque avant ?

– Ton langage est toujours aussi délicat, à ce que je vois. Non, je ne pense pas. Mais ils désiraient tous les deux un enfant. Ils voulaient fonder une famille.

– Et aujourd'hui elle est enceinte. Est-ce une coïncidence ? Elle a déclaré que Demich et elle étaient bons amis, qu'ils ne s'étaient pas même serré la main… Il a dû se passer quelque chose là-haut.

Sam jeta un œil sur la pile de crêpes qui se trouvait devant lui, mais sans appétit.

– Que va-t-elle faire ? Tu es certaine de ce que tu dis ? Cela semble affreusement tôt pour annoncer la nouvelle.

– Tu es une perpétuelle énigme pour moi, Clinton, dit Nina en secouant la tête. Ce que Joanne Lindstrom va faire n'est pas ton problème. Personne ne t'a désigné pour être le Chevalier blanc. Crois-moi, elle est bel et bien enceinte. Ces femmes menues à la taille fine gonflent comme des ballons sitôt que la graine est plantée, ou presque. Ils vont repousser le procès à la mi-janvier à cause de Noël, et tu auras un témoin avec un petit ventre rond sous une robe de grossesse. Tu passeras pour l'accusé le plus abject, pour la plus belle crapule qu'ait jamais vue un jury. Sauf si nous prouvons que ce n'est pas l'enfant de Lindstrom, mais de Demich.

– Il n'y a pas d'autre moyen ?

– Je n'en vois pas d'autre pour l'instant. Écoute, si tu as des scrupules, pense à autre chose. Par exemple, que tu vas passer le reste de tes jours en prison.

Sam regarda de nouveau son assiette puis l'écarta.

Le personnel médical de Natchitat comprenait en tout et pour tout trois ostéopathes, deux chiropracteurs, un pédicure et un médecin, le Dr Will Massie, surnommé Little Doc depuis ses dix ans. Devenu Doc tout court depuis que Massie père, alias Big Doc, avait pris sa retraite, cet homme compétent à la carrure d'athlète s'adonnait aux plaisanteries de salle de garde en dehors de ses heures de consultation. À trente-huit ans, ce colosse

ANN RULE

était traité avec toute la considération que sa ville natale ne réservait qu'à son médecin.

Après avoir considéré Sam avec surprise, les deux infirmières blondes et minces le firent passer dans le cabinet du médecin avant tous les patients de la salle d'attente, pourtant bondée.

La poignée de main de Massie était ferme et son sourire lui parut sincère. Sam se demanda s'il passerait le reste de ses jours à s'interroger sur ce que les gens pensaient de lui, s'il serait, un jour, définitivement disculpé. Il apprécia le tact du médecin, qui ne lui posa aucune question et ne lui fit aucune politesse inutile. Un simple « Heureux de vous revoir » l'aurait agacé.

– Asseyez-vous, Sam, dit Massie en faisant un grand geste de son bras puissant. Dites-moi tout.

– Vous êtes très occupé. Je ne vais pas rester longtemps.

– Je suis toujours occupé. J'ai besoin d'une pause. Vous n'avez pas l'air malade. Vous l'êtes ?

– J'aurais toutes les raisons de l'être, mais je ne le suis pas. J'ai ingurgité toute cette nourriture équilibrée et nourrissante de la prison.

Le Dr Massie regarda ses pieds, semblant embarrassé ou contrarié par sa présence. Sam maudit Nina de l'avoir contraint à faire ce qu'il s'apprêtait à faire.

– Docteur, j'ai passé beaucoup de temps récemment à essayer d'avoir des informations qui ne semblent pas faciles à obtenir, encore moins faciles à demander.

– Lancez-vous.

– Je suis accusé du meurtre d'un homme que l'accusation peint comme un gentil inconnu, un bon Samaritain. J'ai des raisons de penser que le type était tout autre. Dans sa déposition, Joanne Lindstrom le fait passer pour un saint, et moi pour un monstre. Le jugement de Joanne est peut-être brouillé.

– Vous ne m'avez jamais fait l'effet d'une brute

388

épaisse. Mais de quelqu'un qui se croit plus malin que les autres, sans doute.

– Merci.

Une bouche d'aération soufflait de l'air chaud et agitait les pieds du squelette installé derrière le bureau de Massie. Sam le regarda tournoyer tandis qu'il essayait de trouver les mots justes.

– Danny m'a dit qu'il était venu vous voir avant de partir en congé.

Le Dr Massie ne dit rien.

– Ce ne sont pas mes affaires, mais nous étions proches et il était préoccupé. Il venait faire un test de fertilité. Il espérait avoir les résultats à son retour, mais il n'est pas…

Massie attendait, et Sam ne détecta aucune réaction sur son visage.

– Je sais que les dossiers de vos patients sont confidentiels, mais après la mort on perd ses droits à la vie privée. Je ne veux pas vous obliger à quoi que ce soit…

– Vous me demandez si Danny aurait pu concevoir un enfant.

– Oui, c'est ce que je suis venu vous demander.

– Sam, vous comprenez que je ne peux rien dire d'un patient vivant…

– Oui. Je ne vous demande rien sur quelqu'un d'autre.

Massie tourna sur sa chaise, ouvrit un classeur métallique et sortit un épais dossier.

– Danny consulte ici depuis sa deuxième année. Mon père le suivait. C'est le propre des petites villes, n'est-ce pas ?

Sam attendit, mais il savait déjà que Massie avait pris sa décision.

– Dans une petite ville, tout finit par se savoir.

Le docteur lut le compte rendu de la dernière visite de Danny, datée du 2 septembre 1981.

– Rapport du laboratoire reçu le 9 septembre 1981. L'échantillon de sperme révèle une proportion anormalement élevée de spermatozoïdes non mobiles. Cinq millions de spermatozoïdes viables par centimètre cube.

– Cinq millions ! Alors tout allait bien ?

– Cela signifie que Danny ne pouvait pas et n'aurait jamais pu avoir un enfant. Avec moins de vingt millions... peu importe. Le fait est qu'il était stérile. Je craignais d'avoir à lui annoncer la nouvelle.

– Vous n'aurez, hélas, pas à le faire.

– Jamais je n'aurais imaginé une chose pareille. Danny était aussi solide qu'un cheval.

– Si on en arrive là au procès, et, mon Dieu, j'espère que non, nous aurons peut-être besoin du dossier. Comprenez-vous ?

Massie se leva, la visite était terminée.

– Il est à votre disposition. Mais, Sam...

– Oui.

– Ne me posez plus de questions. Ne me demandez pas de vous confirmer quoi que ce soit d'autre, parce que je ne vous le dirai pas. Je ne vous dirai pas si ce que vous pensez est vrai, ni si cela peut être vrai, ni comment cela a pu arriver. Vous voyez ce que je veux dire ?

– C'est entendu.

Massie lui serra la main.

– Sam, quand on a la nuque sur le billot, on fait ce qu'on a à faire, et je comprends. Mais s'il existe un autre moyen, une autre voie de salut pour vous, saisissez-la. D'accord ?

– D'accord, docteur. Croyez que je fais tout pour trouver cet autre moyen.

37

Le dimanche de Joanne débuta avant 5 heures, long-temps avant qu'un soleil plat et morne éclaire le ciel enténébré. Elle se mit à la fenêtre et vit que les ormes, les chênes et les peupliers avaient perdu leurs feuilles. Leurs branches, sur lesquelles dormaient les corbeaux, paraissaient calcinées. Les oiseaux avaient senti sa présence à la fenêtre et s'éveillaient pour venir la narguer.

– Putain ! Putain ! Putain !

Elle se recoucha et se couvrit la tête de son oreiller, mais elle entendait encore crier les oiseaux noirs. Du temps de Danny, tous les bruits de la nuit – le vent, la pluie, le sifflement du train Union Pacific qui filait vers Spokane – la rassuraient et contribuaient à son sentiment de bien-être. Aujourd'hui, le croassement des corbeaux lui rappelait qu'elle n'était plus à l'abri nulle part.

Elle retourna à la fenêtre pour écouter la rivière. En se concentrant sur son grondement, tout proche, elle n'entendait plus les cris des oiseaux maléfiques. Les pluies incessantes de ces derniers jours avaient gonflé les eaux de la rivière. Sur son lit de rochers, son courant d'écume blanche masquait désormais le vert profond. Elle écouta son bruit, et son odeur de propre, presque marine, lui revint en mémoire. Puis elle eut froid et se mit à trembler. Elle attrapa sa robe de chambre dans la pénombre et se rendit lentement dans la cuisine, où sa mère apparut presque immédiatement, prétendant ne pas pouvoir dormir.

– Veux-tu quelque chose, ma chérie ?

– Je ne trouve pas mes pilules. Il me les faut pour dormir.

– Oh… Joanne. Tu te fais du mal avec toutes ces pilules. Je crois qu'elles ne font que te déprimer davantage. Pourquoi n'attends-tu pas un peu ?

– Tant pis. Ça ne fait rien. Quelle heure est-il ?

– Presque 6 heures. Pourquoi ne retournes-tu pas te coucher un moment ? L'émission du révérend Schuller passe à 9 heures à la radio. Mais peut-être préfères-tu écouter celle du télévangéliste ?

– Ça m'est égal, celle que tu veux.

Cela n'avait pas d'importance. Sous l'éclairage cru de la cuisine, sa mère paraissait vieille, fatiguée et vulnérable, elle qui avait été si forte durant toutes ces années. Elle essayait d'être agréable, mais l'atmosphère pesante rendait la conversation difficile. La meilleure chose qu'elle pourrait faire pour sa mère serait de partir.

Elle aurait dû mourir dans la montagne et éprouva de la colère que ça ne se soit pas passé ainsi. Tous les deux, Danny et Duane, lui avaient promis de ne pas l'abandonner. Danny par amour, l'autre homme pour une raison qu'elle avait oubliée ; l'un comme l'autre l'avaient trahie. Il lui restait la vie, une erreur.

– Tu devrais t'habiller, Joanne, si tu ne peux pas dormir. Mets quelque chose de clair et un peu de rouge à lèvres. Nous aurons peut-être une visite.

– Qui ?

– Ne sursaute pas comme ça. Je ne sais pas. Sonia, une des filles de la banque, M. Fletscher ou… quel est son nom, déjà ? l'infirmière Mary Jean. Ils demandent tous de tes nouvelles.

– Je ne veux voir que Sonia. Ne laisse entrer personne d'autre. Je ne suis pas prête.

Elizabeth Crowder soupira et se leva pour rincer leurs tasses à café.

– Entendu, chérie. Mais un de ces jours…

– Un de ces jours, je serai prête pour parler aux gens. Je te le promets.

Je te promets quelque chose de plus facile, maman. Et tu me remercieras un jour, si seulement tu comprends pourquoi.

38

Martin Malloy, substitut du procureur de Chelan, avait vu à l'œuvre Nina Armitage et, en des circonstances moins graves, il aurait été heureux de s'entretenir avec elle. Mais il avait été décontenancé d'apprendre que c'était elle – et non Mark Nelson – qui assurerait la défense de Sam Clinton. Moutscher croyait aveuglément qu'ils obtiendraient sa condamnation, certitude que Malloy ne partageait pas. Moutscher avait laissé de trop nombreuses failles dans le dossier : l'argumentation n'était pas aussi solide qu'elle aurait dû. Avec une politesse circonspecte, Malloy invita Nina à s'asseoir, la main encore posée sur les rapports balistiques qu'il parcourait quand on lui avait annoncé sa visite. Si elle n'avait pas encore ces rapports, elle allait très vite les lui demander. S'il ne les lui donnait pas, elle ne manquerait pas de crier : « Preuves non communiquées à la défense ! », et le jury se demanderait ce qu'il cachait.

Les éclats de balle qui avaient été extraits du corps de Ling provenaient d'un .38. La police utilise ces balles à tête creuse, mais aucune loi n'interdit aux citoyens d'en acheter. Pas de stries, pas de rainures, pas de marques de percuteur. La balle pouvait avoir été tirée par l'un ou l'autre .38 qui avaient été retrouvés. Armitage le saurait et se servirait de cet argument.

Il lui sourit et glissa le rapport dans le tiroir de son bureau.

– Enchanté, maître.

– Tout le plaisir est pour moi, monsieur Malloy.

Elle était détendue, et cela ne plut pas du tout à Malloy. À croire qu'elle le voyait déjà mort. Elle le complimenta de façon trop appuyée sur le prestige de son école de droit et la modestie de son bureau.

– En quoi puis-je vous aider, mademoiselle Armitage ?

– J'ai pensé que nous communiquerions mieux si je venais en personne vous informer que je m'occupe de cette affaire.

– C'est tout ?

– Je vois que vous avez les rapports balistiques.

Merde ! Il sortit le rapport de son tiroir et le lui tendit. Il l'aborda de front, d'une voix décontractée très étudiée.

– Informations mineures, vous verrez. Un tirage à pile ou face. La seule balle retrouvée était en morceaux minuscules.

Elle lut le rapport sans rien manifester puis lui sourit.

– Je l'ai déjà, mais merci. Ling est tout le temps resté derrière Sam. Sam a tiré en direction du ravin. Demich possédait un .22. Il semblerait que la dame ait pu tirer. Étonnant, non ? Elle paraît si frêle… De ce que j'ai pu apprendre d'elle, Joanne avait une peur bleue des armes. Qu'elle ait pu réagir si vite, et avec une telle précision, relève du miracle. Quelle est la pression nécessaire pour tirer avec un .38 ? Six kilos, c'est ça ?

– C'est une détente à double action.

– Bien sûr.

– Et deux à trois kilos pour une détente à simple action.

– Vous connaissez votre affaire, maître. Mais pensez-vous qu'un enfant puisse atteindre l'œil d'un taureau à quinze mètres avec un .38 ? Cela m'étonne. On dirait presque que quelqu'un lui a donné un cours accéléré, l'a préparée à riposter en cas d'attaque.

– Lindstrom aurait pu lui apprendre à se servir d'une arme.

– Sam a dit que Lindstrom avait essayé plusieurs fois, monsieur Malloy. Elle s'est toujours refusée à toucher une arme.

– Clinton n'est pas la source d'informations la plus fiable.

– Peut-être pas.

Elle sortit une cigarette de son paquet, lui en offrit une, qu'il refusa. Elle l'alluma et aspira une grande bouffée.

– Vous ne fumez pas. C'est remarquable dans ce métier. Je parierais que vous jouez au squash et que vous soulevez des poids.

– Le squash, répondit Malloy en rougissant.

La femme avait dix ou quinze ans de plus que lui, et il se sentait comme un étudiant intimidé par son professeur.

– Avez-vous rencontré Mme Lindstrom ? Lui avez-vous parlé, monsieur Malloy ?

– Rex Moutscher l'a fait. Mon équipe l'a fait, et je le ferai. Elle a traversé une dure épreuve, et je…

– Avez-vous pensé au polygraphe ? À l'analyse du stress de la voix ? L'avez-vous soumise à l'un de ces joujous magiques ? Non, car vous avez le témoin parfait. La beauté américaine type, la petite héroïne de McDonald's et de l'Église luthérienne, et…

Durant la joute à propos de la balistique, Nina avait joué au chat et à la souris. Maintenant, elle était lancée, mais Malloy ne voyait pas où elle voulait en venir.

– Nous avons pensé aux tests, mais il nous a semblé odieux de lui imposer cette épreuve, d'autant que sa déposition était très claire.

– Un peu comme si vous soumettiez la Vierge Marie au détecteur de mensonges ? C'est plus facile avec les putes et les bohémiennes qu'avec la fille que tous les hommes rêveraient de présenter à maman ?

– Nous avons tous nos jugements de valeur, mademoiselle Armitage. Chaque enquêteur, chaque avocat s'en remet à son intuition. Mes décisions s'appuient sur des preuves matérielles et médicales, sur la déposition de Mme Lindstrom et sur les opinions de Moutscher.

Elle rit presque gaiement.

– Rex Moutscher ne saurait même pas distinguer un caillou d'un diamant. Il a laissé filer la moitié des preuves matérielles entre ses grosses paluches et je pense, Martin – je peux vous appeler Martin ? –, que son ambition dépasse la vôtre et la mienne réunies, et Dieu sait pourtant que nous avons tous deux les dents longues.

– Vous ne manquez pas de lyrisme, Nina... je peux vous appeler Nina ?

– Bien sûr. Je ne suis qu'une femme, et vous avez du mal à croire que je puisse faire ce que je fais, n'est-ce pas ? Une faible femme jetée sur le chemin d'hommes impitoyables... un peu comme votre témoin.

Il s'appuya au dossier de son fauteuil en souriant, mais Nina abattit sa carte avant que le siège de Malloy aille cogner contre le mur.

– Saviez-vous que Joanne Lindstrom était enceinte ?

Le choc l'envoya en arrière. Avant qu'il ait pu répondre, elle l'embrocha.

– Saviez-vous que feu Daniel Lindstrom n'avait pas assez de spermatozoïdes mobiles pour pouvoir féconder sa femme, même en stockant et en congelant le produit de trente éjaculations ? Saviez-vous qu'il était stérile ?

– Non. Je l'ignorais.

Un barracuda. Armitage était un barracuda.

– Nous avons les examens médicaux qui le prouvent. Et, à moins que vous ne brûliez d'envie d'expliquer à un jury qu'une immaculée conception s'est produite en pleine nature, que Joanne Lindstrom porte en elle le nouveau Messie, vous serez peut-être intéressé par un compromis ?

– Merde !

– Maître, je dois dire que vous ne manquez pas non plus d'accents lyriques.

Malloy soupira… Toute sa déception pesait sur ses épaules. Nina éprouva un peu de sympathie pour lui, se rappelant ses propres échecs alors que la victoire lui avait semblé si proche.

– Vous êtes certaine de sa grossesse et du reste ?

– Absolument certaine. C'est drôle, n'est-ce pas ? Combien de nos efforts finissent en miettes à jeter aux oiseaux.

– Que voulez-vous ? Qu'entendez-vous par compromis ?

– Capitulation avec les honneurs.

– Compte tenu de l'alternative, c'est généreux de votre part. Qu'espérez-vous gagner en préservant mon honneur ? Votre réputation vous a précédée, Nina. Vous avez laissé nombre de vos adversaires sur le carreau.

– Ce n'est pas pour moi, je suis sans pitié, mais mon client est un homme qui éprouve de la compassion. Sam préférerait que le ridicule de cette femme ne soit pas étalé sur la place publique. Je ne suis pas de cet avis et je ne comprends pas pourquoi il ne réclame pas vengeance. Bref ! Le phénomène peut, par ailleurs, être intéressant, pour moi comme pour vous. Un jour, un avocat de la défense pourrait s'en servir. J'ai promis de ne pas m'en servir cette fois-ci, mais la chose s'est déjà produite et se reproduira. Quelque chose de monstrueux est arrivé à Joanne Lindstrom qui lui a dérangé l'esprit : quand Moutscher l'a interrogée, elle ne savait pas si c'était Sam Clinton ou Godzilla qui avait tué Demich. Je pense qu'aujourd'hui elle a retrouvé une partie de ses facultés. Le phénomène reste fascinant.

Malloy rassemblait mollement des papiers sur son bureau. Non seulement le point de vue psychiatrique de Nina Armitage ne le passionnait pas, mais il venait ruiner toutes ses espérances dans ce meurtre qu'il avait longtemps attendue et qui promettait d'être sa plus glorieuse affaire.

– Alors, que voulez-vous ?

– Je vais retourner à Natchitat. J'aimerais que vous-même et Moutscher m'accompagniez. J'arrangerai un entretien avec votre témoin.

Malloy pensa à Moutscher, à son visage où se peindrait la stupéfaction outragée.

– Rex n'acceptera jamais.

– Ce serait bien pour lui. En tout cas, mieux que si votre témoin venait à la barre. Je me suis laissé dire que c'était un homme de peu d'imagination.

– Vous pouvez dire qu'il ne connaît même pas le sens du mot. C'est un flic. Que pouvez-vous attendre d'un flic ?

– Je ne lui répéterai pas ce que vous venez de dire. Maître, les flics sont notre manne, qu'on le veuille ou non. Ils nous livrent leurs trésors soigneusement étiquetés, leurs théories, leurs réactions viscérales, et de ce matériau brut nous essayons de sortir quelque chose de cohérent, d'intelligent. Là, dans votre fauteuil, vous avez besoin d'eux. Là où je suis – et un jour vous basculerez aussi du côté de la défense parce que vous aimez l'argent, vous n'êtes là que pour apprendre –, je m'amuse à pointer du doigt leur arrogante stupidité. Mais, pour l'instant, Moutscher est la croix qu'il vous faut porter.

Nina se leva et sourit à nouveau. Malloy sentit qu'il ne l'aimait pas beaucoup.

– Une dernière chose… Sam Clinton est un cran au-dessus d'eux tous. S'il avait eu le bonheur de naître un peu plus méchant, un peu plus rapide sur ses jambes et un peu plus vorace, il aurait pu être l'un des nôtres.

– C'est comme ça qu'il vous a convaincue d'assurer sa défense ?

– C'est une longue et triste histoire qui n'intéresse pas vos petites oreilles.

Elle lui tendit sa carte avec le numéro du Holiday Inn griffonné au dos.

– Pouvez-vous, Moutscher et vous, être à Natchitat vers 15 ou 16 heures ?

– Je l'appelle tout de suite, dit-il en soulevant le combiné du téléphone.

– Attendez que je sois partie. Je ne voudrais pas jubiler. Nous vous attendrons à 16 heures. Martin…, surtout, ne prévenez pas Joanne. Elle prendrait peur, et nous n'en tirerions rien. Ni vous ni moi.

– Vous ne doutez de rien, dit-il d'un ton pincé qui lui échappa. Vous me donnez des ordres et j'obéis sans broncher. Je pourrais aussi opter pour une empoignade devant la cour. Vous avez certes un droit de regard sur toutes les pièces du dossier, mais vous ignorez mon plan de bataille. Vous bluffez peut-être, Nina.

– Peut-être. Si ce qui se passe aujourd'hui ne vous convainc pas, alors nous irons au procès. Vous aurez toujours vos révélations fracassantes, j'aurai toujours les miennes. Si, cet après-midi, vous voyez ce que je pense que vous verrez, nous pourrons demander au juge une audience préliminaire, secrète, j'entends par là sans convoquer la presse, et nous en aurons fini, pour la satisfaction des deux parties.

– Marché conclu.

– Vous n'avez pas l'air décidé, mais topez là.

Elle lui tendit la main, qu'il serra en pensant que ce n'était qu'une main de femme fine et osseuse qu'il aurait pu broyer.

– Dernière chose, maître…

– Oui. Quoi encore ?

– Seriez-vous en train de me faire des avances ?

Il rit et lui lâcha la main.

– À vous, ma chère ? Seulement avec la plus extrême prudence.

39

Joanne embrassa sa mère, qui partait travailler.

– Je t'aime, maman.

Elizabeth Crowder ne put lui répondre de même.

– Prends soin de toi. Sonia va-t-elle passer ?

– Cet après-midi, peut-être.

– C'est bien. Essaie de t'occuper.

– Oui.

– Tu es une bonne fille.

Joanne entendit la porte claquer, le crissement des pneus sur l'allée verglacée, enfin le vaste silence qui la rendait à sa solitude.

Elle n'avait plus peur. Elle éprouvait une telle sérénité et un tel soulagement qu'elle se sentit confortée dans sa décision. Rien ni personne ne pourrait plus lui faire de mal. La rivière semblait déjà couler en elle, lui offrant son doux pardon.

S'il y avait un Dieu, si le Dieu de l'école du dimanche auquel elle avait cru sans condition avait existé, Il n'aurait pas permis que l'homme roux lui fasse ce qu'il lui avait fait. C'était simple. Nul Dieu n'étant venu la sauver, nul Dieu ne la punirait.

Elle n'en voulait plus à l'enfant. Il méritait seulement la faveur de mourir avec elle avant d'arriver dans un monde qui n'avait rien à lui offrir.

Elle était enfin maître de son destin. Elle avait décidé

qu'elle n'irait pas au-delà de trente-deux ans. Ce froid lundi serait son dernier jour, et elle avait des heures devant elle.

Elle balaya le sol de la cuisine, lava les assiettes du petit déjeuner, essuya le plan de travail et, mécontente du résultat, pulvérisa du liquide ménager sur le Formica pour le faire briller. Il était important de ne pas laisser de saleté derrière soi. Tous ces efforts l'ayant épuisée, elle retourna se coucher et dormit jusqu'à 14 heures.

À son réveil, elle prit un long, très long bain chaud et se sentit propre. Parfaitement propre, enfin.

Si elle laissait un mot, tout s'arrangerait pour Sam : la police le laisserait sortir, et il lui pardonnerait. Mais elle ne pouvait pas laisser de mot. Tout le monde saurait. L'idée que quelqu'un apprenne la vérité, même après sa mort, lui était insupportable.

Elle choisit ses habits selon son plaisir, du moins selon son goût – le mot « plaisir » eût été excessif. En blanc. Uniquement du blanc. Une jupe en coton léger, qu'elle n'avait pas portée depuis des années, et un chemisier à manches longues avec un col de dentelle. Elle retrouva les chaussures de son mariage tout au fond du placard – un grain de riz y était resté. Cette fois, la fiancée n'irait rejoindre aucun fiancé.

Pour compléter l'ensemble, elle voulait quelque chose ayant appartenu à Danny. Elle trouva une écharpe de soie, blanche aussi – un cadeau de sa mère –, qu'il avait portée une seule fois, par politesse. Elle l'essaya et trouva qu'elle camouflait bien sa taille. Elle exhalait encore l'odeur de Danny.

Joanne ne s'était pas vue dans un miroir depuis que sa mère l'avait ramenée de l'hôpital. Elle découvrit une femme étrange aux lèvres pâles, aux yeux éteints, au teint jaunâtre et cireux. Étonnée, elle toucha sa joue et passa un doigt sur ses cernes.

Cherchant à ressembler à l'image ancienne qu'elle gardait d'elle-même, elle appliqua un peu de fond de teint sous ses yeux et quelques touches de blush. Et, parce que cela faisait partie d'un vieux rituel, elle vaporisa un peu d'eau de toilette sur sa gorge et ses poignets.

Quand elle fut prête, elle quitta la maison sans se retourner. Sitôt qu'elle eut refermé la porte, elle sentit l'odeur de la rivière portée par le vent. Un bruit de pas lui fit lever les yeux. La femme svelte, Sam, le capitaine Moutscher et un autre homme qu'elle ne connaissait pas s'avançaient vers elle.

Elle comprit qu'elle était prise au piège. Toute sa terreur lui revint, comme si son corps n'était qu'une coquille enveloppant un vide.

Ils la regardèrent sans paraître surpris, curieux, peut-être, de la voir habillée, coiffée et parfumée.

40

– Pouvons-nous entrer, madame Lindstrom ? demanda Moutscher.

Sam vit que la main tendue par le capitaine déclenchait une panique chez Joanne.

– Comment ?

– Je vous demande si nous pouvons entrer. Nous sommes désolés de vous déranger, mais nous aimerions vous parler. Vous êtes très élégante. Vous attendiez quelqu'un ?

– Non… personne.

Elle ne fit aucun geste pour les prier d'entrer, continuant de fixer le chemin menant à la rivière.

– Alors vous avez un peu de temps à nous consacrer ?

– Ma mère n'est pas là.

La voix de Nina, débarrassée de toute trace d'autorité, apaisa Sam.

– Nous le savons, Joanne. Si vous voulez, nous pouvons appeler votre mère et lui demander de nous rejoindre. Nous pouvons l'attendre…

– Non !

Joanne libéra la porte et, d'un geste d'automate, les invita à entrer.

Sam baissa la tête pour passer la porte et entra dans la cuisine. Il espérait que la confrontation à venir n'aurait pas lieu dans cette pièce où il avait jadis été le bienvenu et ne l'était plus. Rien n'avait changé, et il crut voir des fantômes assis sur les chaises vides. Il fut soulagé que Joanne les conduise au salon.

Elle semblait avoir conscience de sa présence mais n'avait pas encore osé le regarder. Il n'aurait su dire si elle avait peur de lui ou simplement honte de le regarder en face. Elle semblait elle-même, à présent, et pourtant différente de la Joanne qu'il avait connue, plus nerveuse et quelque peu confuse. Il étudia discrètement cette petite fille fragile et fatiguée, toute vêtue de blanc, tentant de superposer cette image à celle de la femme sauvage et hâlée de la montagne. Exercice impossible.

– Du café ? Vous prendrez tous du café ? leur demanda Joanne d'une voix si faible qu'elle couvrait à peine le tic-tac de la pendule.

– Non, merci, répondit Nina. Nous venons d'en prendre un.

Ils savent tout, ils connaissent tous tes mensonges et sont venus pour te piéger, Joanne.

Joanne regarda Sam, stupéfaite, comme si elle avait lu dans ses pensées. Il détourna les yeux.

– La présence de M. Clinton vous dérange-t-elle, madame Lindstrom ? demanda Malloy.

– Je… je ne veux plus le voir, répondit Joanne en regardant l'homme inconnu. Excusez-moi, mais je ne sais pas qui vous êtes.

– Pardon. Mon nom est Martin Malloy. Je suis le substitut du procureur du comté de Chelan. Votre avocat, si vous préférez.

– Est-ce que ceci est officiel ?

Joanne se leva brusquement, prête à fuir, mais, voyant qu'on lui barrait le passage, elle se rassit.

– J'ai besoin de savoir si c'est officiel, renchérit-elle.

– Pas vraiment, madame Lindstrom, répondit doucement Malloy. C'est là tout l'esprit d'une conférence : toutes les parties se rencontrent par consentement mutuel. Cela vous convient-il ?

– Je ne sais pas.

– Vous verrez M. Clinton au procès. Un accusé a le droit d'être confronté à son accusateur. C'est la loi. Nous pensons tous qu'il serait plus facile de parler ici, chez vous.

– Je ne comprends pas. Je croyais que je devrais aller au tribunal simplement… pour témoigner.

Joanne était toute raide sur sa chaise, jambes croisées, mais ses mains agitées trahissaient son angoisse.

– Avez-vous peur de Sam ? trancha vivement Nina. Cette pièce est-elle trop petite ? Est-il trop près de vous ?

– Non.

– Mais vous aviez peur de lui, avant ? Vous craigniez pour votre vie, si j'ai bien compris vos accusations ?

Joanne regarda dans la direction de Sam et répondit par un mouvement de la tête qui disait à la fois oui et non.

– Mademoiselle Armitage, intervint Malloy, je pense, et le capitaine Moutscher est de mon avis, que nous devons respecter un certain ordre. Nous évoquerons ce point plus tard. Je vais parler avec Mme Lindstrom, examiner avec elle sa déposition, et ensuite, si vous voulez, vous poserez des questions. Et bien sûr, madame Lindstrom, vous pouvez intervenir quand vous le souhaitez. Cette procédure vous convient-elle ?

– Alors vous êtes de mon côté, monsieur Malloy ? questionna Joanne.

Malloy eut la grâce de rougir en aquiesçant.

– Techniquement, oui. Je représente l'État de Washington, dont vous êtes le principal témoin.

– Mlle Armitage est donc du côté de Sam ?

– Elle représente M. Clinton, oui. Si vous voulez bien, madame Lindstrom, commençons par le commencement, continua Malloy en sortant de son attaché-case la déposition de Joanne.

Ne souris pas comme ça, espèce de sale vipère.

Sam préférait regarder par la fenêtre. Il ne voulait pas voir le visage de Joanne, il ne voulait pas assister à ce massacre. Il l'avait accepté pour sortir de prison. Il l'avait accepté, avec la culpabilité qui allait de pair, mais espérait que la séance de questions ne se prolongerait pas, que la mise à mort serait brève.

– Madame Lindstrom, vous avez affirmé que votre mari, Daniel, et vous-même étiez arrivés à Stehekin en septembre. Quel jour était-ce ?

– Je n'en suis pas sûre. C'était juste avant le Labor Day, en 1979.

– Vous voulez dire en 1981, n'est-ce pas ?

– Oui. 1981.

– Était-ce le 4… voyons voir, le vendredi précédant le Labor Day ?

– Oui.

– Et comment avez-vous rencontré Duane Demich ?

– Duane ?

– Oui.

– Duane est arrivé à notre campement un soir. Le premier soir, je crois… non, c'était peut-être le deuxième. Il faisait nuit quand il est sorti du bois et nous a dit qu'un ours avait essayé de s'en prendre à lui, ou qu'il avait vu un ours, ou quelque chose comme ça. Il était policier…

– Il était quoi ?

– Il a dit à Danny qu'il était policier dans l'Oregon. Ils se sont assis et ont discuté de gens qu'ils connaissaient et de choses de ce genre.

– Pourquoi ne l'avez-vous pas dit au capitaine Moutscher ?

– Il ne me l'a pas demandé. Et Duane n'était pas réellement policier. Je ne sais pas pourquoi il a dit ça. Peut-être pour plaisanter.

– Quelle impression vous a-t-il faite ? L'aviez-vous déjà rencontré avant cette nuit-là ?

Sam écoutait attentivement mais regardait toujours ailleurs.

– Duane ? Non, je ne l'avais jamais vu avant.

– Il n'était jamais venu à Natchitat ?

– Oh non, monsieur Malloy. Il n'était jamais venu à Natchitat, il me l'a dit.

– Qu'avez-vous ressenti quand il est arrivé à votre campement ? Étiez-vous contente de le voir ?

– Il plaisait à Danny.

Sam refoula un grognement.

– Il plaisait à Danny ! Et à vous ?

– Il me donnait la nausée…

– Je ne comprends pas.

– Il était tout rouge.

– Tout rouge… Pardon, il faut que vous m'expliquiez. Voulez-vous dire que c'était un Indien ?

– Il était horriblement grand. Très, très grand et fort, et tout chez lui semblait brûler ou irradier, je ne sais pas… C'est difficile à dire, mais j'avais pe… j'étais… saisie. Il avait les cheveux rouges, sa peau et ses yeux étaient rouges à la lueur du feu. Au début, j'ai pensé qu'il n'était pas réel… ou quelque chose comme ça.

– Mais il était bien réel ?

– Oui.

– Et il a campé avec vous cette nuit-là ?

– Non. Il a campé près du lac. Le matin, il était parti.

– Étiez-vous déçue ?

– Comment ? Non. J'étais contente. J'étais soulagée.

– Pourquoi ?

– Parce qu'on était montés là-haut pour être seuls. On ne le connaissait pas.

– Mais il est revenu ?

– Il est revenu dans la matinée. Il a dit qu'il avait croisé un grizzli sur le sentier et qu'il avait besoin de l'aide de Danny pour faire quelque chose, en finir, l'effrayer, le chasser ou peut-être le tuer. Je ne sais pas.

– Vous dites que Duane Demich était grand. Et fort. Y avait-il d'autres sentiers qu'il aurait pu prendre ?

– Je ne sais pas. Il y avait des sentiers, je pense, mais je n'ai jamais su où je me trouvais. Il semblait très contrarié.

– M. Demich portait-il une arme ?

– Il avait une carabine et un pistolet, ou un revolver, une arme que l'on tient à la main. Et il avait un couteau dans un étui de cuir.

– Mais il avait peur du grizzli ?

– Il avait l'air d'en avoir peur.

– Qu'a fait votre mari ?

Joanne pencha la tête et regarda ses mains.

– Voulez-vous un verre d'eau ? demanda Nina.

– Non. Ça va. J'essaie de me rappeler comment c'était. J'ai… comme des trous. Ça devient tout noir, j'ai des nuages de fumée noire devant les yeux.

– Qu'a fait votre mari ?

Malloy parlait d'une voix égale et neutre.

– Danny est parti avec lui. Ils m'ont hissée dans un arbre. Ils ne voulaient pas que je les accompagne.

– Que s'est-il passé quand vous étiez dans l'arbre ?

– Les oiseaux sont venus.

– Quels oiseaux ?

– Des petites femelles oiseaux. Elles ont attendu avec moi et me parlaient. Non… C'est impossible, n'est-ce pas ? Pardon, ce n'est pas clair. J'avais très peur.

– Combien de temps êtes-vous restée dans l'arbre ?

– Je ne sais pas.

– Vous avez dit au capitaine Moutscher que vous les aviez vus se battre avec un ours, un grizzli.

– Non… J'ai dit ça ? Je ne m'en souviens pas.

En entendant cela, Sam tourna la tête, et Moutscher se leva pour aller vers la fenêtre. Nina semblait parfaitement calme.

– Vous rappelez-vous quelque chose à propos de cet ours ? demanda Malloy.

– Duane a dit qu'il était affreux. Il a dit qu'il n'avait jamais vu une chose aussi horrible. Il a essayé de tuer l'ours. Je crois qu'il l'a tué. Non, quelque chose nous suivait, alors l'animal devait être en vie, mais quand Duane est revenu il avait de terribles griffures au bras.

– Vous vous souvenez d'avoir parlé de l'ours au capitaine Moutscher ?

– J'ai dû le faire. J'ai dû oublier.

Joanne regarda ses chaussures et attendit. La pièce était trop silencieuse. Soudain, elle porta les mains à ses oreilles.

– Ohhh… Danny a crié. Quelqu'un a crié.

Nina craqua une allumette et tous les yeux se tournèrent vers elle, sauf ceux de Joanne.

Malloy tenta une nouvelle tactique.

– Pourquoi avez-vous dit au capitaine Moutscher que vous aviez vu l'ours ?

– J'ai dû le voir. Je n'aurais pas dit ça si je ne l'avais pas vu. Simplement, je ne m'en souviens plus. C'est si difficile d'expliquer tous ces nuages dans ma tête. J'essaie et j'essaie encore de les chasser, mais…

– D'accord. Laissons cela pour l'instant. Que s'est-il passé ensuite ? Quelqu'un vous a-t-il aidée à redescendre de l'arbre ? Quelqu'un est-il venu vous chercher ?

– Il m'a sauvée.

– Qui vous a sauvée ?

– Duane. Duane est revenu et m'a sauvée. Je serais morte. Je serais morte s'il ne m'avait pas sauvée.

Joanne s'exprimait d'une façon étrange, comme si elle récitait une antienne. Moutscher se retourna vers elle en hochant imperceptiblement la tête.

– Combien de temps après que vous avez entendu les cris ? Quand est-il revenu ?

– Je ne sais pas. Je revois le moment où il était dans l'arbre avec moi. Il me tenait fort pour que je ne tombe pas. Je lui ai mordu la main.

– Vous… quoi ?

– Je lui ai mordu la main. Je ne sais pas pourquoi, mais j'ai laissé la marque de mes dents sur sa main et ça l'a rendu malade. Mais il ne m'en a pas voulu. Il m'a pardonné.

– Comment êtes-vous descendue de l'arbre ?

L'horloge sonna quatre coups, auxquels répondit d'un autre coup la pendule de la cuisine. Le silence qui suivit en devint plus pesant.

– Joanne... Comment êtes-vous descendue de l'arbre ?

Malloy lui tapota le genou pour réveiller son attention.

– Je ne sais pas. La chose qui me revient ensuite, c'est que j'étais dans une prairie... avec une pierre. Je tenais une pierre à bout de bras, au-dessus de ma tête, et...

– Pourquoi ? Que vouliez-vous faire ?

– Je ne m'en souviens plus.

– Une petite pierre ? Une grosse ?

– Une grosse pierre pour écraser...

– Comment ? L'utilisiez-vous comme une arme, ou pour cuisiner, ou pour...

– Pour la lui jeter dans les yeux.

Nina regarda Malloy, mais celui-ci préféra ne pas croiser son regard. Il prit une voix plus douce et poursuivit son interrogatoire.

– Joanne, aviez-vous peur de Duane Demich ? Vous a-t-il agressée ?

– M'agresser ?

– A-t-il... exigé des faveurs sexuelles ?

– Non !

– Rien de tel ? En êtes-vous certaine ?

– J'étais mariée à Danny. Je n'aurais laissé personne... aucun homme... me faire ça.

– Votre mari était mort. Vous a-t-il dit que Danny était mort ?

– S'il me l'a dit, je ne m'en souviens pas, dit Joanne en relevant la tête pour regarder Malloy. J'étais toute seule. Tout le monde était parti. J'étais perdue. Il a dit qu'il m'aiderait, qu'il nous aiderait à sortir de là, et je croyais qu'il le ferait. Vous ne comprenez pas ? Je...

– Vous l'aimiez bien, à ce moment-là. Vous avez fini par l'aimer bien ?

Elle se raidit, suspectant un piège.

– Il n'y avait personne d'autre. Ce n'est pas que je

l'aimais ou que je ne l'aimais pas. Je n'avais que lui. Je pensais que j'allais mourir. Parfois, c'était comme si j'avais voulu mourir.

– Mais il ne vous aurait pas laissée mourir ?

– Non. Il m'a sauvée.

Sam entendit la même cadence étrange dans sa voix. Elle paraissait réciter par cœur certaines phrases, comme un enfant débite une poésie. Malloy avait été assez gentil avec Joanne. Assis sur le siège près de la fenêtre, Moutscher regardait par terre et remuait les pieds. Seule Nina restait immobile et placide.

– Savez-vous combien de temps vous êtes restés dans la montagne ? demanda Mallow. Combien de jours ?

– Un mois. Deux mois. Le temps est difficile à mesurer. Le printemps était déjà bien avancé.

– Le printemps ? Quel mois ? Vous vous rappelez le mois ?

– Avril, mai, répondit-elle, troublée. Non, ce n'était pas le printemps. Les arbres étaient jaunes. Les feuilles changeaient de couleur et il a neigé, à un moment. A-t-il neigé ?

– Je n'étais pas là, Joanne.

Joanne se tourna vers Sam et s'adressa à lui pour la première fois depuis qu'il était entré dans la ferme.

– A-t-il neigé, Sam ?

Malloy fit un signe de tête à Sam, qui l'ignora.

– Il a neigé, Joanne, dit doucement Sam. C'était l'automne.

– Oui. C'était l'automne. Octobre et novembre.

– Quel jour sommes-nous aujourd'hui, Joanne ?

– Est-ce que je peux regarder le calendrier ?

– Dites-nous simplement ce que vous pensez.

– Nous approchons de Thanksgiving.

– C'est vrai.

– Alors nous sommes en novembre.

Elle tremblait, et Sam vit flotter la dentelle de son col. C'était long. Pourquoi Malloy n'allait-il pas droit au but ?

Pourquoi ne lui posait-il pas les questions difficiles pour en finir au plus vite ? Sam décolla son dos en sueur du fauteuil en cuir.

– Si aujourd'hui nous sommes en novembre, vous êtes donc rentrée chez vous depuis longtemps ? En quelle année vous êtes-vous perdue ?

– 1977.

Moutscher s'agitait sur son siège.

– Après la prairie, que s'est-il passé ?

Malloy avançait lentement, comme si les pièces du puzzle allaient s'emboîter par magie.

– Était-ce M. Demich... Non. Permettez que je reformule ma question. M. Demich vous donnait-t-il toujours la nausée ? Aviez-vous peur de lui ?

– Non.

– Vous l'aimiez bien ?

– Il était malade. Il avait besoin que quelqu'un s'occupe de lui. Personne ne s'était jamais occupé de lui. Quand il était malade, il était comme un petit garçon. Je pense qu'il avait peur.

– Donc, vous avez commencé à l'aimer ?

– Je crois.

– A-t-il essayé de vous violer ou, disons, a-t-il essayé d'avoir des relations sexuelles avec vous ?

– Non. Je vous ai dit que non. Je n'aime pas cette question, monsieur Malloy. Son bras était infecté, et c'était très difficile pour nous. Je pensais qu'il allait mourir et me laisser là toute seule.

– Mais il n'est pas mort ?

– Non. J'avais emporté de la pénicilline. Je lui en ai donné et il est allé mieux pendant un temps. Nous devions nous cacher.

– Vous cacher de qui ?

– Des gens. Des gens qui nous poursuivaient.

– Quels gens ?

– Je ne sais pas.

– Sam Clinton ?

– Je ne sais pas.

– Vous aviez très peur ?

– J'avais tout le temps très peur.

– Venons-en au moment où M. Clinton vous a retrouvés.

– Sommes-nous obligés ?

– Je pense. Quand avez-vous vu Sam Clinton ? Que faisait-il ?

– Puis-je voir ma déposition ?

– Essayez de vous souvenir, si vous le pouvez.

– Sam était en colère.

– Et...

– Il tenait un pistolet.

– Duane Demich avait-il un pistolet ?

– Je ne le regardais pas.

– Aurait-il pu se servir d'un pistolet ?

– C'est possible. Il disait qu'il ne permettrait pas qu'il m'arrive quelque chose.

– Aviez-vous un pistolet ?

– Non, je ne pense pas.

– Savez-vous vous servir d'un pistolet ?

– Duane m'avait montré. Au cas où quelqu'un viendrait, quelqu'un qui voudrait nous faire du mal.

– Que s'est-il passé ensuite ?

– Sam a tué Danny.

Des larmes roulèrent sur les joues de Joanne, qui ne semblait pas en avoir conscience.

– Il a tiré sur lui et il est tombé. J'ai essayé de l'aider.

– Vous dites que Sam a tué Danny. Vous voulez dire qu'il a tué Duane ?

– Oui. Il a tué Duane. Je voulais dire Duane.

– Pourquoi aurait-il fait ça ? Vous le savez ?

– Non, je crois que non. Par erreur, sans doute.

– Y avait-il un autre homme là-haut ? Avez-vous vu Max Ling ?

– Je l'ai vu après. Après que Duane est tombé dans le précipice. Il saignait.

– Qui saignait ?

– Tout le monde saignait. Duane saignait, le petit homme saignait et Sam saignait.

– Qu'avait Sam ?

– Il était blessé derrière la tête. Quelque chose l'avait frappé. Monsieur Malloy, je préférerais ne pas parler de ça maintenant.

– Nous devons examiner tout cela avant le procès, Joanne. Mais nous pouvons faire une pause, si vous voulez.

– Je ne me sens pas bien.

– Voulez-vous faire une pause ?

– Non. Mais c'est tout. Il n'y a rien d'autre à dire.

Nina était restée si sage que Sam avait presque oublié sa présence. Elle se leva et toucha l'épaule de Malloy puis prit sa place sur le canapé. Elle posa sa serviette devant elle et sourit à Joanne.

– Joanne, j'ai quelques questions. Ça va ?

– Je crois.

– Nina, dit tout fort Sam, et tous les yeux convergèrent vers lui, elle a dit qu'elle ne se sentait pas bien. Peut-être pouvons-nous attendre, et…

– Non. Assieds-toi, Sam. Laisse-moi faire.

Moutscher regardait Sam. Le capitaine ne paraissait ni furieux ni ennuyé, comme Sam l'aurait pensé. Perplexe, peut-être. Sam s'assit et détourna le regard des deux femmes.

– Joanne… Résumons un peu. Vous avez parlé longtemps avec M. Malloy, n'est-ce pas ?

– Oui.

– Vous venez de vivre une tragédie. Le choc de la perte de votre mari, mort si brutalement. De façon violente.

– Oui.

– Vous étiez seule avec M. Demich, et vous aviez affreusement peur.

– Vous n'auriez pas eu peur ?

– Si, bien sûr, répondit Nina d'une voix cassante. Bien sûr. Et vous étiez dans un tel état de confusion que tout s'est mélangé, c'est pour cela que vous avez du mal à vous rappeler.

– Je crois, oui.

– Vous souvenez-vous de ma visite ? Du jour où nous avons parlé dans la cuisine ?

– Oui.

– Vous m'avez demandé des nouvelles de Sam, n'est-ce pas ? Vous m'avez demandé de « lui passer le bonjour ». Pourquoi vous seriez-vous souciée de Sam Clinton s'il vous avait fait tout ce dont vous l'accusez ?

– C'est une personne.

– Oui. Vous faites attention aux autres, n'est-ce pas ?

– J'essaie.

– Vous avez pris soin de Duane Demich. Vous vous êtes occupée de lui quand il est tombé malade dans la montagne.

– Il le fallait. Parce que... parce qu'il était le seul à pouvoir me sauver.

– Qui vous a dit cela ?

– Qui ?

– Oui. Qui vous a dit qu'il vous sauverait ?

– C'est lui qui me l'a dit.

– Vous parlait-il beaucoup ?

– Je crois, oui.

– Vous disait-il ce qu'il fallait penser, ce qu'il fallait faire ? Pourquoi alliez-vous lui jeter la pierre dans les yeux ? demanda Nina de but en blanc, en approchant son visage de celui de Joanne.

– Parce que je ne pouvais pas détacher mes yeux des siens !

Joanne mit la main devant sa bouche, comme pour arrêter les mots qui en sortaient.

Nina s'écarta, satisfaite pour l'instant, et baissa la voix.

– De quelle couleur étaient ses yeux ?

– Verts.

– Toujours ?

– Ils étaient rouges avec le feu.

416

– Mademoiselle Armitage, je ne vois pas en quoi la couleur des yeux de M. Demich…, intervint Malloy.

– C'est mon tour, monsieur Malloy.

Il ouvrit la bouche pour protester mais se ravisa.

– Vous avez dit qu'il était « tout rouge », est-ce bien ça ?

– Au début, oui.

– Et après ? Il n'était plus rouge ?

– Non. Il m'a sauvé la vie. Je serais morte si…

– Vous nous l'avez déjà dit, lui signala Nina en levant la main d'un air las. Vous avait-il demandé de prononcer ces mots ?

– Non… Je ne sais pas…

– Étiez-vous amoureuse de lui ?

Joanne était livide. Son teint était si crayeux que ses vêtements blancs paraissaient gris en comparaison. Elle chancelait visiblement sous le feu des questions.

– Non, non. Ce n'est pas vrai. J'étais reconnaissante.

– Reconnaissante à quel point ?

– Je ne sais pas ce que vous voulez dire.

– Vous savez bien ce que je veux dire. À force d'écouter cet homme, vous avez commencé à croire tout ce qu'il vous disait. Ç'a été très facile, n'est-ce pas ? Plus facile que vous ne l'auriez cru. C'était même facile de faire l'amour avec lui…

– Non…

– C'était facile de coucher avec lui, n'est-ce pas ?

– Nina ! hurla Sam.

Moutscher sursauta. Nina regarda Sam et fit non de la tête avec colère.

Joanne venait de croiser les bras pour dissimuler son ventre. Elle fixait Nina, paraissant avoir oublié les hommes présents dans la pièce.

– S'il vous plaît, ne dites pas ça.

– Bien, dit Nina. Bien… Vous n'avez pas à répondre à cela maintenant. Joanne, avez-vous des enfants ?

– Non.

– Vous ne vouliez pas d'enfants avec Danny ?

– Oh… si, nous avons toujours voulu des enfants, dès le début. Toujours.

– Mais vous n'en avez jamais eu ?

– Non…

– Vous êtes-vous demandé pourquoi ?

– On essayait de savoir pourquoi… quand…

– Vous êtes enceinte, aujourd'hui, n'est-ce pas ?

Joanne ne répondit pas mais resserra ses bras autour de sa taille.

– Vous êtes enceinte. Je suis une femme. J'ai été moi-même enceinte et je vois que vous l'êtes. Pourquoi ne pas le dire ?

Merde à elle, merde à elle, merde à moi.

Sam avait demandé à Nina de ne pas faire ça. Un homme en eût été incapable.

– Ce doit être bien cruel de devoir assumer cette grossesse toute seule, alors que vous l'aviez attendue tous deux si longtemps ! Mais c'est peut-être une bénédiction. Elle vous permet peut-être de vous occuper l'esprit… Danny était-il au courant ?

Joanne était paralysée par l'effroi, tel un cerf immobile dans la ligne de mire des chasseurs.

– Danny était-il au courant de votre grossesse ?

– Bien sûr que non… Non…

– Vous dites « Bien sûr que non ». Pourquoi ?

– C'était… c'était trop tôt pour le dire.

– Oh, vraiment ? Trop tôt de combien ?

Malloy et Moutscher étaient plus que mal à l'aise d'avoir été entraînés sur un terrain à ce point intime. Ils retrouvèrent un peu de leurs moyens dès que Nina se fut éloignée de Joanne en parcourant à grands pas la pièce avec cette aisance que Sam avait admirée quelques années plus tôt. Elle semblait avoir oublié que Joanne n'avait pas répondu à sa question. Plus probablement, elle savait qu'elle avait marqué un point. Mais il savait qu'elle y reviendrait, qu'elle attendait le moment…

– Revenons à l'arbre, Joanne. Vous étiez perchée là-haut, vous vous accrochiez à la vie, n'est-ce pas ?

– Oui.

– Revenons-y une fois encore.

– S'il vous plaît, je suis si fatiguée…

– Vous pouvez y arriver. Monsieur Malloy, puis-je vous emprunter votre copie de la déposition de Mme Lindstrom ? Merci. « J'ai regardé dans la direction vers laquelle ils étaient partis et j'ai vu un très grand animal dans les broussailles. J'ai entendu un cri et j'ai pensé que c'était mon mari. M. Demich se battait avec l'ours… » Je me demande comment vous avez pu voir tout ça ! De cet arbre, on ne voit qu'une paroi rocheuse. Vous devez avoir une vue perçante, Joanne, une vue qui transperce la roche.

– Non…

Nina attrapa sa serviette et sortit une feuille de papier qu'elle retourna soigneusement sur sa cuisse.

– Joanne, vous rappelez-vous à quoi ressemblait l'homme rouge ?

– Oh, s'il vous plaît, je ne peux pas…

Sam comprit ce que Nina allait faire. Il connaissait sa cruauté, sa volonté de détruire. Il voulut l'en empêcher, mais il était trop tard. Nina avait déjà retourné la feuille brillante et l'avait mise sous le nez de Joanne. C'était une photographie en couleur prise à la morgue qui montrait Demich, les yeux ouverts, son bras enflé et violet contre son long corps.

– Est-ce lui ? Est-ce votre sauveur, votre héros ?

Joanne poussa un hurlement aigu et terrible qui n'avait rien d'humain. Le hurlement se prolongea, interminable.

Malloy attrapa la photographie et la déchira. Joanne glissa alors de sa chaise tel un pantin désarticulé en poussant des cris stridents que Sam trouva infiniment pires que le hurlement.

Elle se traîna laborieusement jusqu'à Sam, lui prit les genoux. Il la releva et la porta sur le divan. Elle se cramponna à lui, le visage enfoui dans sa poitrine. Sam regarda Nina, qui tenait la moitié de la photo déchirée.

Elle souriait toujours.

– Voici votre violeur et votre meurtrier, maître. Vous remarquerez que Joanne n'est allée ni vers moi ni vers vous : elle s'est précipitée vers Sam parce qu'elle a toujours su qu'il ne lui ferait jamais de mal, malgré les accusations qu'elle a portées contre lui.

– Madame, dit lentement Malloy, vous avez sacrifié votre victime pour votre cause. Je suis cependant surpris que vous vous soyez refusé le plaisir de faire la chose devant un tribunal.

– Ce n'était pas nécessaire.

– Cela non plus.

– Comment va-t-elle ? s'enquit Malloy.

– Appelez le Dr Massie, lui demanda Sam. Vous trouverez son numéro dans l'annuaire.

Moutscher et Malloy saisirent cette occasion pour quitter la pièce. Nina était à côté de Sam comme si elle attendait qu'il lui dise quelque chose, mais toute l'attention de ce dernier était mobilisée par Joanne. L'avocate haussa les épaules et les laissa seuls.

Sam prit Joanne dans ses bras et la berça. Il entendit des voix dans la cuisine, des bribes de conversation, puis le rire moqueur de Nina qui s'arrêta net car Moutscher et Malloy n'y répondaient pas. Il se demanda un instant ce qui pouvait bien la faire rire puis comprit qu'elle avait gagné, et lui aussi. Il était libre, mais quelle piètre victoire… Les moyens avaient ruiné la fin et causé des dégâts irréparables.

Joanne s'accrochait à lui comme à un sauveur. Il lui caressa les cheveux et murmura :

– Tout va bien, maintenant. Tu n'as plus rien à craindre. Sam est là, Sam est là. Tout va bien. C'est fini. Tu n'as rien à craindre.

Sam prononçait les paroles qu'il avait pensé lui dire dans la montagne.

Il entendit une porte claquer et une voiture qui s'éloignait. Il resta seul avec Joanne un long moment, le temps qu'arrive le médecin. Il reconnut la voix d'Elizabeth Crowder puis celle de Sonia Kluznewski, mais ni l'une ni l'autre ne s'aventura dans le salon. Il continuait de parler à Joanne, qui cessa bientôt de gémir. Elle respirait faiblement, mais ses yeux ouverts clignaient de temps en temps. La hanche douloureuse de Sam exigeait un changement de position, mais le moindre mouvement la faisait trembler. Il resta immobile et continua de lui parler en lui caressant les cheveux.

Le médecin arriva enfin, mais les deux hommes ne parvinrent pas à séparer Joanne de Sam. Sam dut la porter jusqu'à la voiture de Massie, la serrant fort pour faire obstacle à la nuit. Le médecin traversa la ville à toute allure et se gara devant l'hôpital. Joanne n'avait pas lâché la main de Sam.

Le Dr Massie ferma la porte au tourbillon des infirmières et prépara une seringue.

Sam leva la main pour arrêter le poignet du docteur.

– Qu'est-ce que c'est ?

– Un sédatif. Elle ne vous lâchera pas tant qu'elle ne sera pas calmée.

– Et si elle est enceinte ? Est-ce mauvais pour le bébé ?

Le médecin se tourna vers Sam.

– Ai-je dit qu'elle était enceinte ?

– Non. Et je ne vous le demande pas. J'ai dit que je ne vous le demanderais pas.

Le médecin fit un clin d'œil à Sam, un clin d'œil solennel et sans humour.

– Au cas où elle serait enceinte, qu'elle porterait l'enfant de Danny, il n'y a rien là-dedans qui puisse lui faire du mal. Rien de ce que je lui ai donné jusqu'ici n'a pu lui faire du mal.

– Elle porte l'enfant de Danny…

– De qui d'autre ? Et qui saura ? Et qui dira ?

Les traits de Joanne se détendirent, ses yeux se fermèrent enfin, puis sa main glissa de celle de Sam et resta ouverte.

Quand il fut certain qu'elle était bien endormie, Sam quitta l'hôpital. La nuit embaumait les chrysanthèmes, la fumée et les pommes. Il retrouva son pick-up garé derrière le bureau du shérif. En passant devant le lycée, il remarqua que le stade était éclairé pour un match nocturne.

Il dépassa le Safeway et rentra nourrir son chat.

ÉPILOGUE

Natchitat

Printemps 1982

Les gens ont la mémoire courte. Le scandale qui s'était abattu sur Natchitat dura une saison, le temps que les arbres fruitiers bourgeonnent, fleurissent et se fanent prématurément. Sans réel fondement, les commérages n'avaient pu survivre, du moins dans leur splendeur originelle, aux rigueurs de l'hiver. Ceux qui connaissaient la vérité n'en parlaient pas. N'ayant ni bon ni méchant clairement désigné pour alimenter leur chronique, les colporteurs de ragots les plus acharnés se lassèrent assez vite. Dans les petites villes où chacun peut entendre son voisin respirer, rire, pleurer, et parfois le surpendre en flagrant délit d'adultère, chaque nouveau scandale vient combler le vide. Qu'un lourd secret ait permis d'éviter un procès faisait désormais partie du folklore de Natchitat. Quelques vieilles radoteuses désœuvrées évoquaient encore parfois l'affaire mais ne trouvaient aucune oreille complaisante pour les écouter.

L'hiver fut rude et apporta son lot d'intempéries. La neige tomba très tôt, étouffa les rumeurs et mit la vie sous cloche. Le volcan de Sainte-Hélène gronda et trembla bien avant l'arrivée du printemps, menaçant d'ensevelir à nouveau Natchitat sous un angoissant nuage de cendres. L'économie se ralentit, il fallut fermer la scierie et une usine d'emballage de pommes. La population, inquiète que s'épuisent ses allocations de chômage, se souciait peu

425

de savoir si quelqu'un avait péché ou si un meurtre était resté impuni. Sans travail et déprimés, les hommes se battaient entre eux à la taverne et s'en prenaient à leur femme à la maison. Quand le sang coule, que vos moyens de subsistance sont menacés, personne ne s'intéresse de trop près au policier qui vient vous porter secours.

Walker Fewell, contraint de réintégrer Sam dans son service, eut du mal à avaler la pilule. Au regard de la loi et des directives du service civil, Sam était blanchi. Ses collègues l'accueillirent avec de grandes tapes dans le dos, masquant leur gêne par de bruyants discours, puis tout rentra dans l'ordre – sauf que Danny n'était plus là. Au début, Sam refusa de prendre un coéquipier, préférant patrouiller seul pendant la journée. Puis il accepta la nouvelle recrue, un gamin de moins de vingt-cinq ans qui avait besoin d'un mentor.

Joanne… Joanne, escortée de son médecin, de sa mère et de Sonia, partit sagement se reposer dans un sanatorium privé, tranquille et très onéreux, de l'autre côté de la chaîne des Cascades. À son retour, elle se souvenait de ce qu'elle avait oublié et comprenait ce dont elle se souvenait. Elle allait bien. Pas merveilleusement bien, mais aussi bien que possible.

Elle revint chez elle en janvier et fut tendrement accueillie, plus tendrement encore quand on s'aperçut qu'elle attendait l'enfant de son défunt mari. Les femmes de la paroisse organisèrent pour elle une fête surprise. Sonia, qui était de nouveau enceinte, l'emmena avec elle aux cours d'accouchement sans douleur. Chaque fois que Joanne venait consulter Massie, le médecin parlait toujours de l'« enfant de Danny » sans qu'elle trouve à y redire.

Elle le sentit bouger très tôt. Dans son bain, elle regardait son ventre blanc secoué de petits mouvements. Elle était heureuse qu'il soit en bonne santé.

Un jour que Sam patrouillait dans l'Old Orchard Road, il l'aperçut près de la boîte aux lettres. Il lui fit signe et se demanda s'il devait s'arrêter. Elle était jolie dans la chemise de laine bleue de Danny, elle avait même embelli. Elle lui sourit gaiement, et il lui proposa tout naturellement de la reconduire à la ferme. Ils prirent le café ensemble dans la cuisine, comme autrefois.

Il prit vite l'habitude de s'arrêter chaque jour chez elle. Tacitement, ils ne parlaient jamais de l'été passé ni des troubles de l'automne. Ils se sentaient bien ensemble, et Joanne avait besoin de quelqu'un à qui parler. Elle avait retrouvé sa sérénité, ne craignant, lui confia-t-elle, que de se retrouver seule la nuit parce que les chutes de neige coupaient les lignes électriques. Elle avait pris la décision de ne pas s'installer en ville chez sa mère. Inquiet de la savoir seule pendant ces longues soirées d'hiver, Sam venait lui tenir compagnie après son service. Avant de partir, il la serrait paternellement dans ses bras.

Il lui parut judicieux, et profitable pour tous les deux, d'accepter l'offre de Joanne. Rhodes avait une fois de plus surpris Pistol en train de souiller la buanderie et demandé à Sam d'enlever son mobil home. Il l'installa en bas de la propriété, le raccorda à l'eau et à l'électricité, et put dès lors surveiller l'entrée du chemin. Personne ne remarqua le mobile home avant des semaines, caché derrière un rideau de peupliers. Et, comme Sam logeait maintenant tout près, il aurait été stupide qu'il ne prenne pas ses repas avec Joanne. Sam faisait les courses et elle cuisinait pour eux deux.

Bientôt, il n'eut qu'une hâte : rentrer « à la maison », chez Joanne, qui elle-même guettait le vieux pick-up.

Le 14 avril, trois événements, apparemment sans lien, se produisirent.

La note de Nina Armitage arriva par la poste. Les intérêts pour un prêt de cinq mille dollars se montaient à neuf cents dollars. Il signa tout de suite un chèque qu'il mit dans une enveloppe avec une gentille carte de remerciements et l'envoya.

La neige avait fondu dans le comté de Chelan et le corps de Duane Demich, que personne n'avait réclamé, sortit de la chambre froide ; il fut enterré sans cérémonie dans une tombe anonyme, dans un cimetière en dehors de Wenatchee.

Et, bien que la lune ne fût pleine qu'aux trois quarts, Joanne Lindstrom ressentit les premières contractions et accoucha d'un fils prématuré. Malgré une grossesse écourtée, le garçon pesait plus de trois kilos et vint au monde coiffé d'une belle chevelure rousse.

Joanne nourrissait l'enfant, le berçait et l'emmenait partout. Ses yeux n'avaient pas ce bleu terne habituel aux nouveau-nés : ils étaient vifs et brillaient d'intelligence. Cramponné à sa mère, il ne voulut rien entendre de Sam au début. Mais Sam persévéra, sensible à la vulnérabilité de l'enfant et résolu à lui faire savoir qu'il ne lui ferait pas de mal. Peu à peu, l'enfant se calma dans ses bras. Sam lui chantait des berceuses d'une voix rocailleuse qui faisait rire Joanne.

Joanne baptisa l'enfant Danny. Sam grinçait des dents à l'entendre prononcer ce nom si souvent mais convint que c'était le seul choix possible.

En mai, quand les pommiers se couvrirent de fleurs blanches, ils sortirent le petit Danny et l'allongèrent sur une couverture dans l'herbe pour qu'il puisse attraper les fleurs.

– Regarde-le, Sam, regarde ! On dirait qu'il comprend tout. Il ne lui manque que la parole.

– Tous les bébés sont comme ça.

– Non. Il est spécial, vraiment spécial, je t'assure.

Elle semblait si heureuse que Sam ne voulut pas la contrarier. C'était si bon de la voir sourire à nouveau.

– Tu as peut-être raison.

– Je vais tant l'aimer qu'il grandira parfaitement. Tu le crois, n'est-ce pas ?

Sam regarda un moment la rivière, et quand il se retourna le visage de Joanne était devenu soudain grave.

– Tu le crois, n'est-ce pas ?

– Je le crois, mentit Sam en lui prenant la main.

Il pensa à Nina, qui ne croyait à rien, puis la chassa de ses pensées. Il ne savait pas lui-même à quoi il croyait. Mais le ciel au-dessus d'eux était clair, l'herbe tendre, l'enfant adorable. Rien d'autre n'existait que cet endroit, que ce jour.

Composition PCA
44400 – Rezé

Impression réalisée par
Imprimerie Lebonfon Inc.
pour le compte des Éditions Michel Lafon

Imprimé au Canada
Dépôt légal : juin 2011
ISBN : 978-2-7499-1415-2
LAF **176**